CORRESPONDANCE
D'AFFAIRES

2e édition revue et enrichie

Les Éditions Transcontinental inc.
24ᵉ étage
1100, boul. René-Lévesque Ouest
Montréal (Québec) H3B 4X9
Tél. : 514 392-9000
        1 800 361-5479
www.livres.transcontinental.ca

Les Éditions de la Fondation de
l'entrepreneurship
55, rue Marie-de-l'Incarnation, bureau 201
Québec (Québec) G1N 3E9
Tél. : 418 646-1994, poste 222
        1 800 661-2160, poste 222
www.entrepreneurship.qc.ca

La collection Entreprendre est une initiative conjointe de la Fondation de l'entrepreneurship et des Éditions Transcontinental visant à répondre aux besoins des futurs et des nouveaux entrepreneurs.

Données de catalogage avant publication (Canada)

Van Coillie-Tremblay, Brigitte, 1945-

  Correspondance d'affaires
  2ᵉ éd. rev. et enrichie.
  (Collection Entreprendre)
  Publ. en collab. avec Les Éditions de la Fondation de l'entrepreneurship

  ISBN 978-2-89472-163-7
  ISBN 978-2-89521-096-6

  1. Correspondance commerciale. 2. Correspondance commerciale anglaise. I. Bartlett, Micheline. II. Forgues-Michaud, Diane. III. Titre. IV. Collection : Entreprendre (Montréal, Québec).

HF5728.F7V36 2005   808'.066651   C2005-940493-0

Conception graphique de la couverture : Studio Andrée Robillard
Mise en pages : Diane Forgues-Michaud
Impression : Transcontinental Gagné

Imprimé au Canada
© Les Éditions Transcontinental inc. et Les Éditions de la Fondation de l'entrepreneurship, 2006
Dépôt légal – 4ᵉ trimestre 2006
Bibliothèque nationale du Québec
Bibliothèque nationale du Canada
ISBN 978-2-89472-163-7 (Transcontinental)
ISBN 978-2-89521-096-6 (Fondation)

Nous reconnaissons, pour nos activités d'édition, l'aide financière du gouvernement du Canada, par l'entremise du Programme d'aide au développement de l'industrie de l'édition (PADIÉ), ainsi que celle du gouvernement du Québec (SODEC), par l'entremise du programme Aide à la promotion.

29.95$
2007/03

**Brigitte Van Coillie-Tremblay
Micheline Bartlett
Diane Forgues-Michaud**

CORRESPONDANCE
D'AFFAIRES

2e édition revue et enrichie

Les Éditions
Transcontinental

fondation de
l'entrepreneurship
ÉDITIONS

fondation de l'entrepreneurship

La **fondation de l'entrepreneurship** s'est donné pour mission de promouvoir la culture entrepreneuriale, sous toutes ses formes d'expression, comme moyen privilégié pour assurer le plein développement économique et social de toutes les régions du Québec.

En plus de promouvoir la culture entrepreneuriale, elle assure un support à la création d'un environnement propice à son développement. Elle joue également un rôle de réseauteur auprès des principaux groupes d'intervenants et poursuit, en collaboration avec un grand nombre d'institutions et de chercheurs, un rôle de vigie sur les nouvelles tendances et les pratiques exemplaires en matière de sensibilisation, d'éducation et d'animation à l'entrepreneurship.

La fondation de l'entrepreneurship s'acquitte de sa mission grâce à l'expertise et au soutien financier de plusieurs organisations. Elle rend un hommage particulier à ses **partenaires** :

PRÉFACE

Pourquoi rédiger un guide sur la correspondance d'affaires à une époque où une proportion croissante de transactions sont conclues par téléphone et par courrier électronique? Simplement parce que l'écrit a encore et toujours sa place, qu'il s'agisse de confirmer une commande, de passer un accord, de féliciter un collaborateur ou de transmettre des instructions. En fait, l'écrit reste le meilleur moyen d'organiser sa pensée, de consolider son argumentation et de favoriser une compréhension mutuelle. De plus, comme le dit si bien le proverbe, « les paroles s'envolent, les écrits restent ».

La correspondance d'affaires peut revêtir des formes fort différentes selon le destinataire ou selon le contenu. Par exemple, elle peut être incitative lorsqu'elle vise à accroître les ventes ou à susciter l'intérêt. Elle peut aussi être rédigée sur un ton très ferme, comme pour certaines lettres de recouvrement. Chose certaine, dans tous les cas, pour être crédible, la correspondance d'affaires doit formuler le message de façon claire tout en respectant certaines conventions et en prenant en considération les répercussions des écrits ou des transactions sur le plan juridique.

C'est là que *Correspondance d'affaires* se révèle particulièrement utile. Ce livre outille au quotidien les gens d'affaires afin qu'ils puissent assurer l'efficacité de leurs transactions et de leurs relations d'affaires. Voilà pourquoi l'ouvrage comporte, en plus des lettres courantes, de nombreux modèles de lettres qui traitent de prospection des marchés, d'exportation, d'expédition de marchandises et de conclusion d'ententes.

Le résultat : un livre très pratique et concret qui a été spécialement conçu à l'intention des francophones qui mènent des transactions d'affaires.

Marc Beauchemin   Jean-Paul Gagné
Desjardins Ducharme, S.E.N.C.R.L.   Éditeur, Journal *Les Affaires*

TABLE DES MATIÈRES

INTRODUCTION

La rédaction d'affaires est un art qui se nourrit d'écoute, d'expertise de contenu et d'originalité autant que de respect des conventions.

À ce sujet, que pensez-vous de ce message?

À :	rené.paquet@ludmerat.com
Cc :	louise.gobert@sandalf.com; diane.caron@vie.ca; catherinecote@bibl. qc.ca; louiscote@idee.com; nicdube@botel.qc.ca; monique. dumont@retraitee.com; madodupuis@scrabb.com; danielfiset@cegepsf. qc.ca; gaudetjulie@actcult.com; lise.gauvin@clublect.qc.ca; louisematte@japonaustr.com; helene.poirier@rotation.qc.ca; lachance. nicole@retar.com
Objet :	réaction sur retard à repondre alors que le Mibrifor délivré ne marchent pas

hello rené,

En avril, dans un e-mail, j'exprimais mon courrou à l'effet que, même si vos intention sont probablement corrects, you do not walk the talk!

J'en n'ai touché un mot a mon avocat qui ma conseiler de vous écrire. Le Mibrifor, que j'ai payer a son arrivé, marche pas bien. Je vous met en demeure de réparer le tort que3 mon entreprise a subit.

Louis
Sandalf inc.
1234, rue Principale
Ville Nouvelle (Québec) G0O 0O0

À part qu'il fait ressortir l'insatisfaction du client, le message qui précède ne donne pas d'avenues de solution, constituant ainsi une communication plus dommageable qu'utile. En outre, le laxisme sur la forme entache la crédibilité du rédacteur. À cela s'ajoutent le grand retard à réagir et le recours à une approche familière conjuguée à une mise en demeure!

Comment communiquer de façon plus productive? En vous inspirant des propositions et des conseils contenus dans les pages qui suivent et qui comprennent des indications sur les bons usages ainsi que beaucoup d'exemples d'application.

Si vous avez trouvé plusieurs défauts au courriel ci-dessus, vous vous demandez quel type de message aurait gagné à être envoyé. Nous vous en suggérons une version.

À :	rené.paquet@ludmerat.com
Cc :	louise.gobert@sandalf.com
Objet :	Mibrifor livré non opérant

Monsieur,

Je désire faire suite au message courriel que je vous ai transmis le 15 avril, soit un jour après avoir pris livraison du Mibrifor. Je vous indiquais clairement que l'instrument ne faisait pas le balayage requis.

Je ne comprends pas que vous ne m'ayez pas répondu.

Je vous retourne copie de mon courriel d'avril et vous demande de me répondre rapidement. Il est plus que temps que le matériel que nous avons acquis de votre entreprise puisse être mis à profit!

Louis Gaillard
Directeur de la production
Sandalf inc.
1234, rue Principale
Ville Nouvelle (Québec) G0O 0O0

Le courriel, notre nouveau mode de communication

Pourquoi commencer par un message courriel? Parce que ce type de message est devenu le moyen privilégié de la communication écrite. Ce mode, qui se nourrit de l'instantanéité de la conversation téléphonique, conserve cependant les attributs de la correspondance traditionnelle qui constitue la base juridique des écrits. Il s'ensuit que, dans la foulée des messages plus instantanés que suscite Internet, le présent livre propose des exemples d'expressions beaucoup plus informels et imaginatifs que ceux de nos deux livres précédents, *Correspondance d'affaires, Règles d'usage françaises et anglaises et 85 lettres modèles* et *Correspondance d'affaires anglaise, Règles d'usage, principaux aspects juridiques et 126 lettres modèles*. La première partie contient également une section importante sur le courrier électronique, suivie d'un document du cabinet Desjardins Ducharme, S.E.N.C.R.L. sur le même aspect.

La démarche de rédaction

Pour rédiger cet ouvrage, nous avons d'abord dressé l'inventaire des principaux besoins de communication des gens d'affaires. Nous avons ensuite relevé les sujets les plus pertinents et les avons transposés dans des textes courts, concrets, vivants et simples, réservant les termes techniques et spécialisés aux situations où ils s'imposent. Par ailleurs, chaque fois que cela était possible, nous avons opté pour des messages personnalisés car, en abordant des sujets qui intéressent personnellement le destinataire, nous sommes convaincues de mieux retenir son attention.

La liberté que nous prenons par rapport à certaines règles couramment reçues risque de surprendre les plus orthodoxes en matière de rédaction d'affaires. Ce que certains pourraient qualifier d'audace (tandis que d'autres pourraient qualifier de conservatisme) n'est pourtant que le reflet des nouveaux usages qui s'implantent en matière de correspondance d'affaires. Nous avons choisi de naviguer entre ces deux eaux en privilégiant l'illustration des nouveaux usages, puisque le milieu des affaires a l'innovation pour marque de développement et de survie. Au cours de cet exercice de rédaction, nous avons été à la fois surprises, puis stimulées, par l'importance des changements à apporter.

Nous avons privilégié les sujets de lettres que nous considérons comme les plus pertinents : la prospection des marchés, les exportations, l'expédition des marchandises, le crédit et le recouvrement ainsi que les communications avec le personnel et les partenaires. Et ce, avec des exemples de modes diversifiés d'expression écrite : lettre, note de service, communiqué, courriel, carte d'invitation, carte professionnelle, questionnaire, contrat, entente. Bref, un guide qui se veut aussi complet que possible pour les gens d'affaires!

De plus, afin de souligner les répercussions des documents écrits sur le plan juridique, Me Marc Beauchemin, du cabinet Desjardins Ducharme, S.E.N.C.R.L., a résumé, au début de la partie III, les principaux éléments juridiques à considérer dans la correspondance.

Une mise en garde

Les utilisateurs de nos livres antérieurs nous ont confié qu'ils les utilisent constamment, non pas pour copier les lettres mot à mot, mais comme source d'inspiration. Excellente idée : les modèles proposés ne devraient servir qu'à réduire le temps d'identification du sujet à couvrir et à fournir des exemples de façons de le communiquer.

Tout cela est encore bien plus vrai pour les quelques modèles de contrat ou de convention dans le présent livre. Ceux-ci visent uniquement à sensibiliser le lecteur au besoin de se protéger et à suggérer des avenues de rédaction possibles. En fait, vous ne devriez jamais utiliser les modèles proposés tels quels. Vous connaissez la maxime *Mieux vaut prévenir que guérir...* Eh bien, appliquez-la constamment; consultez un avocat chaque fois que vous voulez réaliser une transaction ayant une portée juridique, en particulier si vous faites affaire avec un interlocuteur assujetti à des lois ou à des règlements hors Québec.

Une deuxième mise en garde

Nous avons tenu à présenter des lettres reflétant le plus fidèlement la réalité. À cette fin, nous avons inventé des destinataires ainsi que des noms d'entreprises et de produits ou services. Donc, si une adresse ou un nom correspond au vôtre, sachez que c'est purement accidentel.

Dans certains cas, les destinataires des lettres ou des courriels sont à l'étranger. Aux fins du présent ouvrage qui porte sur la correspondance d'affaires en français, nous vous avons fourni des textes et des appels en français. Nous tenons cependant à vous inciter à correspondre, chaque fois que possible, dans la langue de votre interlocuteur. Car, comme le mentionnait un industriel, *l'anglais, c'est la langue des affaires. Mais la langue du profit, c'est celle du client!*

Les grands contenus du livre

On ne change pas une formule gagnante; on l'adapte. En conséquence, la facture générale du livre est assez semblable à celle de l'édition précédente.

Les principaux changements se trouvent tant dans les normes et les messages que dans le mode d'expression. Ainsi :

*   Pour faciliter la consultation, le livre comprend des rappels dans la marge ainsi qu'un index exhaustif et de consultation facile sur le contenu du livre et sur celui du cédérom.

- Le livre débute avec deux parties assez importantes : la première, sur les normes épistolaires et sur les grands principes d'une rédaction efficace, et la seconde, sur la grammaire et la présentation.

- La troisième partie, qui constitue la pièce maîtresse du livre, débute par quelques conseils du cabinet Desjardins Ducharme, S.E.N.C.R.L. sur les effets juridiques des documents. Les 156 lettres et documents qui y sont présentés sont séparés en sept catégories, pour la plupart précédées d'un court texte expliquant les principes généraux de rédaction :

  - Les communications avec le personnel
  - L'accroissement des ventes
  - Les relations avec le client
  - Les transactions avec les fournisseurs
  - Le crédit et le recouvrement
  - La gestion de la carrière
  - Des lettres diverses

- Par ailleurs, le cédérom ci-joint contient non seulement les documents présentés dans le livre, mais également bien d'autres modèles de communication. À titre d'exemple, si le livre illustre quatre lettres de condoléances, le cédérom en contient sept. Le pictogramme ⊙ situé au haut des lettres indique le numéro du document à rechercher sur le cédérom.

Nous espérons que vous aurez autant de plaisir à travailler avec ce « compagnon de rédaction » que nous avons eu à l'écrire.

Bonne lecture, bonne consultation!

Brigitte Van Coillie-Tremblay
Micheline Bartlett
Diane Forgues-Michaud

PARTIE I

LA CORRESPONDANCE D'AFFAIRES

On n'a jamais deux fois l'occasion de faire une première bonne impression.

Dale Carnegie

La communication sous ses différentes formes constitue un pilier du monde des affaires, car elle permet de se faire connaître, d'échanger sur les conditions de réalisation d'un contrat ou d'une activité et également de transmettre l'information nécessaire sur des transactions ou des clauses particulières.

La forme écrite de la communication, la correspondance d'affaires, vise essentiellement à intéresser votre destinataire et à transmettre votre message de façon logique, claire et attrayante : c'est là le cœur et la raison d'être de la rédaction épistolaire d'affaires.

Toutefois, il y a aussi des usages à respecter pour que la lettre, par son contenu et par sa présentation, témoigne de l'attention que vous portez à votre correspondant ainsi que de votre préoccupation d'offrir de la qualité en tout.

Écrire une bonne lettre requiert le respect d'un ensemble de règles sur divers aspects comme :

- la présentation de l'adresse;
- la mention des titres de civilité ou de fonction;
- la façon de commencer et de terminer une lettre.

Par ailleurs, certains principes de rédaction doivent être pris en compte.

Enfin, la majorité des communications écrites étant actuellement transmise par courrier électronique, une section particulière lui est consacrée.

LA LETTRE

Lors de la rédaction d'une lettre commerciale ou administrative, plusieurs éléments sont à considérer. Ces aspects sont illustrés dans les exemples de lettres modèles (p. 71 à 98) ainsi que dans les lettres et les documents présentés dans la partie III. Quelques conseils sur les effets juridiques des écrits sont également fournis dans cette partie.

La correspondance d'affaires peut s'inspirer de normes traditionnelles, qui restent des valeurs sûres, tout comme de nouveaux modes d'expression dictés par le désir de retenir l'intérêt et de réduire la longueur de la lettre. Le présent livre illustre ces deux usages.

Normes

La lettre contient un ensemble d'éléments qui doivent paraître selon un ordre établi. À titre indicatif, nous vous présentons ces éléments dans l'ordre.

Éléments de la lettre

- Les mentions d'acheminement et de caractère
- Le lieu d'expédition et la date
- La vedette
- La mention *À l'attention de*
- Les références
- L'objet
- L'appel
- L'introduction
- Le corps de la lettre
- La conclusion
- La salutation
- La signature
- Les mentions diverses : le post-scriptum, les initiales d'identification, les pièces jointes et les copies conformes

Le papier

Adresse
électronique,
géographique
ou postale

En général, les entreprises utilisent du papier à en-tête où sont imprimées leur raison sociale et leurs coordonnées, y compris l'adresse de courrier électronique (courriel) et celle du site Internet, s'il y a lieu. Il peut arriver qu'une entreprise possède une adresse géographique et une adresse postale. Ces adresses doivent être indiquées distinctement, puisque le code postal est différent pour chacune d'elles.

Mirédo inc.
7575, boul. Henri-Bourassa
Charlesbourg (Québec) G1H 3E7   Case postale 7070
Téléphone : 418 623-3777   Charlesbourg (Québec) G1G 5E2
Téléphone sans frais : 1 800 626-4322   Courriel : miredo@videotron.ca
Télécopie : 418 623-7377   Internet : www.miredo.com

Mirédo inc.
7575, boul. Henri-Bourassa
Charlesbourg (Québec) G1H 3E7   Case postale 7070
☎ 418 623-3777   Charlesbourg (Québec) G1G 5E2
☎ sans frais : 1 800 626-4322   miredo@videotron.ca
🖷 418 623-7377   www.miredo.com

Les coordonnées de l'entreprise peuvent aussi être présentées en ligne continue au bas de la feuille. Dans ce cas :

- Les différentes parties de l'adresse sont séparées par des virgules.
- L'adresse complète se termine par un point.
- Quant aux données complémentaires (adresse électronique, numéro de téléphone, etc.), séparez-les par des points-virgules.
- Le code postal est séparé du nom de la province par une seule espace.
- Le tout se termine par un point.

Mirédo inc., 7575, boul. Henri-Bourassa, Charlesbourg (Québec) G1H 3E7,
C. P. 7070, Charlesbourg (Québec) G1G 5E2.
Téléphone : 418 623-3777; téléphone sans frais : 1 800 626-4322;
télécopie : 418 623-7377; courriel : miredo@videotron.ca;
Internet : www.miredo.com.

Le papier à en-tête est réservé à la première page de la lettre.

Papier à en-tête

Si la lettre d'affaires est écrite sur du papier ne comportant pas d'en-tête, vous pouvez inscrire votre nom ou votre adresse, ou les deux, au haut de la lettre, contre la marge de gauche, au centre ou contre la marge de droite, comme suit :

585, rue de la Falaise
Lévis (Québec) G6W 1A5

585, rue de la Falaise
Lévis (Québec) G6W 1A5

585, rue de la Falaise
Lévis (Québec) G6W 1A5

Dans une lettre personnelle ou dans une lettre de demande d'emploi, indiquez votre nom et votre adresse sous votre signature.

Demande d'emploi

Les mentions d'acheminement et de caractère

Les mentions d'acheminement *EXPRÈS* ou *PAR EXPRÈS* (et non *Par express*), *PAR MESSAGERIE, PAR TÉLÉ-COPIE, POSTE CERTIFIÉE, RECOMMANDÉ* (et non *Enregistré*), *POSTE PRIORITAIRE* s'écrivent en majuscules soulignées et se placent contre la marge de gauche au-dessus de la date.

Les mentions de caractère *PERSONNEL* et *CONFIDEN-TIEL* s'écrivent en majuscules soulignées et se placent au même endroit; notez qu'on n'en emploie qu'une à la fois. Elles s'écrivent au masculin, car on sous-entend *courrier* ou *pli*.

Dans les rares cas où une lettre comporte à la fois une mention d'acheminement et une mention de caractère, disposez-les l'une sous l'autre.

PAR MESSAGERIE
PERSONNEL

L'expression *SOUS TOUTES RÉSERVES* (plus rare : *SOUS RÉSERVE DE TOUS DROITS*) indique que le contenu de la lettre n'engage pas le signataire. Évitez *Sans préjudice*, car c'est un anglicisme.

Le lieu d'expédition et la date

S'il n'y a pas de mention d'acheminement ou de caractère, écrivez le lieu et la date directement sous la marge supérieure. Cette indication ne se termine jamais par un point.

N'indiquez le lieu d'expédition avant la date que s'il y a plusieurs adresses sur votre papier à en-tête. Séparez alors le lieu d'expédition de la date par une virgule.

> Rivière-du-Loup, le 5 juillet 2006

Notez qu'on n'abrège jamais la date (par ex. : 2006-11-06 ou 06 nov. 06) et qu'on ne met pas de virgule entre le mois et l'année. En outre, l'indication du mois prend la minuscule.

La vedette

La vedette est le bloc de la lettre comprenant le nom et l'adresse du destinataire.

Il n'y a pas de limite à la longueur de la vedette. Cependant, elle ne doit pas comporter plus de cinq lignes si vous utilisez une enveloppe à fenêtre.

Enveloppe à fenêtre

Chaque ligne de la vedette commence par une majuscule, sauf lorsqu'une ligne est la suite de l'autre. Dans un tel cas, vous pouvez laisser deux espaces au début de la deuxième ligne.

On ne place pas de ponctuation à la fin des lignes de la vedette.

Ponctuation

> Direction du secrétariat général
>   et des services juridiques
> 270, 3ᵉ Avenue
> Sherbrooke (Québec) J1G 2J7

Pays étranger   Pour le courrier à envoyer à l'étranger, respectez l'usage du pays du **destinataire**, car la lettre y sera traitée par le service local des postes. Toutefois, le nom du pays s'indique toujours dans la langue du pays de l'**expéditeur**, car c'est là que s'effectue le premier tri postal.

> Herr Kurt Weiler
> Reichkanzlerstrasse 32/4
> 22609 Hamburg
> ALLEMAGNE

Afin d'expliquer les règles à suivre pour bien rédiger une adresse, prenons une adresse fictive et examinons-la en détail.

> Madame Marie-Claude Hudon-Bélair, comptable
> Directrice de la production
> Compagnie de transport Dion & Associés ltée
> Édifice Dupuis, bureau 25
> 1675, rue du Palais Est
> Québec (Québec) G1K 7W8

> *Madame* **1** *Marie-Claude* **2** *Hudon-Bélair* **3**, *comptable* **4**

Titre de civilité   **1** Dans l'adresse, vous devez écrire un titre de civilité et le mettre au long : *Monsieur, Madame, Mademoiselle, Docteur,* etc.

Mademoiselle   Le terme *Mademoiselle* est réservé aux femmes qui indiquent vouloir porter ce titre. En général, on utilise *Madame.*

Sexe inconnu   Si vous ignorez le sexe du destinataire, vous pouvez écrire *Madame ou Monsieur.*

> Madame ou Monsieur Camille Poulin

Dans le cas où la lettre est adressée à un couple, vous pouvez utiliser une des formes d'adresse suivantes :

Monsieur et Madame François et Madeleine Gagnon
Monsieur François Gagnon et Madame Madeleine Thibault
Monsieur le docteur et Madame Robert Gravel

Le titre *Docteur* ne s'emploie que pour les médecins, dentistes ou vétérinaires dans l'exercice de leur profession, tout comme le titre *Maître* ne s'emploie que pour les avocats et les notaires. Il est à noter qu'il faut éviter la répétition du titre. Par exemple, on ne doit pas écrire *Docteur Jean Dusablon, m.d.* ni *Maître Guy Bédard, avocat*.

Docteure France Dussault
Monsieur le docteur Benoît Marcoux
Maître Renaud Blanchet
Madame Lynda Anderson, notaire

2 Il est préférable d'écrire au long le prénom d'une personne. Dans un prénom composé, il y a toujours un trait d'union, même s'il est abrégé. Lorsqu'on abrège un prénom composé, il est d'usage d'en abréger les deux parties.

Madame M.-C. Hudon-Bélair

Dans le cas d'une personne qui utilise une deuxième initiale pour se distinguer de personnes qui portent les mêmes nom et prénom, il ne faut pas mettre de trait d'union entre le prénom et l'initiale, car il s'agit de deux prénoms, et non d'un prénom composé.

Monsieur Claude A. Boissonneau
Madame Lucienne L. Rioux

3 Dans le cas des personnes qui portent le nom de famille de leur père et celui de leur mère, écrivez les deux noms au long et reliez-les par un trait d'union. La même règle s'applique lorsqu'une femme mariée porte son nom de jeune fille et le nom de famille de son mari.

Notez qu'il ne faut jamais abréger un nom de famille composé.

> Madame Anaé Couture-Bergeron
> *et non*
> Madame Anaé C.-Bergeron

Profession, titre professionnel

4 Vous pouvez ajouter la mention de la profession ou le titre professionnel (*ing.* ou *ingénieur*, *avocat*, *CA*, etc.) après le nom de la personne si le contexte le justifie. Séparez alors le nom et la mention par une virgule et écrivez la mention avec une minuscule initiale, sauf s'il s'agit d'une abréviation qui prend toujours la majuscule.

> *Directrice* [1] *de la production* [2]

Titre de fonction

1 Il est préférable d'écrire le titre de fonction sous le nom de la personne. Cependant, en cas de manque d'espace, il peut être placé à la droite du nom, séparé par une virgule.

> Madame Nadia Roy
> Directrice
>
> Monsieur Philippe Dupont
> Président-directeur général
>
> Monsieur Patrick Hamel, vice-président

Par intérim

Si le destinataire occupe la fonction par intérim, vous pouvez écrire *par intérim* ou *p.i.*

> Monsieur Bernard Comtois
> Directeur par intérim

Si vous vous adressez à une femme, il est d'usage d'indiquer son titre de fonction au féminin comme le recommande l'Office québécois de la langue française. On obtient la forme féminine :

- soit à l'aide du féminin usuel : avocate, traductrice, enseignante;

- soit à l'aide d'un terme qui a la même forme au masculin et au féminin : une ministre, une commissaire;

- soit par la création d'une forme féminine qui respecte la morphologie française : députée, ingénieure, auteure.

Exemples se rapportant à plusieurs parties de la lettre :

(adresse)	Madame Marie-Hélène Poirier Directrice de la publicité
(appel)	Madame la Présidente,
(appel)	Mademoiselle la Secrétaire-Trésorière,
(signature)	La secrétaire générale,

Josée Grandjean.

Josée Grandjean

(signature)	

Anne Dupuis

Anne Dupuis
Traductrice réviseure

(signature)	La chef adjointe,

France Béliveau

France Béliveau

2 Si vous n'indiquez pas le type d'unité administrative (*direction, service, division,* etc.), il est préférable de mettre une minuscule au déterminant.

Monsieur Denis Jobin
Directeur de la publicité

et non

Madame Suzanne Méthot
Chef de la Comptabilité

mais

Monsieur Jean-Paul Poulin
Chef de la Division des normes

Compagnie ▮ *de transport Dion &* ▮ *Associés ltée* ▮

Compagnie

▮ Vous devez écrire le mot *Compagnie* en toutes lettres lorsqu'il est au début de la raison sociale. Toutefois, il est abrégé s'il est placé à la fin et il s'écrit alors avec une majuscule initiale.

La Compagnie de la Baie d'Hudson
Bartlett, Tremblay & Cie
Beauchemin, Ducharme et Cie

Perluète ou
et commercial

▮ La perluète (&) s'utilise entre des patronymes ou entre des prénoms ou des initiales ou dans des expressions telles que *& Fils, & Cie, & Associés.* Toutefois, il faut employer *et* entre deux noms communs.

Hamel & Gosselin
Tanguay, Gendron & Associés
T & V Électronique
Diane & Réal Informatique
Informatique et électronique Duhamel inc.

Limitée,
enregistrée,
incorporée

▮ Les termes *limitée, enregistrée* et *incorporée* sont abrégés et s'écrivent avec la minuscule initiale. Ils ne sont pas séparés du nom par une virgule.

> *Édifice Dupuis* ■, *bureau 25* ■

■ Lorsque certains édifices ou ensembles d'édifices portent un nom, celui-ci est habituellement indiqué dans l'adresse. Écrivez alors cette mention sur la ligne précédant celle de la voie.

Édifice

■ Vous ne devez pas utiliser *chambre*, *pièce*, *suite* ni *local*, mais plutôt *bureau*.

Chambre, pièce, suite, local, bureau

En effet, un *bureau* peut être constitué d'une ou de plusieurs pièces. Vous pouvez, à la rigueur, utiliser le mot *porte*.

Porte

Suite est réservé au domaine hôtelier. L'utiliser à la place de *bureau* est un anglicisme. Quant à *local*, c'est un terme trop peu précis pour être utilisé dans une adresse.

Suite, local

Le signe # ne doit pas être employé pour désigner un appartement. Si ce terme doit être abrégé, écrivez *app. 3,* et non *#3*.

Appartement

Les indications de bureau, d'appartement ou d'étage se placent habituellement après le nom de la voie, sur la même ligne. Cependant, s'il manque de place, ces indications peuvent être écrites au long sur la ligne qui précède l'indication de la voie.

Bureau, appartement, étage

150, rue Meilleur, 12e étage

Place Alexandra, app. 35
120, rue Laure-Conan

Appartement 35
3515, rue Christophe-Colomb

3e étage
2345, rue du Cardinal-Villeneuve

> *1675* **1**, **2** *rue* **3** *du Palais* **4** *Est* **5 6 7**

Numéro
d'immeuble

1 Ne mettez pas de ponctuation ni d'espace dans le numéro d'immeuble, quelle qu'en soit la longueur.

12075, boul. Gouin Est

Virgule

2 Il faut placer une virgule entre le numéro d'immeuble et le nom de la voie de circulation.

Type de voie
de circulation

3 Indiquez toujours le type de voie de circulation. Les mots *avenue, boulevard, chemin, côte, place, rang, route, rue,* etc., s'écrivent en minuscules, sauf s'ils sont précédés d'un adjectif qualificatif ou ordinal. Il est préférable de ne pas les abréger. Si, toutefois, par manque d'espace, vous avez

Abréviations

à utiliser des abréviations, employez les suivantes :

	Correct	Fautif
appartement	app.	apt.
aux soins de	a/s de	c/o
avenue	av.	ave.
boulevard	boul. ou b^d	blvd.
case postale	C. P.	
chemin	ch.	
deuxième	2^e	2ième
place	pl.	
premier	1er	1ier
première	1re	1ère, 1ière
succursale	succ.	

Majuscule

4 L'indication qui suit le type de voie prend la majuscule.

rue Blanche

Il faut mettre un trait d'union entre les différents éléments du nom spécifique de la voie de circulation, sauf après l'article, la préposition ou la conjonction qui commencent cette indication. Cet article, cette préposition ou cette conjonction ne prennent pas de majuscule.

Trait d'union

> rue de la Belle-Arrivée
> avenue de l'Hôtel-de-Ville
> rue du Bois-de-Coulonge

Si l'indication est entièrement en langue étrangère, respectez l'usage de cette langue.

Langue étrangère

> rue Blue Jay

Si un des éléments provient d'un nom de personne, vous devez relier tous les mots par un trait d'union, y compris les titres. Si un article ou une préposition font partie de ce nom, ne les faites pas suivre par un trait d'union. Dans ces cas, l'article et la préposition prennent la majuscule initiale.

Trait d'union

Majuscule

> boulevard René-Lévesque
> avenue Sir-Adolphe-Routhier
> rue Jean-Talon
> rue De La Chevrotière (*De La Chevrotière* est un nom de famille.)
> rue de Monseigneur-De Laval

Si l'indication du type de voie de circulation est précédée d'un adjectif qualificatif ou ordinal, mettez une majuscule au type de voie.

Adjectif qualificatif ou ordinal

> Grande Allée Ouest (et non *rue Grande Allée Ouest*, puisque *Allée* est déjà une indication du type de voie.)
> 1re Avenue
> 3e Rang
> 161e Rue

Nombre

Par contre, si l'indication du type de voie est suivie d'un nombre, le type de voie s'écrit en minuscules et le nombre en toutes lettres, sauf le numéro des routes, les dates et les noms de souverains et de papes.

chemin des Quatre-Bourgeois
1233, route 138
rue du 3-Mai
boulevard Pie-XII

Point cardinal

Si le point cardinal fait partie de l'indication qui suit le type de voie, reliez-le à ce dernier par un trait d'union.

avenue de la Croix-du-Sud

Point cardinal

5 Écrivez les points cardinaux *Est*, *Ouest*, *Nord* et *Sud* avec une majuscule, sans trait d'union et en toutes lettres. Le point cardinal se rapporte à la voie de circulation, et non au numéro. Il doit donc être placé après le nom de la voie. Si vous manquez de place, vous pouvez abréger le point cardinal (N., S., E. ou O.) pourvu que vous ayez déjà abrégé l'indication de la voie.

Appartement, étage

6 Les indications d'appartement et d'étage se placent habituellement après le nom de la voie de circulation, sauf en cas de manque d'espace. Le signe # ne doit pas être employé pour désigner un appartement. Si ce terme doit être abrégé, écrivez *app. 3*, et non *#3*.

27, rue Loriot, app. 5

Appartement 203
4444, rue Saint-François-Xavier

289, rue Berri, 3e étage

9e étage
4307, avenue de Châteaubriand

7 Dans le cas où le destinataire fait parvenir son courrier à un bureau de poste, utilisez *case postale*, et non *casier postal*, qui désigne un ensemble de cases.

Case postale

Il est à noter que la Société canadienne des postes recommande l'usage de *Case postale* (*C. P.*) plutôt que *Boîte postale* (*B. P.*).

Boîte postale

Il arrive souvent qu'une entreprise possède une adresse géographique et une adresse postale. Dans un tel cas, vous devez adresser la lettre à l'adresse postale.

Adresse géographique ou postale

Adresse sur le papier à en-tête :
Les Équipements Smith
304, 109ᵉ Rue
Beauport (Québec) G1C 3E3

Case postale 5800
Succursale Beauport
Beauport (Québec) G1E 6Y6

Dans ce cas-ci, la lettre doit être adressée comme suit :

Les Équipements Smith
Case postale 5800
Succursale Beauport
Beauport (Québec) G1E 6Y6

Le terme *succursale* désigne un bureau de poste secondaire. Cette mention peut paraître sur la même ligne que celle de la case postale, abrégée en *succ*. S'il manque de place, *succursale* s'écrit au long sous l'indication de la case postale.

Succursale

Québec **1** *(Québec)* **2** *G1K 7W8* **3 4**

---

1 Dans l'adresse, n'abrégez pas le nom de la ville. Écrivez-le en minuscules avec, bien entendu, la majuscule initiale. Lorsque le nom d'une ville comporte un point cardinal, vous devez le faire suivre d'un trait d'union et du point cardinal commençant avec une majuscule.

Ville

Point cardinal

Ham-Nord
Cap-Chat-Est

Province

Symbole

2 Inscrivez le nom de la province en toutes lettres entre parenthèses après le nom de la ville. Les symboles (par exemple, *QC* pour Québec ou *NB* pour Nouveau-Brunswick) sont réservés aux envois massifs ou lorsque le manque d'espace le justifie (étiquettes, formulaires informatiques). Dans ces cas-là, ils ne sont pas entre parenthèses et sont séparés du nom de la ville par une espace.

Code postal

3 Le code postal est essentiel. Celui-ci, toujours en majuscules, ne comprend ni point ni trait d'union. Il ne doit pas être souligné, et les deux groupes (lettres en majuscules et chiffres) doivent être séparés par une espace. N'utilisez pas de caractères italiques.

Écrivez le code postal immédiatement après le nom de la province, de préférence sur la même ligne, en laissant deux espaces après le nom de la province. Vous pouvez cependant l'écrire seul sur la dernière ligne si vous manquez de place.

Code de destination, code postal américain

Les codes de destination (pour les envois à l'étranger) ou les codes postaux américains (*zip code*) doivent paraître **avant** le nom du pays.

Pays étranger

4 Le nom du pays ne s'impose que pour les lettres à destination de l'étranger. Indiquez-le en français, puisque le tri se fait au Canada. Il ne s'abrège jamais. Écrivez-le en majuscules seul sur la dernière ligne.

Loughborough KE1 2QL
GRANDE-BRETAGNE

Exemples d'adresses

Société Radio-Canada
C. P. 6000, succ. Centre-ville
Montréal (Québec) H3C 3A8

Docteur Jean-Pierre Paris
Ministère de la Santé et
  des Services sociaux
2ᵉ étage
580, chemin de la Grande-Ligne Est
Saint-Jean-sur-Richelieu (Québec)
J2X 4J2

Monsieur le docteur et madame Gérard Thivierge
Édifice Plessis, app. 15
922, rue Pie-XII
Baie-Comeau (Québec) G5C 1S3

Maître Anne-Marie Rodrigue
Ventilateurs Gagnon inc.
2700, rue du Bourgogne, bureau 327
Saint-Lazare (Québec) J7T 2C1

Monsieur Louis-Philippe Nadeau
Député de Gaspé-Nord
1045, rue des Parlementaires
Québec (Québec) G1A 1A4

Monsieur Jean Marcoux, député
6390, place Abbé-Pierre
Charlesbourg (Québec) G1H 3Z7

Madame H. Beaulieu-Lessard
Avocate
Aide juridique
53A, 40ᵉ Avenue
Notre-Dame-de-l'Île-Perrot (Québec)
J7V 5X8

Monsieur Marc A. Pinault, ing.
Président de la Société Interbec
264, avenue Saint-Cyr
Montréal-Est (Québec) H1B 4T3

Madame Louise Tessier, notaire
Tessier & Turgeon ltée
519, rue de Grande-Entrée
Gatineau (Québec) J8P 8C8

Service du recouvrement
Ministère du Revenu du Québec
3800, rue de Marly
Sainte-Foy (Québec) G1X 4A5

Madame Hélène Fournier et
Monsieur Raynald Normand
Tour Évangéline-Defoy, aile sud
10032, boul. Sir-Wilfrid-Laurier
Mont-Saint-Hilaire (Québec) J3H 6A3

Madame Alexandra-Maria Glendale-Garcia
3599 Old Montreal Road
Ottawa (Ontario) K4C 1C8

Ms. Joan Cooper
1479 East Bay Harbour Drive
Miami, FL 33154
ÉTATS-UNIS

Mr. Brian Connor
85 Champion Street
Brighton 3186
AUSTRALIE

La mention *À l'attention de*

Certains préfèrent adresser une lettre à l'entreprise plutôt qu'à une personne en particulier, afin d'éviter que la lettre ne soit retournée si la personne dont le nom figure sur l'adresse n'est plus en poste; ils utilisent alors la mention *À l'attention de*. Cet usage tend cependant à disparaître. En effet, de nos jours, à moins que la mention *Personnel* ne soit indiquée sur l'enveloppe, toute lettre envoyée à l'entreprise est ouverte. Actuellement, la mention *À l'attention de* est surtout utilisée lorsqu'on veut joindre une personne dont on connaît le titre de fonction, mais pas le nom. Cette mention est écrite en minuscules soulignées à deux interlignes du code postal, contre la marge de gauche.

> Publications du Nord
> Case postale 4320
> Québec (Québec) G1K 7B4
>
> À l'attention d'un agent d'information

Lorsque la lettre porte la mention *À l'attention de,* l'appel est *Madame, Monsieur,* placés l'un sous l'autre, ou encore *Monsieur ou Madame*.

Appel

Ne confondez pas la mention *À l'attention de* avec la mention *Aux soins de*. Lorsque vous envoyez une lettre chez un tiers, adressez-la au destinataire et mettez sur la ligne suivante l'abréviation *a/s de* suivie du nom du tiers chez qui la lettre est expédiée. N'utilisez pas l'abréviation anglaise *c/o* (*care of*).

Aux soins de

Care of

> Madame Régine Dubois
> a/s de Monsieur Gilles Plante
> 1056, avenue des Oblats
> Québec (Québec) G1N 1W7

Les références

Les références, qui renvoient au numéro de dossier ou au numéro de compte, se placent contre la marge de gauche entre l'adresse et l'objet. Elles ne sont évidemment pas nécessaires si vous avez choisi de les mentionner dans l'objet.

Notre référence : 200-03
Votre référence : DG–2307
Référence : MICC 140885
V/Référence : SC/1837
V/Réf. : Facture n° 0-021
V/Lettre du 2006-04-14
N/R : 7292

Numéro   Numéro de dossier : A3625   (Le mot *numéro* ne s'abrège que devant un chiffre.)

Dossier n° 5263   (Le mot *numéro* ne s'abrège pas *No.*, mais *n°* ou *N°* sans point abréviatif.)

L'objet

L'objet est une courte indication résumant le contenu de la lettre. Cette mention facultative se place contre la marge de gauche au-dessus de la formule d'appel. Cependant, pour la lettre à trois alignements (voir p. 74), l'objet est centré. L'indication qui suit *Objet :* commence par une majuscule et se termine sans point. De façon générale, l'objet est souligné ou en caractères gras.

Objet :   Retard de paiement

Objet :   Application du projet de loi n° 146 relatif au partage du patrimoine familial à la suite d'une séparation ou d'un divorce

Re :, Sujet :   Ni *Re :*, ni *Sujet :* ne peuvent être utilisés, car ce sont des calques de l'anglais.

L'appel

L'appel est toujours suivi de la virgule, jamais du deux-points. Dans l'appel, il convient d'écrire le titre de civilité au complet avec la majuscule initiale. *Monsieur* ou *Madame* sont les formules les plus souvent employées dans la correspondance commerciale. Des appels comme *Madame Guilbault* ou *Maître Nadeau*, même s'ils offrent l'avantage de personnaliser l'appel, sont à éviter. À la différence de l'usage anglais, le nom de famille ne fait jamais partie de l'appel.

Ponctuation

Titre de civilité

Majuscule

Nom de famille

Les formules d'appel varient selon que vous vous adressez :

1 À une relation d'affaires.

> Monsieur,
> Madame,

2 À une personne qui a un titre ou qui exerce une fonction officielle.

> Maître,
> Docteure,
> Madame la Docteure,
> Madame la Députée,
> Monsieur le Ministre,
> Madame la Secrétaire-Trésorière,
> Monsieur le Président-Directeur général,
> Révérend Père,
> Monsieur le Curé,

3 À une personne avec laquelle vous avez des relations suivies.

> Monsieur le Président et cher ami,
> Chère collègue et amie,

Cher Monsieur,
Cher ami,
Chère collègue,
Cher Jean-Claude,
Bonjour Jean-Paul,
Ma chère Louise,

N. B. – Les appels *Mon Cher Monsieur, Cher Monsieur Leblanc,* sont à éviter.

4 À une société (entreprise, association…).

Mesdames,
Messieurs,

N. B. – Ces termes sont généralement placés l'un sous l'autre.

5 À un couple.

Madame et Monsieur,
Monsieur et Madame,
Madame la Ministre et Monsieur,
Monsieur le Député et Madame,

6 À une personne dont on ne connaît pas le sexe.

Monsieur ou Madame,

7 À un destinataire dont on ne connaît pas le nom (par exemple, dans le cas d'une lettre de référence ou au cours d'une communication avec une banque).

Madame,
Monsieur, (placés l'un sous l'autre)

Monsieur ou Madame,

À qui de droit   N. B. – La formule *À qui de droit* est à proscrire.

Lorsque la lettre porte la mention *À l'attention de,* l'appel est *Madame, Monsieur,* placés l'un sous l'autre, ou encore *Monsieur ou Madame.*

Dans une lettre circulaire, si vous vous adressez à un groupe ou à une entreprise, utilisez *Mesdames, Messieurs,* (placés l'un sous l'autre). Si vous vous adressez à une seule personne (par exemple, pour la promotion d'un forfait de voyage), l'appel est alors *Madame, Monsieur,* (placés l'un sous l'autre). Vous pouvez également utiliser les formules *Cher client, Chère cliente, Chers clients et clientes.*

Lorsque vous connaissez bien le destinataire ou que vous désirez personnaliser une lettre, vous pouvez biffer l'appel et inscrire à la main, à côté ou au-dessus de la mention biffée, un appel du type de *Cher ami, Chère Louise.* Les mêmes corrections manuscrites peuvent aussi être apportées à la salutation.

Par ailleurs, certains préfèrent entrer directement au cœur du sujet et ainsi attirer l'attention du lecteur tout en réduisant la longueur de la lettre. Cette méthode consiste à remplacer l'appel et l'objet par une exclamation ou une interpellation originale. En voici quelques exemples :

Imaginez-vous millionnaire! (pour offrir un nouveau service financier)

Nous sommes tellement fiers de toi, Diane! (pour féliciter une collaboratrice)

AURIEZ-VOUS OUBLIÉ DE NOUS FAIRE PARVENIR VOTRE CHÈQUE?

ENFIN LE VOYAGE DE VOS RÊVES!

LES ORDINATEURS FONT AUSSI PARFOIS DES ERREURS!

Ces formes d'appel, qui sont écrites en caractères gras ou en majuscules, ou exceptionnellement les deux, sont innombrables. Il suffit de laisser aller votre imagination. Plusieurs lettres contenant ces formes d'appel sont présentées dans la partie III.

L'introduction

L'introduction, qui se place à deux interlignes de l'appel, est une des parties les plus importantes de la lettre. Elle sert à attirer l'attention du lecteur et à l'inciter à lire votre lettre.

Certes, vous pouvez commencer une lettre en rappelant la lettre précédente du destinataire ou une conversation antérieure, mais cela se fait de moins en moins. Ainsi, évitez d'amorcer votre lettre avec des formules comme *Le but de la présente est de vous faire savoir... Nous vous écrivons pour vous informer... Pour faire suite à votre lettre du 14 février…* En effet, l'introduction gagne à être simple, directe et efficace.

> En réponse à…
> À la suite de…
> Nous vous remercions de…
> Nous avons le plaisir de… (Évitez *Il me fait plaisir de…*)
> Nous désirons vous informer…
> Vous trouverez ci-joint...

Cependant, si vous avez choisi une forme originale d'appel telle que « JE SUIS FIÈRE DE TOI, CATHERINE! », entrez directement dans le vif du sujet.

Vous avez raison! (appel)

Nous vous avons envoyé une facture par erreur. (introduction)

MERCI, GEORGES! (appel)

Le tuyau que tu m'as refilé était excellent. (introduction)

Le corps de la lettre

Cette partie constitue la raison d'être de la lettre, car c'est là que vous pouvez vraiment faire clairement ressortir qui vous êtes et ce que vous voulez. Dans la lettre d'affaires, vous devez être précis et explicite. À cette fin, voici quelques conseils pratiques pour rédiger une lettre d'affaires qui se démarque.

Quelques conseils pour bien rédiger...

... et pour produire des écrits qui se démarquent sans prendre trop de risques.

> *Des taches de café sur la tablette d'un avion signifient*
> *pour le passager que les moteurs sont mal entretenus.*
>
> Tom Peters

La correspondance peut se comparer à la cuisine : pour y réussir, il faut respecter des principes de base et s'inspirer de pratiques qui sont généralement consignées dans des livres de recettes. Cependant, il ne suffit pas de reproduire les recettes choisies : il faut d'abord établir votre menu en fonction de vos hôtes, des circonstances, des produits disponibles, de votre budget ainsi que de l'équilibre du repas. Il faut ensuite y mettre votre touche personnelle. À vous, enfin, de rendre le repas encore plus attrayant grâce à la décoration, à l'ambiance et au rythme d'enchaînement des plats.

Pour la correspondance d'affaires tout comme en cuisine, n'hésitez pas à vous inspirer de bons modèles chaque fois que c'est possible : cela accélère la rédaction et peut vous éviter l'omission de certains éléments. À cette fin, il est utile de s'appuyer sur de bons manuels et de conserver, à titre de modèles, des lettres que vous trouvez bien faites ou convaincantes. Évitez cependant de copier littéralement. Les modèles ne doivent servir qu'à vous inspirer, à vérifier si vous avez tout couvert dans un ordre logique ou à trouver un tour de phrase qui vous plaît.

Quelques autres façons de faire peuvent vous aider lors de la rédaction d'un écrit d'affaires. Par exemple :

Plan

- Toujours dresser un plan des contenus à communiquer avant de commencer à rédiger.

Enchaînement des idées

- S'assurer, à partir du plan, que les idées s'enchaînent bien.

Choix d'un moyen de communication

- Tenir compte du contexte et du destinataire, et choisir en conséquence son style, ses arguments ainsi que le moyen de communication. En effet, à partir de votre analyse, vous pourrez décider de téléphoner (si vous cherchez à obtenir de l'information et à tester l'intérêt de votre interlocuteur sans laisser de traces écrites), de transmettre un courrier électronique (pour accélérer la communication ou pour conserver un caractère moins formel), d'envoyer une lettre ou une circulaire, ou de faire parvenir un pli recommandé.

- Être soi-même et ne pas avoir peur d'innover, particulièrement pour les lettres visant l'accroissement des ventes et pour les lettres personnelles.

  Innovation

- Être aussi concis et direct que possible, car les gens d'affaires, particulièrement en Amérique du Nord, apprécient peu les textes longs.

  Concision

- Exposer chaque idée nouvelle dans un paragraphe distinct; il sera ainsi plus facile pour le lecteur de s'y retrouver.

  Paragraphe

- Résumer les objets de la communication au début ou à la fin. L'absence d'un tel sommaire constitue une des lacunes les plus courantes des lettres d'affaires, lacunes fort nuisibles en termes d'efficacité et, en conséquence, d'image de l'entreprise.

  Résumé

- Être positif même si le message est négatif; il s'agit d'avoir un peu d'imagination nourrie de positivisme, ce que vous avez certainement. Si la lettre vise à informer le destinataire de mauvaises nouvelles, tentez donc de faire précéder le point négatif de phrases positives.

  Positivisme

Voici un exemple à ne pas suivre :

> J'ai le regret d'avoir à vous informer que je ne serai pas en mesure de me rendre à Montréal pour assister à la réunion du 25 juin. Malheureusement, je serai alors en vacances.

À quatre reprises en deux phrases, des termes à connotation négative sont utilisés. Cette partie de lettre pourrait être réécrite de la façon suivante :

> Je vous remercie de m'avoir invité à la réunion du 25 juin à Montréal, à laquelle j'aurais aimé être présent. Toutefois, je ne pourrai être des vôtres, car je serai alors en vacances.

Voici quelques autres termes qui donnent une impression négative et qu'il convient d'éviter si possible : erreur, faute, inacceptable, incapable, manquement, négligent, omission, réclamation.

Expressions
redondantes

Enfin, il faut éviter les expressions redondantes. En voici quelques exemples :

À éviter	À utiliser
additionner ensemble	additionner
chèque au montant de...	chèque de...
collègue de travail	collègue
comparer entre eux	comparer
Il n'a seulement que 25 ans.	Il n'a que 25 ans. *ou* Il a seulement 25 ans.
il suffit simplement	il suffit
lettre en date du...	lettre du...
prévoir d'avance	prévoir
s'entraider mutuellement	s'entraider
Tous ont approuvé unanimement.	Ils ont approuvé à l'unanimité. *ou* Ils ont tous approuvé.
vous n'êtes pas sans ignorer que...	vous n'ignorez pas que...

Les styles de communication et leurs effets

Si la qualité de la forme et du contenu s'avère un incontournable, cela ne vous empêche en rien, au contraire, d'avoir recours à des styles d'expression qui diffèrent selon votre façon naturelle de vous exprimer ainsi que selon les circonstances, les interlocuteurs ou vos objectifs de communication. Le tableau ci-après résume à très grands traits les avantages et les inconvénients de chaque style.

Style de commu-nication	Avantages	Inconvénients
Direct	• Concision • Clarté	• Peut paraître directif
Convivial	• Libellé incitant à l'action et à l'engagement • Forme appropriée pour les lettres visant l'accroissement des ventes • Style courant en Amérique du Nord	• Peut paraître trop familier • Est moins courant en Europe • Peut être inapproprié dans certains pays ou dans certaines circonstances
Formel	• Valeur sûre • Libellé essentiel pour les lettres de crédit et de recouvrement	• Peut sembler stéréotypé et impersonnel • Est peu approprié pour les lettres visant l'accroissement des ventes
Résumé	• Efficacité de la communication • Formule facilitant la prise de décision	• Comporte le danger de manque de liens entre les idées • Peut nécessiter d'autres communications pour préciser le contenu
Détaillé	• Nombreux éléments d'information	• Retient moins bien l'attention • Peut comprendre des éléments d'information non nécessaires à la prise de décision

La touche finale qui fait toute la diférence

Une fois votre lettre rédigée, assurez-vous qu'elle répond bien à vos objectifs de qualité. Les « trucs » les plus efficaces sont les suivants :

• Relisez-vous plusieurs fois avec des intentions différentes : d'abord, pour vous assurer de la clarté de vos idées ou de vos arguments ainsi que de leur bon enchaînement; ensuite, pour supprimer les mots ou passages inutiles; une troisième fois, dans le but de vérifier l'orthographe et la grammaire.

• Si possible, laissez reposer la lettre une journée afin de pouvoir la relire avec un œil neuf.

• Faites une dernière lecture de la lettre en vous mettant « dans la peau » du destinataire et en essayant d'imaginer ses réactions. C'est particulièrement efficace. Vous serez surpris du résultat!

Si vous avez des doutes quant à l'efficacité de votre écrit, quant à vos arguments ou au ton choisi, c'est signe que vous auriez avantage à consulter un collègue, un supérieur... ou un avocat. Le cas échéant, faites-leur part de votre questionnement. Par exemple : « Suis-je assez clair? Est-ce que je lui laisse une porte de sortie suffisante? Ma conclusion est-elle trop dure? »

La conclusion

Dans une lettre longue ou complexe, il est conseillé de résumer dans un paragraphe distinct les arguments invoqués ou la décision prise.

> Pour toutes ces raisons, il nous est impossible d'accepter votre demande.

Proposition circonstancielle, participe présent

Il est courant de mettre la conclusion et la salutation dans la même phrase. Cependant, lorsque la conclusion commence par une proposition circonstancielle (*Dans l'espoir…*) ou par un participe présent (*Espérant…*), la formule de salutation doit, pour respecter les règles grammaticales, commencer par un pronom à la première personne (*je*, *nous*).

> Dans l'attente (*moi* sous-entendu) de votre réponse, je vous prie de recevoir l'expression…

> Souhaitant (*nous* sous-entendu) que vous trouviez rapidement une solution acceptable, nous vous prions…

> *et non*

> Dans l'attente (*moi* sous-entendu) de votre réponse, recevez l'expression (*vous* sous-entendu)...

> Connaissant (*moi* sous-entendu) votre préoccupation d'offrir un service de qualité, vous ne manquerez pas de donner suite à ma demande, et je vous en remercie.

De plus en plus, en guise de conclusion et de salutation, les gens d'affaires terminent leur lettre avec une phrase permettant de mieux retenir l'attention du lecteur. Comme pour l'appel, le gras ou les majuscules peuvent être utilisés si la phrase est courte.

Salutation

> **Nous demeurons à votre disposition pour de plus amples renseignements.**

> Je tiens à vous remercier de la confiance que vous m'avez accordée, et c'est avec regret que je quitte cet emploi.

> J'ai toujours apprécié votre rapidité à donner suite à nos demandes et je sais que, une fois de plus, nous pourrons compter sur vous.

> ENCORE UNE FOIS, TOUTES MES FÉLICITATIONS!

> Sachez que la présente n'est certainement pas le genre de lettre que j'aime écrire. En conséquence, ce sera la dernière.

> Continuez votre excellent travail, car nous comptons sur vous.

> **ASSEZ, C'EST ASSEZ!**

La salutation

Tout comme une personne utilise une formule de salutation lorsqu'elle prend congé de quelqu'un, le rédacteur utilise habituellement une salutation pour terminer sa lettre. Comme l'appel, la salutation varie selon les rapports entre les correspondants. Selon le respect que vous désirez témoigner à votre correspondant, commencez la formule de salutation en observant la gradation ascendante suivante :

> Agréez (Recevez)…,
> Veuillez agréer (recevoir)…,
> Je vous prie d'agréer (de recevoir)…,

Appel Dans la salutation, reprenez l'appel (s'il y en a un) et placez-le entre virgules.

> Je vous prie de recevoir, Monsieur le Président, l'assurance de ma considération distinguée.
>
> Veuillez croire, cher ami, en mon meilleur souvenir.
>
> Je vous prie d'agréer, Madame ou Monsieur, l'expression de mes sentiments distingués.

La dernière partie de la salutation diffère également selon que le destinataire est :

1 une relation d'affaires;

> … mes salutations distinguées.
> … mes sincères salutations.
> … l'assurance de mes sentiments amicaux.
> … l'expression de mon amitié.
> … l'expression de mes sentiments les meilleurs.
> … l'expression de mes sentiments distingués.

2 un supérieur;

> … l'assurance de ma haute considération.
> … l'expression de mes sentiments distingués.

3 un ministre, un député;

> … l'assurance de ma considération distinguée.
> … l'assurance de mes sentiments les plus distingués.
> … l'assurance de ma très haute considération.

4 un ecclésiastique.

> … l'expression de mes sentiments très respectueux.

Si vous utilisez le mot *salutations*, ce mot doit être précédé d'un verbe. En effet, il n'est pas logique qu'il soit précédé de *l'expression de* ou de *l'assurance de*.

Salutations

> Veuillez accepter, Monsieur, mes salutations distinguées (*et non* l'expression de mes saluations).

Les expressions *Toutes mes amitiés, Amicalement,* etc., relèvent de la correspondance entre amis. Cependant, on les retrouve de plus en plus dans la correspondance commerciale et administrative. Quant aux expressions *Bien à vous*, *Votre tout dévoué*, *Sincèrement vôtre*, *Cordialement vôtre*, elles sont empruntées à l'anglais et correspondent davantage à l'esprit de cette langue qu'à celui du français.

Toutes mes amitiés, Amicalement

Bien à vous, Votre tout dévoué, Sincèrement vôtre, Cordialement vôtre

La signature

Les titres de civilité ne figurent pas dans la signature. Cependant, si le prénom d'un homme risque d'être confondu avec celui d'une femme ou vice versa et que le titre

Titre de civilité

de fonction ne permet pas d'en identifier le sexe, vous pouvez indiquer le titre de civilité entre parenthèses après le nom.

Dominique Labbé, analyste (Madame)

Sudan Madhu (Monsieur)
Secrétaire de direction

Un poste de direction ou une fonction unique

Titre de fonction

La signature se place sous la formule de salutation. Selon les normes des manuels épistolaires, le titre désignant une fonction particulière précède le nom. Il faut une virgule après le titre.

Le directeur des finances,

Michel Carrier

ou

Le rédacteur en chef,

Arthur Aliani

ou

Service médical
La directrice,

Claudine Tremblay

Claudine Tremblay

ou

Le vice-président
aux nouvelles technologies,

Réal Lefebvre

Réal Lefebvre

On peut ajouter à la suite de la signature la mention de la profession ou de l'ordre professionnel si le contexte le justifie.

Profession, ordre professionnel

Le chef du contentieux,

Jean-Roch Aspireault

Jean-Roch Aspireault, avocat et ingénieur

La responsable de la comptabilité,

Brigitte Mathieu

Brigitte Mathieu, FCA

Il est à noter que de plus en plus de signataires placent leur titre après leur nom. Cet usage, qui s'inspire de la correspondance anglaise, attire moins l'attention sur le titre.

Titre de fonction

Michel Carrier

Michel Carrier, directeur
Service des finances

Marie-Claude Lelièvre
Rédactrice en chef

Généralement, le titre de fonction prend la minuscule. Toutefois, l'indication du type d'unité administrative (*direction, service, division,* etc.) prend la majuscule. Si vous n'indiquez pas le type d'unité administrative, il est préférable de mettre une minuscule au déterminant.

Le chef de la Division du travail,
Le sous-chef du travail,

On peut également ne pas mentionner le type d'unité administrative.

Yves Greffard
Crédit et recouvrement

Unité administrative

L'indication de l'unité administrative est omise si elle se trouve déjà dans l'en-tête. S'il n'y a pas d'en-tête, il est recommandé d'écrire l'adresse et les numéros de téléphone et de télécopie sous le nom de l'expéditeur. L'adresse de courriel peut aussi être indiquée. Il est préférable, lorsque l'espace le permet, de ne pas abréger les mots *téléphone, télécopie* et *télécopieur*. Si vous devez les abréger, utilisez *tél., téléc.* ou un pictogramme.

Adresse géographique, électronique, téléphone, télécopie

France Carmichaël
2777, rue Lachance
Québec (Québec) G1P 2H3
Téléphone : 418 522-7777
fcarm@moncourrier.com

La raison sociale de l'entreprise

Certaines entreprises préfèrent que leur raison sociale paraisse dans la signature, dans le but de montrer que c'est l'entreprise, et non le signataire, qui porte la responsabilité du contenu de la lettre. La raison sociale paraît alors à deux interlignes sous la salutation.

Veuillez agréer, Monsieur, l'expression de mes sentiments les meilleurs.

Boulanger & Côté inc.
Le directeur des ventes,

Louis Côté

Louis Côté

Dans les lettres à deux ou trois alignements, lorsque la raison sociale de l'entreprise est longue, elle peut être centrée. Dans un tel cas, le titre et le nom du signataire doivent aussi être centrés.

BOUCHER, LAPOINTE, GIRARD & MARTIN INC.
Le vice-président,

Jean Girard

Jean Girard

La fonction ou la profession

Pour indiquer un titre de fonction autre qu'un poste de gestion, vous avez deux possibilités :

- écrire le titre de fonction avec une minuscule initiale sur la même ligne que le nom du signataire, les deux mentions étant séparées par une virgule;

Pierre Gaumond, architecte
Service de l'urbanisme

Luc Lachance, analyste

ou

- indiquer le titre de fonction avec une majuscule initiale à la ligne suivant le nom du signataire comme cela se fait pour une carte professionnelle.

Jean-Claude Bartlett
Agent de gestion du personnel

La signature par délégation

Par procuration, pour

Lorsque la lettre est signée par une personne autre que celle dont le titre figure au bas de la lettre, vous pouvez utiliser *p. p.* ou *pour*.

L'abréviation *p. p.* pour *par procuration* signifie que le signataire s'est vu confier par son supérieur la tâche de signer à sa place. Voilà pourquoi cette abréviation est dactylographiée. Quant à la préposition *pour,* elle indique que la lettre a été signée par un collaborateur, sans qu'il y ait eu procuration. Cette mention peut être dactylographiée ou inscrite à la main à côté de la mention du titre de fonction.

Le secrétaire général,

[signature : Johanne Robert]

p. p. Johanne Robert

La directrice des services professionnels, Lyse Dumais
p. p. Le chef du Service des normes,

[signature : Bernard Gateau]

Bernard Gateau

Pour le secrétaire général, Gary Hasimoto,

[signature : Carmen Lafontaine]

Carmen Lafontaine

La présidente,

[signature : France Guay]

Pour Louise Larochelle

Si une personne occupe un poste en remplacement d'une autre pour un certain temps, il faut l'indiquer de la façon suivante :

Par intérim

Le chef du Service à la clientèle par intérim,

[signature : Benoît Laniel]

Benoît Laniel

La responsable de la traduction p. i.,

Johanne Boulanger

Johanne Boulanger

Les signatures multiples

Si une lettre est signée par plus d'une personne, celle ayant le plus haut niveau d'autorité signe généralement à gauche.

Le directeur des finances,   Le chef des normes,

Jean Hamel   *Guy Bréard*

Jean Hamel   Guy Bréard

Si les signataires sont à un même niveau hiérarchique ou s'ils travaillent dans des entreprises ou organismes différents, ils signent les uns à la suite des autres, généralement selon l'ordre alphabétique des noms des signataires ou des organismes.

Richard Blais   *Dorothée Laplante*

Richard Blais   Dorothée Laplante
Réviseur   Traductrice

La présidente   Le président de Verbo,
de Services informatiques,

Brigitte Giordan   *Léonce Corriveau*

Brigitte Giordan   Léonce Corriveau

Les mentions diverses

Le post-scriptum

Le post-scriptum ne doit pas servir à ajouter un élément que vous avez oublié de mentionner dans la lettre. Il s'agit uniquement d'un moyen d'attirer l'attention. Il s'abrège *P.-S.* et est toujours suivi d'un tiret, et non du deux-points. La phrase qui suit le post-scriptum commence par une majuscule.

Tiret, deux-points

> P.-S. – Si, comme je le présume, votre versement a croisé ma lettre, veuillez ne pas tenir compte de cet avis.

Les initiales d'identification

Les initiales d'identification, qui se placent à l'angle inférieur gauche, généralement vis-à-vis du nom dactylographié du signataire, servent à préciser qui a participé à la production de la lettre.

Trois personnes peuvent avoir collaboré à ce travail :

- le signataire qui, de plus en plus, rédige et tape lui-même sa lettre;
- le rédacteur, s'il a rédigé la lettre pour le signataire;
- la personne qui a saisi la lettre à l'ordinateur ou qui en a fait la mise en pages.

Le nom du signataire étant clairement indiqué au bas de la lettre, il est superflu de mettre ses initiales. Il suffit de préciser les initiales du rédacteur (s'il n'est pas le signataire) et de la personne qui a tapé la lettre ou fait la mise en pages (si elle n'est ni le signataire ni le rédacteur). Si le signataire a rédigé et tapé la lettre, aucune initiale n'est requise.

Le directeur,

Denis Garon

MBB/rl

Laura Cauchon, comptable en chef

/mb

Barre oblique   Lorsque les initiales d'identification du rédacteur sont indiquées, elles sont écrites en premier, en majuscules. Les initiales de la personne qui a tapé la lettre ou fait la mise en pages sont ensuite indiquées en minuscules. Les initiales des deux personnes sont séparées par une barre oblique.

HR/fc

Si la lettre a été rédigée par deux personnes, les initiales des deux rédacteurs sont indiquées.

HR/MB/fc

Lorsque la lettre a été rédigée par la personne qui la tape, mais qui n'est pas le signataire, cette personne écrit deux fois ses initiales, qui sont alors séparées par une barre oblique.

FC/fc

Les pièces jointes

Cette indication, qui est placée sous les initiales, permet autant à l'expéditeur qu'au destinataire de vérifier si des pièces sont jointes à la lettre. Les façons les plus courantes d'indiquer cette mention sont les suivantes :

p. j. (2)
Pièce jointe
p. j. Ordre du jour
Rapport annuel 2005-2006
2 échéanciers
Pièces jointes : 3

Les copies conformes

Lorsque vous adressez des doubles de la lettre à une ou à plusieurs personnes, placez une des indications suivantes, suivie du nom, sous la mention des pièces jointes (s'il y en a une) ou sous les initiales d'identification :

c. c.
Copie conforme

S'il y a plusieurs personnes, placez leur nom en ordre alphabétique ou hiérarchique. Le nom peut être suivi du titre de fonction.

c. c. Yvon Dubuc, directeur des finances
Josée Morissette, directrice des communications
Bernard Poulin, directeur des projets
Aubert Rioux, directeur des normes
Membres du Comité de régie interne

Copie conforme : M. Jacques Raby
Mme Suzanne Thériault

Transmission
confidentielle

La mention *Transmission confidentielle*, qui ne paraît que sur les copies de la lettre, s'utilise lorsque l'expéditeur envoie une ou des copies à un tiers sans en informer le destinataire.

Transmission confidentielle : Normand Couture

La mise en pages

Il n'y a pas de règles absolues quant à la disposition à donner aux lettres. Il revient à chaque entreprise ou organisme d'adopter ses propres règles. Il existe cependant des usages courants. Les lettres modèles fournissent de nombreux exemples de mise en pages.

Le cadrage

Marge

La largeur des marges dépend de la position du logo ou de l'en-tête ainsi que de la longueur de la lettre. Idéalement, les quatre marges devraient être identiques. Cependant, les marges supérieures et inférieures devraient avoir au moins 3 cm; les marges de gauche et de droite, au moins 2,5 cm.

Les interlignes

Les règles ci-dessous constituent seulement des indications, l'essentiel étant de viser une présentation harmonieuse.

* La lettre est tapée à interligne simple avec un interligne double entre chaque paragraphe. Les lettres courtes sont souvent tapées à un interligne et demi.

- Les mentions d'acheminement et de caractère, s'il y a lieu, et la date s'écrivent directement sous la marge supérieure. Dans le cas d'une lettre à un seul alignement, la date s'écrit à deux interlignes sous les mentions d'acheminement ou de caractère.

- La vedette est écrite à trois, quatre ou cinq interlignes sous la date, selon la longueur de la lettre.

- La mention *À l'attention de* est indiquée à deux interlignes sous la vedette.

- Les références s'écrivent à trois interlignes sous la vedette ou sous la mention *À l'attention de*.

- L'objet se place à égale distance de la mention précédente et de l'appel.

- L'appel est placé à trois interlignes sous la mention précédente ou à trois, quatre ou cinq interlignes sous la vedette, selon la longueur de la lettre.

- L'introduction se place à deux interlignes sous l'appel.

- Le titre de fonction est écrit à deux interlignes ou plus sous la salutation.

- Le nom du signataire paraît à environ trois ou quatre interlignes sous le titre de fonction, sous la salutation ou, le cas échéant, sous la raison sociale de l'entreprise.

- Le post-scriptum est écrit à deux interlignes sous la signature.

- Les mentions diverses sont ajoutées vis-à-vis de la dernière ligne de la signature, s'il n'y a pas de post-scriptum, sinon à deux interlignes sous ce dernier. Dans le cas d'une lettre à un seul alignement, les mentions diverses s'écrivent deux interlignes sous le nom dactylographié du signataire ou sous le post-scriptum, s'il y en a un. Ces mentions sont séparées par deux interlignes les unes des autres.

L'alignement

On trouve généralement les trois styles de disposition suivants qui sont illustrés aux pages 71 à 75 :

1 *Lettre à un alignement*

La disposition à un alignement facilite la mise en pages, mais la lettre est peu élégante, car la marge de gauche est alors surchargée, tous les éléments de la lettre commençant à cet endroit.

2 *Lettre à deux alignements*

Chaque ligne commence à la marge de gauche, sauf la date et la signature qui commencent au centre.

3 *Lettre à trois alignements*

La lettre à trois alignements facilite la lecture du texte tout en étant plus élégante.

Les mentions d'acheminement et de caractère, la vedette, la mention *À l'attention de,* les références, l'appel et les mentions diverses sont alignés contre la marge de gauche;

chaque paragraphe commence en retrait, idéalement vis-à-vis de la fin de l'appel; la date, le titre de fonction et le nom du signataire commencent au centre de la feuille. Par ailleurs, l'objet est centré. Quant à la raison sociale dans la signature, elle peut être centrée si elle est longue; sinon elle commence au centre.

La pagination

Lorsqu'une lettre comporte plus de deux pages, il faut numéroter les feuilles. Les façons les plus courantes sont :

- l'indication du numéro de la page dans le coin supérieur droit sauf sur la première page;

  ou

- la mention au haut de la page du nom du destinataire contre la marge de gauche, le numéro de la page au centre et la date contre la marge de droite.

On voit de moins en moins l'indication annonçant la page suivante (...2) dans le coin inférieur droit de la page.

Lorsqu'une lettre comporte plus d'une page, on ne peut pas :

- laisser une coupure de mot à la fin d'une page;

- laisser seulement une ligne d'un paragraphe au bas ou au haut d'une page;

- isoler le bloc de signature. Il doit y avoir au moins deux lignes de texte avec le bloc de signature.

Les espacements

On se pose souvent des questions sur les espacements à respecter avant et après les signes de ponctuation, les signes typographiques et les signes orthographiques. Le tableau suivant résume les règles généralement admises.

Tableau des espacements	
Le signe dièse (#) représente une espace.	
Barre oblique	abréviation / abréviation mot / mot
Crochets	mot # [mot] # mot
Deux-points	mot # : # mot chiffre : chiffre (pas d'espace pour séparer les heures des minutes et les minutes des secondes ex. : 2006-02-18-17:53:32)
Guillemets	mot # « # mot # » # mot
Guillemets anglais	mot # " mot " # mot
Parenthèses	mot # (mot) # mot
Point	mot . # mot
Point d'exclamation	mot ! # mot
Point d'interrogation	mot ? # mot
Points de suspension	mot … # mot
Point-virgule	mot ; # mot
Signe de pourcentage	chiffre # %
Symbole du dollar	chiffre # $
Symbole d'unité (voir p. 141)	chiffre # symbole
Tiret	mot # – # mot (pas d'espace dans les toponymes surcomposés ex. : Saguenay–Lac-Saint-Jean)
Trait d'union	mot - mot
Virgule	mot , # mot
Virgule décimale	chiffre , chiffre

Exemple de lettre à un alignement

202

 BVCT inc.
8750, avenue Samuel-Morse
Montréal (Québec) H1E 5T7
Tél. : 514 354-0000
www.bvct.qc.ca

POSTE CERTIFIÉE

Le 13 décembre 2006

Agence Kelval
104, boul. Monseigneur-Dudemaine
Amos (Québec) J9T 1S2

À l'attention du directeur du crédit

Notre référence : E 9625

Madame,
Monsieur,

Comme vous le remarquerez sur la copie ci-jointe de notre facture de 2 865,53 $, votre compte est échu depuis trois semaines.

Étant donné qu'un tel retard va à l'encontre de notre entente prévoyant que nos comptes doivent être acquittés en entier dans les 45 jours de la date de facturation, nous comptons sur votre prompte collaboration.

2

Le non-respect des conditions convenues risque d'entacher votre dossier de crédit avec nous et de compromettre vos possibilités de porter vos achats à votre compte à l'avenir.

Nous attendons donc votre chèque en règlement complet de votre compte d'ici une semaine.

Merci de votre collaboration.

Le chef de la comptabilité,

André Drolet

P.-S. – Veuillez ne pas tenir compte de cet avis si vous avez déjà envoyé votre chèque.

MB/ld

p. j. Facture

c. c. Directeur des Services juridiques

Exemple de lettre à deux alignements

62

Faber Électronique

Québec, le 6 octobre 2006

Monsieur Louis Laliberté
2438, rue du Maire-Blais
Sillery (Québec) G1T 2W6

Objet : Ta nomination

Cher Louis,

Je viens tout juste d'apprendre la bonne nouvelle et je voulais être le premier à te féliciter pour ta nomination à la présidence des Kiwanis de Québec.

Tes collègues de Faber Électronique sont très fiers de ta nomination et te félicitent pour ton engagement social. Toi qui partages nos valeurs, tu sais comme il est important que les membres de notre entreprise consacrent de grands efforts à améliorer la qualité de vie dans notre communauté et à aider ceux qui ont besoin de notre attention et de notre soutien.

Si nous pouvons contribuer de quelque façon que ce soit au succès de la campagne des Kiwanis, tu sais à qui t'adresser!

Meilleurs vœux et bonne chance dans ces nouvelles responsabilités.

                                        Le président-directeur général,

/ad   Loïc Proulx

p. j. Article sur le Club Kiwanis

2000, rue Rachel Est
Montréal (Québec) H1X 1Z5
Tél. : 514 528-9999
www.faberelec.com

501, rue Saint-Paul
Québec (Québec) G1K 3X3
Tél. : 418 522-9999
www.faberelec.com

Exemple de lettre à trois alignements

112

Entreprises Dupont
699, rue Racine Est
Chicoutimi (Québec) G7H 1T8
Tél. : 418 545-9999
www.dupontentr.qc.ca

<u>PAR TÉLÉCOPIE</u>   Le 8 juin 2006

Monsieur Rodrigue Bélanger
Quincaillerie Moderne inc.
2570, rue Laliberté
Jonquière (Québec) G7X 5W2

Objet : Votre commande de scies à chaîne

Monsieur,

Nous accusons réception de votre commande n° C127 pour 12 scies à chaîne. Nous les avons en stock et vous les expédions immédiatement pour livraison avant le 10 juin, comme convenu lors de notre conversation téléphonique.

Je vous remercie pour votre chèque de 2 854,02 $. La rapidité de vos paiements est toujours fort appréciée.

Je joins à la présente notre dernier catalogue qui propose de nouvelles gammes de produits susceptibles de vous intéresser. Notre représentant commercial dans votre région vous rendra bientôt visite pour vous les présenter de façon plus détaillée.

Monsieur Rodrigue Bélanger   -2-   Le 8 juin 2006

Le personnel des Entreprises Dupont est très fier d'avoir l'occasion de vous servir et de vous fournir, à vous comme à tous nos clients, un service rapide, courtois et des plus professionnels.

Merci de votre confiance toujours renouvelée.

Le directeur commercial,

Léo-Paul Cimon

P.-S. – En pages 24 et 25 du catalogue sont présentés des articles qui devraient vous intéresser.

/sc

p. j. Catalogue

L'ENVELOPPE

La présentation de l'enveloppe correspond à celle de la lettre, sauf pour :

*   les mentions d'acheminement et de caractère;
*   la mention *À l'attention de*.

Cette présentation doit respecter les normes de Postes Canada.

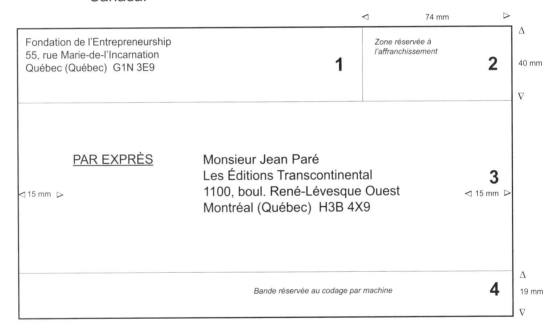

Note : Étant donné les contraintes d'espace, les dimensions ne sont pas réelles.

Adresse de l'expéditeur
L'adresse de l'expéditeur est indiquée dans le coin supérieur gauche de l'enveloppe, dans la bande 1.

Les timbres ou le cachet de la poste occupent le coin supérieur droit de l'enveloppe, dans la bande 2.

Les mentions d'acheminement *PAR EXPRÈS*, *PAR MES-SAGERIE*, *RECOMMANDÉ*, etc., s'écrivent en majuscules soulignées du côté gauche de l'enveloppe, dans la bande 3.

Mentions d'achemine-ment

Les mentions de caractère *PERSONNEL*, *CONFIDENTIEL* s'écrivent en majuscules soulignées du côté gauche de l'enveloppe, dans la bande 3.

Mentions de caractère

La mention *À l'attention de*, en minuscules soulignées, se place aussi du côté gauche de l'enveloppe, dans la bande 3, au niveau de la première ligne de l'adresse ou sous la mention d'acheminement ou de caractère s'il y en a une.

À l'attention de

Le nom et l'adresse du destinataire s'écrivent dans la bande 3. Il faut écrire le code postal immédiatement après le nom de la province, de préférence sur la même ligne, en laissant deux espaces après le nom de la province. Vous pouvez cependant l'écrire seul sur la dernière ligne si vous manquez de place.

Adresse du destinataire

Code postal

Le code postal américain ou *zip code*, qui compte 5 ou 9 caractères, est séparé de l'abréviation de l'État par deux espaces. Si le code compte 9 caractères, un trait d'union sépare les 5e et 6e caractères.

Code postal américain

Washington DC 20019-4649

Le nom du pays ne s'impose que pour les lettres à destination de l'étranger. Il ne s'abrège jamais. Il faut écrire le nom du pays seul sur la dernière ligne, en majuscules, et ce, dans la langue du pays de l'expéditeur.

Pays étranger

Les normes canadiennes d'adressage pour les envois massifs

Pour que le tri postal s'effectue plus vite, Postes Canada recommande les règles suivantes de présentation optimale :

Majuscule

- L'adresse est écrite entièrement en majuscules.

Ponctuation

- Les seules ponctuations acceptées sont le point abréviatif dans les prénoms, la ponctuation dans les noms de lieu et le trait d'union reliant le numéro d'appartement au numéro de l'adresse municipale.

MONSIEUR A. VAILLANCOURT
102-11615 AV BÉGIN
CP 6001
SAINT-MATHIAS-SUR-RICHELIEU

Abréviations

- Le nom de la province est abrégée. Voici les abréviations acceptées :

Alberta	AB	Ontario	ON
Colombie-Britannique	BC	Québec	QC
Île-du-Prince-Édouard	PE	Saskatchewan	SK
Manitoba	MB	Terre-Neuve-et-Labrador	NL
Nouveau-Brunswick	NB	Territoires du Nord-Ouest	NT
Nouvelle-Écosse	NS	Yukon	YT
Nunavut	NU		

LA NOTE OU LA NOTE DE SERVICE

C'est souvent à tort qu'on utilise le mot *mémo* en français. En effet, un *mémo* ou *mémorandum* est une note qu'on prend pour soi-même afin de se rappeler un renseignement ou une chose à faire.

Mémo, mémorandum

Le document utilisé au sein d'un organisme pour communiquer des renseignements ou des directives est une *note* ou une *note de service.* En règle générale, la *note* s'adresse à un égal ou à un supérieur, tandis que la *note de service* est envoyée à un subalterne. Cependant, cette distinction tend à disparaître, et l'appellation *note de service* se fait plus rare.

Note, note de service

Voici les règles générales qui s'appliquent pour la rédaction de la note :

- La note ne comprend ni vedette, ni appel, ni salutation.

Vedette, appel, salutation

- Le texte est généralement aligné sur la marge de gauche.

- On ne répète pas le nom de l'expéditeur à l'endroit réservé à la signature s'il est déjà indiqué au haut de la note; toutefois, si la note comporte plus d'une page, le nom de l'expéditeur peut paraître à la fin.

Signature

- La note est soit paraphée à côté du nom de l'expéditeur, soit signée comme une lettre.

Signature

- Les mentions diverses (pièces jointes, copies conformes, initiales d'identification) et la numérotation des pages s'indiquent de la même façon que pour la lettre.

Mentions diverses, pagination

Destinataire, expéditeur, date, objet

À, de

Les mentions habituelles sont : *Destinataire*, *Expéditeur*, *Date* et *Objet*, toujours suivies du deux-points. Vous pouvez écrire ces indications tout en majuscules ou avec la majuscule initiale. Évitez les prépositions *À* et *De* qui sont un calque de l'anglais.

Titre de fonction, titre de civilité

Dans les sections *Destinataire* et *Expéditeur*, vous pouvez indiquer le titre de fonction de chacune des personnes, en particulier si la note est destinée à une personne avec qui vous avez des contacts peu fréquents. Le titre de civilité (*Monsieur, Madame*) est parfois indiqué dans la section *Destinataire*; il est toutefois omis dans la section *Expéditeur.*

Ville

Dans certains cas, surtout au sein de grandes entreprises, vous pouvez mentionner le nom de la ville. Toutefois, vous n'avez pas à l'indiquer si le destinataire travaille au même endroit que vous.

La date

La date ne s'abrège jamais, et on ne met pas de virgule entre le mois et l'année.

L'objet

L'objet peut être en caractères gras.

Le corps de la note

Le corps de la note paraît à au moins trois interlignes de l'objet. Il n'y a pas d'introduction : il faut entrer directement dans le vif du sujet.

Le style à utiliser est fonction du lien hiérarchique : plus officiel avec un supérieur, plus direct avec des collègues de travail avec qui vous avez des relations quotidiennes et plus vendeur pour un message qui incite à l'action.

Plusieurs exemples de notes sont contenus dans la partie III.

Exemples de notes

<u>**Note de service**</u>

DESTINATAIRES : Messieurs René Albert
                           Amoudh Ayala
                           Patrick Gagné
              Madame   Joanne Valois
              Monsieur   Louis Vézina

DATE :   Le 15 décembre 2006

OBJET :   Notre énoncé de mission

L'année 2007 arrivant à grands pas, je saisis l'occasion pour vous remercier de votre collaboration tout au cours des 12 derniers mois. En effet, une grande partie du succès et de la croissance qu'a récemment connus notre entreprise résulte de vos efforts, de vos nombreuses suggestions d'amélioration ainsi que de votre constant appui aux grands principes de notre mission.

Comme nous sommes à l'aube d'une nouvelle année et que je sais pouvoir compter sur votre soutien continu, je vous transmets notre énoncé de mission mis à jour pour tenir compte des défis qui nous mobiliseront. J'espère que la philosophie et les objectifs de l'entreprise vous serviront une fois de plus de guides et que, l'an prochain, nous pourrons tous nous féliciter d'une autre année heureuse et prospère.

Le président,

Éric Jacques

Éric Jacques

/ge

p. j.

NOTE

Destinataires : June Parsons
Mike Thompson

Expéditeurs : Debbie McMichael, chef des services matériels
Mark Spencer, Division de l'ingénierie

Date : Le 1ᵉʳ mai 2006

Objet : Soumission de Maya inc.

Réunion convoquée : Pour discuter de la soumission de Maya inc., dont copie est jointe à la présente, vous êtes invité à une réunion au bureau de Debbie le mardi 9 mai. La réunion commencera à 9 h 30 pour se terminer à 11 h au plus tard.

Actions requises avant la réunion : Veuillez présenter à Debbie vos brefs commentaires écrits à propos de la soumission avant 16 h le 5 mai. Si vous ne pouvez assister à la réunion, vous êtes prié de faire connaître le nom de votre remplaçant.

Avantage concurrentiel selon Maya inc. : Meilleurs prix; réalisation antérieure de contrats comparables; expertise du personnel; respect garanti des délais et des exigences de qualité; saine situation financière.

Évaluation de la soumission selon Debbie et Mark :
Avantages : Avantages concurrentiels, tels que soulignés ci-dessus; compatibilité de la soumission avec nos préoccupations actuelles; proximité de Maya inc.

2

Inconvénients : Le progiciel suggéré pourrait ne pas être compatible avec notre système actuel; de plus, Maya inc. n'a pas démontré une connaissance adéquate des exigences technologiques requises pour percer le marché européen.

/fm

Pièce jointe

c. c. John Conner
Robert Raymond

NOTE À TOUT LE PERSONNEL

Expéditrice : Diane Guertin **Δ. Δ.**
Service des ressources matérielles

Date : Le 20 février 2006

Objet : **Guide d'utilisation du nouveau système téléphonique**

Au cours des prochains jours sera installé un nouveau système téléphonique plus performant qui offrira de nombreuses possibilités, dont celles de
faire des conférences téléphoniques et de mémoriser les 15 numéros les
plus souvent composés.

Le *Guide d'utilisation* ci-joint, que je vous invite à lire attentivement, contient tous les renseignements nécessaires pour que vous puissiez utiliser
pleinement votre nouvel appareil.

Si vous désirez assister à une session de formation, veuillez faire parvenir
une demande écrite à Carole Tremblay (trembc@nico.com) avant le
24 février.

p. j. *Guide d'utilisation*

LE COMPTE RENDU ET LE PROCÈS-VERBAL

Minutes   Le compte rendu ainsi que le procès-verbal (et non les *minutes*) servent à rendre compte objectivement des éléments les plus importants d'une rencontre, d'une réunion de travail, d'une mission, de travaux ou d'un colloque. En *Actes*   général, dans ce dernier cas, on parle d'*Actes*, et ceux-ci comprennent le texte résumé ou complet des interventions des conférenciers.

Ce qui distingue essentiellement le procès-verbal, c'est qu'il constitue une pièce officielle d'une institution. Par conséquent :

- il est soumis à des conditions de forme particulières;

- il est normalement rédigé par une personne qui ne participe pas aux discussions;

Proposé,
appuyé,
secondé
- chacune des décisions doit être « proposée » par un membre, puis « appuyée » (et non pas *secondée*) par un autre;

- son contenu doit être officiellement approuvé par les membres de l'assemblée.

Le compte rendu étant de nature moins officielle, il permet une variété de contenus et de formes allant d'une version assez semblable au procès-verbal jusqu'à un texte présenté sous forme de tableau. Un modèle couramment utilisé est un tableau en trois colonnes reprenant les éléments de l'ordre du jour, les résultats des discussions, c'est-à-dire les décisions prises ou une synthèse des principaux points abordés, ainsi que le nom de la personne chargée du suivi.

Le compte rendu et le procès-verbal peuvent soit :

- couvrir une information détaillée, rapportant entre autres les opinions émises ainsi que les réponses exprimées;

- présenter un contenu résumé ou sélectif, la sélection relevant du choix des membres;

  ou

- rendre compte uniquement des décisions ainsi que des renseignements considérés essentiels. Cependant, même dans ce cas, il faut rapporter les prises de position fermement énoncées par les membres, par exemple lorsqu'ils s'abstiennent de voter en raison d'un conflit d'intérêt ou lorsqu'ils veulent marquer leur dissidence face à une orientation retenue par la majorité des membres.

Nous vous conseillons de recourir autant que possible à la troisième forme qui est davantage centrée sur l'action et évite, de plus, que des participants s'estiment mal cités ou oubliés.

Lorsque le compte rendu ou le procès-verbal porte sur le contenu d'une réunion, celui-ci est présenté selon l'ordre du jour qui a été adopté. À noter que ce dernier est souvent inclus dans l'avis de convocation à la réunion.

Ordre du jour

Le contenu habituel des deux types de document est le suivant :

- Le titre de l'activité, qui peut comprendre le lieu ainsi que la date et l'heure de la réunion.

- La liste des personnes présentes, absentes et invitées.

- L'adoption de l'ordre du jour.

- L'adoption du compte rendu ou du procès-verbal de la réunion précédente.

- Selon la formule retenue :
  - le résumé, exhaustif ou concis, des discussions ou des positions exprimées, ainsi que des décisions, ou
  - l'énoncé des résolutions adoptées.

- La date de la prochaine réunion.

- La levée de l'assemblée, un élément que l'on retrouve essentiellement dans le procès-verbal.

- Dans le cas de certains procès-verbaux, la signature des personnes qui assument le secrétariat de l'assemblée et, quelquefois, la présidence.

Veuillez noter que, puisque les décisions constituent les éléments les plus importants du compte rendu ou du procès-verbal, la personne qui préside devrait s'assurer en cours de réunion que tous partagent le texte intégral des décisions; elle devrait également préciser qui y donnera suite, ainsi que les échéances.

Style impersonnel

Le style impersonnel et neutre est recommandé pour la rédaction du compte rendu et du procès-verbal. Le texte est rédigé au présent de l'indicatif, et les éléments peuvent être exprimés en phrases complètes ou en style télégraphique.

Exemple de compte rendu

23

Compte rendu de la réunion
du comité de gestion de FormBior
tenue le 15 juin 2006 à 9 h 30

Présents : Eugénie Arsenault, Raphaël Boivin, Anne-Marie Bonneville, Vincent Couture, président, Megan Denis, Maxime Hébert

Absents : Maxime Béland, Pierre-Olivier Trépanier

Ordre du jour	Discussions	Suivi	
		Qui	Quand
1. Adoption de l'ordre du jour	Adopté.		
2. Adoption du compte rendu de la réunion du 18 mai	Adopté.		
3. Priorités pour 2006-2007	Vincent fait état des priorités retenues à la réunion du 12 juin du conseil d'administration : • Accroître les ventes de MIBRIFOR sur la côte ouest des États-Unis et percer le marché de la Grande-Bretagne. • Mettre en place la démarche généralisée d'amélioration continue amorcée à la fin de l'année dernière.		

2

Ordre du jour		Discussions	Suivi	
			Qui	Quand
		• Améliorer la gestion de la relation client (CRM).		
		• Se donner un plan de gestion plus respectueux de l'environnement, plan qui intégrerait également la responsabilité sociale de l'entreprise.		
		• Peaufiner le système de coût de revient ainsi que de veille stratégique.		
4.	Répercussions des priorités sur notre programmation	Ces priorités se répercutent sur notre programmation qui comprendra les éléments suivants :		
		• Préparation d'un plan d'affaires pour les marchés de la Grande-Bretagne et de la côte ouest des États-Unis, comprenant une analyse de conformité des produits en fonction des conditions d'accès au marché.	M. Hébert	Septembre
		• Obtention de l'accréditation au C-TPAT.	M. Hébert	Janvier 2007

3

Ordre du jour	Discussions	Suivi	
		Qui	Quand
	• Embauche d'un consultant pour l'accompagnement des équipes dans la démarche d'amélioration continue.	E. Arsenault	Septembre
	• Priorité de l'équipe des ventes pour l'établissement de moyens permettant de mieux documenter l'information sur nos relations avec nos clients.	R. Boivin	Plan de travail pour septembre
	• Collecte de l'information sur la gestion environnementale ainsi que sur la responsabilité sociale des entreprises auprès des ministères et des organismes concernés, et proposition d'un plan d'action.	E. Arsenault	Mi-novembre
	• Proposition d'un système de prix de revient pour l'ensemble de l'entreprise avec modalités d'implantation adaptées à chacune des unités.	P.-O. Trépanier	Septembre

4

Ordre du jour	Discussions	Suivi	
		Qui	Quand
	• Proposition d'un système de veille stratégique pour l'ensemble de l'entreprise.	M. Béland	Octobre
	• Détermination d'indicateurs de performance et de suivi.	A.-M. Bonneville	Août
	Chaque participant verra à informer ses employés des priorités et à les mobiliser en vue de leur respect. Il préparera un plan d'action pour soumission à Vincent.	Tous	10 juillet
	Vincent fera le point avec chacun avant le 17 juillet, pour discussion du plan d'action de l'entreprise le 21 juillet en comité de gestion.	Vincent	17 juillet
5. Plan de commandite pour les 12 prochains mois	Le plan proposé par Anne-Marie accordant la priorité à l'aide aux organismes de protection de l'environnement est accepté. Ce plan sera communiqué à tous les membres de l'entreprise, et ils seront encouragés à l'endosser.	A.-M. Bonneville	10 juillet

5

Ordre du jour		Discussions	Suivi	
			Qui	Quand
6.	Vacances	Compte tenu que certaines dates de vacances soumises ne respectent pas les besoins de l'entreprise, les membres s'entendent sur les modifications requises. Chacun verra à faire ces modifications dans son unité.	Tous	22 juin
7.	Départ à la retraite de 6 membres de l'entreprise	Leur apport sera souligné lors de la journée portes ouvertes de FormBior, le 9 septembre. Chaque unité concernée voit à préparer un témoignage à l'intention des membres qui nous quittent.	Tous	9 septembre
8.	Diffusion des informations importantes	Chacun est invité à transmettre à ses collègues concernés toute information de nature à leur être utile.	Tous	
9.	Prochaine réunion	21 juillet, toute la journée. Envoyer toute proposition de points à aborder à Pierre-Olivier.	Tous	10 juillet

Préparé par Megan Denis, adjointe au président
19 juin 2006

Exemple de procès-verbal

BANQUE PROVINCIALE

Procès-verbal de l'assemblée annuelle
des détenteurs d'actions ordinaires de la
BANQUE PROVINCIALE
(l'« Assemblée »)
tenue à l'Hôtel de l'Esplanade,
291, boulevard René-Lévesque Ouest, Québec (Québec),
le mercredi 22 mars 2006, à 9 h 30

Après avoir souhaité la bienvenue aux actionnaires, le président du conseil d'administration (le « Conseil ») de la Banque provinciale (la « Banque »), M. Louis Drolet, déclare que, conformément aux règlements administratifs de la Banque, le Conseil l'a désigné pour agir à titre de président de l'Assemblée. Il déclare également que le Conseil a désigné Mme France Gaboury, vice-présidente et secrétaire générale, pour agir à titre de secrétaire de l'Assemblée.

ATTESTATION DU QUORUM
ET NOMINATION DES SCRUTATEURS

Le président constate que le quorum de dix actionnaires est atteint et déclare l'Assemblée dûment constituée.

Le président rappelle aux actionnaires qu'une copie du procès-verbal de la dernière assemblée annuelle leur a été transmise avec la circulaire de sollicitation de procurations de la direction (la « Circulaire »). Il précise que ce procès-verbal est déposé aux registres de la Banque, et ce, conformément aux exigences de la loi.

Il désigne Mmes Lise Chabot et Jocelyne Picard de Trust Banque provinciale pour agir à titre de scrutatrices lors de l'Assemblée.

2

RÉCEPTION DES ÉTATS FINANCIERS CONSOLIDÉS

Le président invite l'Assemblée à visionner la présentation audiovisuelle des résultats financiers consolidés de la Banque pour l'exercice terminé le 31 octobre 2005.

Après cette présentation, le président déclare reçus les états financiers de la Banque pour l'exercice terminé le 31 octobre 2005 et invite M. Raymond Plourde, directeur général, à présenter son allocution.

ALLOCUTION DU DIRECTEUR GÉNÉRAL

M. Plourde expose aux actionnaires sa vision de la Banque, puis il résume les faits saillants ayant marqué les activités de la Banque au cours des dernières années et, plus particulièrement, au cours de la dernière année.

Une copie de l'allocution du directeur général est consignée aux registres de la Banque.

Le directeur général invite l'Assemblée à regarder la vidéo intitulée *Prévoir les besoins de nos clients*.

ALLOCUTION DU PRÉSIDENT

M. Drolet présente aux actionnaires une allocution sur sa vision de la société d'aujourd'hui et de demain. Il précise les effets que cette vision peut avoir sur les activités de la Banque.

Une copie de l'allocution de M. Drolet est consignée aux registres de la Banque.

RAPPEL DES PRATIQUES APPLICABLES À LA TENUE DU VOTE

M. Drolet cède la parole à Mme France Gaboury.

3

Mme Gaboury présente l'encadrement général pour la tenue du vote au cours de l'Assemblée. Elle explique notamment qu'une proposition doit avoir été incluse dans la Circulaire pour être présentée, débattue et soumise au vote lors de l'Assemblée, et que le vote se fera au scrutin secret pour chacune des propositions.

ÉLECTION DES ADMINISTRATEURS

M. Drolet rappelle que le nombre d'administrateurs à élire est de 20, conformément à une résolution adoptée par le Conseil.

M. Drolet invite Mme Nicole Arbuthnot, actionnaire de la Banque, à présenter la proposition de la direction relative à l'élection des administrateurs.

Mme Arbuthnot propose la nomination des personnes suivantes à titre d'administrateurs de la Banque, pour un mandat dont la durée s'étend jusqu'à la prochaine assemblée annuelle :

> Nicole Bélanger, Louis Blondeau, André Boulanger, Louis Cloutier, Marcel Comeau, Antoinette Côté, Diane Dompierre, Michel Dugas, Louise Émard-Gauthier, Pierre Gauvin, Hector Grandmaison, Bernadette Lozier, Jean-Claude Lussier, Brian Pierce, Colleen Parker, Raymond Rouillard, Richard Savard, Paul-Émile Tanguay, Joseph Turcotte et Louis Turgeon.

M. Denis Bouffard appuie cette proposition.

M. Drolet remercie M. Bouffard et invite les actionnaires à procéder au vote sur cette première proposition.

RÉMUNÉRATION GLOBALE DES ADMINISTRATEURS

M. Bouffard propose que soit confirmée la résolution du Conseil, adoptée le 20 décembre 2005, visant à modifier l'article 3.2 du Règlement administratif de la Banque, dont le but est d'augmenter le montant global de la

4

rémunération pouvant être versée à l'ensemble des administrateurs de la Banque au cours d'un exercice financier. Ce montant passe de 900 000 $ à 1 300 000 $.

M. Brian Cooper appuie cette proposition.

Mme Linda Pelletier mentionne que l'augmentation proposée constitue une hausse de 44 % du traitement des administrateurs.

M. Pierre Gendron précise qu'il n'y a pas eu d'augmentation depuis 12 ans. Celle-ci permettra de rémunérer les administrateurs au cas où il y aurait augmentation du nombre de réunions au cours d'un exercice financier.

M. Drolet invite les actionnaires à procéder au vote sur la deuxième proposition.

À la suite de la remise du rapport des scrutatrices, le président annonce aux actionnaires le résultat du vote relatif à la proposition concernant l'élection des administrateurs.

ÉLECTION DES ADMINISTRATEURS
Le président annonce que chacun des candidats aux postes d'administrateur à pourvoir a reçu au moins 93,4 % des votes exprimés EN FAVEUR de son élection. Tous les administrateurs sont, par conséquent, élus.

NOMINATION DES VÉRIFICATEURS

M. Henry Robichaud propose que les cabinets de comptables agréés Tanguay et Jobin, société en nom collectif, et Perreault, Hudon & Marmen, soient nommés vérificateurs de la Banque pour l'exercice financier débutant le 1er novembre 2005 et se terminant le 31 octobre 2006.

M. Philippe Garnier appuie cette proposition.

M. Drolet invite les actionnaires à procéder au vote sur la troisième proposition.

5

À la suite de la remise du rapport des scrutatrices, le président annonce aux actionnaires le résultat du vote relatif à la proposition concernant l'augmentation du montant global de la rémunération des administrateurs.

AUGMENTATION DU MONTANT GLOBAL DE LA RÉMUNÉRATION DES ADMINISTRATEURS

Le président annonce que 96,8 % des votes ont été exprimés EN FAVEUR de cette proposition et 3,2 %, contre. Elle est, par conséquent, adoptée.

À la suite de la remise du rapport des scrutatrices, le président annonce aux actionnaires le résultat du vote relatif à la proposition concernant la nomination des vérificateurs.

NOMINATION DES VÉRIFICATEURS

Le président annonce que 96,3 % des votes ont été exprimés EN FAVEUR de cette proposition et 3,7 %, contre. Elle est, par conséquent, adoptée.

PÉRIODE DE QUESTIONS

À l'invitation du président de l'Assemblée, les actionnaires formulent leurs questions et leurs commentaires.

MM. Drolet et Plourde répondent aux questions des actionnaires portant notamment sur la fusion des services économiques de la Banque provinciale et de Trust Banque provinciale, sur l'augmentation de la provision pour pertes sur prêts ainsi que sur quelques détails des états financiers.

LEVÉE DE L'ASSEMBLÉE

La période de questions étant terminée et l'ordre du jour étant épuisé, le président déclare l'Assemblée levée.

Louis Drolet
Président

France Gaboury
Secrétaire

LE COURRIER ÉLECTRONIQUE

Quasiment inconnu au milieu des années 90, le courrier électronique (courriel ou *e-mail* qui est un anglicisme) s'est imposé au point qu'à peu près tous ceux qui ont accès à un ordinateur s'en servent, en bonne partie en raison de son côté convivial et pratique et de la place qu'a prise Internet.

Ainsi, en 2004, 58,6 % des adultes québécois utilisaient Internet sur une base régulière (et avaient donc accès au courrier électronique), tandis que plus de 80 % des entreprises canadiennes disposaient d'une connexion Internet. La lettre en pages 258 et 259 fournit des données générales sur l'emploi d'Internet par les entreprises à des fins de commerce électronique.

Comme tout phénomène émergent, le courrier électronique introduit de nouveaux usages dont les avantages sont évidents. Par contre, aucune innovation n'engendre que des éléments positifs. Dans les pages qui suivent, nous aborderons donc autant les avantages que les inconvénients du courrier électronique.

En raison des malaises découlant de l'absence de normes sur les bons usages quant à cette réalité en évolution rapide est né le besoin de la *nétiquette*, l'étiquette sur le Net. Pourquoi? D'abord, parce que la majorité de la correspondance transite à présent par ce nouveau mode de communication. Ensuite, parce que, dans son esprit et sa réalité, le courrier électronique combine les principales caractéristiques de deux moyens de communication disposant chacun de ses propres normes et conventions :

- l'écrit, qui présente un caractère officiel et permet de conserver l'information, et

- la conversation téléphonique, marquée par l'instantanéité, les contacts directs ainsi que les échanges dynamiques, informels et spontanés.

L'obligation de réponse rapide

Puisque les usagers du courrier élcctronique s'attendent à une réponse rapide, vous devez consulter quotidiennement votre boîte et répondre sans tarder aux messages.

En effet, l'absence de réponse après plus de 48 heures dénote sur le Net un manque d'intérêt envers vos interlocuteurs. Pire encore, un tel retard indique que vous ne vous occupez pas de vos affaires. Si vous êtes dans l'impossibilité de répondre à l'intérieur de ce délai, placez un message d'absence indiquant quand vous pourrez revenir auprès de vos interlocuteurs. Si, par ailleurs, vous n'êtes pas en mesure de fournir rapidement une réponse, faites parvenir un accusé de réception mentionnant quand vous pourrez le faire.

La rapidité

Cette nouvelle technologie, dont l'implantation ira en s'accentuant, permet le télétravail, une tendance grâce à laquelle les salariés peuvent mieux concilier travail et famille et finir ces dossiers qu'ils n'ont pu terminer au bureau. Elle donne également accès aux fichiers de travail de vos interlocuteurs.

De plus, parce que le courrier électronique permet de joindre directement votre destinataire et de vous exprimer de manière plus informelle, il accélère de beaucoup la rapidité de communication. Par exemple, à la réception d'une proposition de date de rencontre, vous pouvez immédiatement répondre un simple *OK* ou *Pas possible le 16, mais bien le 15 toute la journée ou le 17 en matinée*. Vérifier la disponibilité des participants à une réunion est à présent un jeu d'enfant, alors qu'au milieu des années 90 il fallait se taper des appels téléphoniques à chacun.

Mais, quelquefois, le désir (ou le plaisir!) de se sentir efficace en répondant vite à un courriel peut jouer des tours, surtout avec le volume des messages que l'on y reçoit à présent. En effet, il est courant que les usagers réagissent trop rapidement, tout affairés à répondre vite dans une recherche de cette efficacité nouvelle que permet le courrier électronique. Il n'est pas rare que, sur réception d'un rapport ou d'une note, on envoie un message indiquant son accord, alors que, à la lecture des commentaires d'autres interlocuteurs également sollicités, on se rend compte qu'on avait omis de considérer des éléments pourtant importants. Dans ce cas, un message du type suivant mérite d'être envoyé.

> À la lumière des remarques de Pierre Balthazar sur le document que vous nous avez envoyé pour commentaires mardi passé, je désire compléter mon avis antérieur en ajoutant que je me range derrière la position qu'il retient. De plus, je vous suggère d'inclure dans le plan de travail une consultation des représentants commerciaux.

Par ailleurs, il faut éviter d'envoyer un message lorsqu'on est sous l'emprise de la colère ou d'une forte émotion. Il est donc sage, sur des dossiers un peu litigieux, de prendre le temps de mûrir votre réponse. Quelques heures peuvent faire la différence entre une communication efficace et un message incomplet ou maladroit qui peut à la limite créer un malentendu, voire entacher votre crédibilité. Car il n'est pas possible de rattraper un message inapproprié une fois qu'il a été envoyé.

De plus, avec la manie d'accroître le nombre de destinataires directs ou en copie conforme, vous pouvez faire mauvaise impression auprès d'un bien plus grand nombre de personnes.

On peut aussi accidentellement envoyer un message aux mauvaises personnes, ce qui peut être fort embarrassant et peut-être même avoir des conséquences juridiques (voir le texte en p. 116 à 123). Si c'est le cas, ne tardez pas à vous excuser ou à préciser qu'il s'agit d'une erreur.

> C'est par erreur que le message intitulé *Projet de note synthèse* vous a été envoyé. Je m'en excuse et vous prie de le détruire.

> Le message que je vous ai fait suivre concernant le sujet en rubrique ne vous était pas destiné. Prière de le détruire.

Le fait que le nom des destinataires en copie conforme figure juste sous celui à qui s'adresse directement le message peut être source de confusion. Il importe donc de vérifier si le message vous est adressé avant d'y répondre. Votre emploi du temps est sûrement assez chargé pour que vous ne l'encombriez pas avec la rédaction d'un texte non attendu.

La réduction des coûts

Plus besoin de payer pour des timbres, pour des enveloppes ou pour des services de messagerie. Un simple clic, et votre message ainsi que tous les fichiers joints sont transmis à votre destinataire. Pas étonnant que, en conséquence, toutes les notes ou les notes de service soient à présent transmises par courrier électronique.

La facilité à joindre plusieurs destinataires

Par le passé, les efforts et les coûts rattachés au nombre de copies conformes avaient pour effet de limiter le nombre de destinataires. Cette contrainte a disparu avec le courrier électronique. Avec la fonction *Groupe* dans le carnet d'adresses, on peut joindre presque aussi facilement une soixantaine de personnes que seulement deux.

Il s'ensuit, hélas, la tentation à laquelle la grande majorité succombe d'envoyer une copie à un cercle élargi de destinataires. *Après tout, dans ce monde de partenariat et de réseaux, pourquoi ne pas informer tel et tel des démarches en cours! Et puis, c'est un indice que je suis un acteur important dans ce dossier.*

Cette générosité nouvelle, induite par les propriétés du courrier électronique, ne comporte pourtant pas que des effets positifs. D'abord, on peut oublier un destinataire qui logiquement aurait dû figurer sur la liste. De plus, des copies peuvent être envoyées à des personnes que le sujet concerne peu ou encore à un homonyme. Dans plusieurs cas, il est même contre-productif que ces personnes prennent connaissance de l'information transmise.

Par ailleurs, un message adressé à plusieurs destinataires peut sembler moins personnel et donc de moindre valeur, surtout si on veut créer un lien particulier avec son destinataire. Si vous voulez conserver une relation personnalisée et de qualité avec votre interlocuteur, vous avez grand avantage à cibler vos destinataires et à en réduire le nombre.

Aussi, si votre message vise à faire un rappel et que plusieurs personnes n'ont pas encore fourni l'information attendue, vous devriez faire des envois de rappel individuels afin que chaque interlocuteur ait l'impression qu'il est le seul à ne pas avoir répondu.

Finalement, comme on reçoit déjà bien assez de messages qui nous sont destinés, on peut sûrement se passer de tous ceux qui nous sont envoyés en copie conforme pour des raisons obscures.

Tant en termes d'image que d'efficacité, vous avez donc tout intérêt à fortement réduire le nombre de destinataires en copie conforme.

Par contre, le courrier électronique a pleinement sa place pour les envois massifs d'offre spéciale ou pour la transmission d'information d'ordre général, comme une hausse de tarif ou un changement d'adresse.

Les joies et les peines des fichiers

Il est à présent très facile de faire parvenir une ou plusieurs pièces à vos destinataires, ce qui est fort pratique, mais ceci peut entraîner des inconvénients non négligeables. D'abord, deux erreurs que chacun commet à l'occasion : oublier de joindre le fichier annoncé ou envoyer le mauvais fichier. Dans ce dernier cas, il est hélas trop fréquent qu'on envoie un texte dont le contenu aurait gagné à rester sur le disque dur! Dans les deux cas, il vous est conseillé de reconnaître votre erreur en envoyant un message du type suivant :

> Oups! J'ai oublié de joindre le fichier faisant l'objet du courriel. Voilà mon oubli réparé.

> Merci de m'avoir mentionné que j'ai omis de joindre le fichier sur lequel je voulais vous consulter. Je vous transmets donc de ce pas le document en question.

> Le document que je vous ai fait parvenir ce matin n'est pas celui que je voulais vous envoyer. Je vous prie de le remplacer par celui-ci.

> Ce matin, je vous ai transmis par erreur une copie de travail. Je vous demande de la détruire et vous transmets ci-joint le document que vous auriez dû recevoir initialement.

Par ailleurs, il faut veiller à réduire le nombre ou la taille des fichiers joints. Sinon, vous risquez de « geler » l'ordinateur de votre destinataire, ce qui n'est pas de nature à bien le disposer à votre endroit. Soyez donc attentif à ne pas envoyer des fichiers dépassant 3 Mo. Si vous devez faire parvenir des informations dépassant cette limite, demandez au destinataire quelle est la capacité maximale de son service de courriel; au besoin, recourez à deux envois ou plus. Ou encore, convertissez votre document en format PDF afin de réduire de façon importante la taille des fichiers.

Si vous joignez plusieurs fichiers, vous risquez que votre interlocuteur, devant cette surcharge d'information à assimiler, « perde l'appétit » et décide de n'ouvrir aucun fichier ou uniquement ceux dont le titre suscite le plus son intérêt. D'où l'importance que vos fichiers aient des titres explicites et, pour les textes promotionnels, un intitulé attrayant.

Un outil de travail ou de communication personnelle

Ce serait faire l'autruche que de penser que le personnel n'emploie le courriel et Internet qu'à des fins professionnelles. Comme pour le téléphone, l'utilisation de ces outils à des fins non reliées au travail peut, entre autres, avoir des effets importants sur la productivité. Une mise au point ou une politique interne est conseillée pour baliser leur usage et pour éviter que, le temps faisant son œuvre, certains tiennent pour acquise leur utilisation à des fins personnelles.

Il vous appartient de définir les conditions d'utilisation à des fins personnelles du matériel qui est la propriété de l'entreprise. À titre d'exemple, vous pouvez :

- Demander à vos employés de s'engager à utiliser uniquement à des fins professionnelles le matériel de communication de l'entreprise.

- Préciser que l'utilisation de ces technologies à des fins personnelles est un privilège consenti par l'entreprise et que, en conséquence, il ne doit être exercé qu'en dehors des heures ou des plages de travail.

- Interdire de donner suite à des messages en chaîne, surtout que plusieurs d'entre eux contiennent des messages du type suivant :

  Envoyez ce message à six personnes dans les 12 heures, et un événement merveilleux vous arrivera. Si vous cassez la chaîne, vous connaîtrez une malchance.

- Interdire tout usage non conforme à l'éthique, à des dispositions légales ou à la sécurité du système, par exemple : information privilégiée sur l'entreprise et ses clients, renseignements personnels sur des tiers, matériel pornographique, messages haineux, fichier personnel pouvant introduire un virus ou bloquer le système en raison de sa lourdeur.

- Préciser que le courriel ne garantit en rien la confidentialité des messages.

- Faire ajouter par défaut sur le système de courriel un message du type suivant :

> **Avis sur la confidentialité.** L'information transmise par ce courriel est de nature privilégiée et confidentielle. Elle est destinée à l'usage exclusif du destinataire ci-dessus. Si vous n'êtes pas le destinataire visé, vous êtes par la présente avisé qu'il est strictement interdit d'utiliser cette information, de la copier, de la distribuer ou de la diffuser. Si cette communication vous est transmise par erreur, veuillez la détruire et nous en aviser immédiatement par courriel.

Un tel message est une mesure dissuasive qui s'avère cependant inopposable contre l'utilisateur du courriel.

La confidentialité, la sécurité et les droits d'auteur

À moins que ne soient mis en place des moyens particuliers, la confidentialité des messages électroniques est loin d'être acquise. Il faut se méfier de l'illusion d'intimité que l'on accorde au courriel par similitude avec celle de la lettre. Surtout qu'il n'est pas si rare qu'un courriel soit envoyé par erreur à une ou à des personnes qui n'étaient pas censées le recevoir.

Par ailleurs, il est trompeur de penser qu'un message que vous avez effacé de votre ordinateur est à jamais détruit. En effet, des copies de sécurité sont souvent laissées automatiquement dans d'autres parties du système et peuvent donc être récupérées et utilisées, entre autres, comme preuve.

Dans un autre ordre d'idées, les messages transmis par courrier électronique peuvent propager des virus. Voilà pourquoi il est fortement conseillé de ne pas ouvrir les messages provenant d'inconnus. C'est également le meilleur moyen pour que votre adresse disparaisse un jour ou l'autre des listes d'envoi.

Enfin, lorsque vous expédiez un fichier, le destinataire a le loisir de l'enregistrer sur son système et d'y faire des modifications. Il est donc possible que des changements soient apportés à des messages que vous avez produits. Pourtant, les droits d'auteur s'appliquent également au courriel. Pour assurer l'intégrité de leurs messages ou textes, plusieurs font donc parvenir leur fichier en format PDF. Même là, la protection n'est pourtant pas garantie.

Vous trouverez dans le texte du cabinet Desjardins Ducharme, S.E.N.C.R.L., en pages 116 à 123, d'autres éléments sur le sujet.

Des précautions en cas de litige

Si le courriel permet de faire parvenir rapidement un document important, il n'offre cependant pas la garantie que le message parviendra à son destinataire. En effet, plus de 10 % des messages n'arrivent jamais à destination, restant dans les limbes du Net.

Dans le cas d'un document important, vous avez grand avantage à le rédiger en pleine conformité des règles épistolaires usuelles et à le faire suivre d'une sortie papier et signée. En effet, les usages sur la réalité nouvelle du courriel étant en évolution, en cas de litige, le texte électronique pourrait ne pas être considéré comme recevable s'il ne répond pas aux prescriptions de la loi.

L'invasion et les effets sur le rendement[1]

Il est fréquent de recevoir une trentainc dc messages en une journée, ce qui aurait été impensable auparavant. Et il y a fort à parier qu'une bonne proportion d'entre eux offre un intérêt très relatif. En fait, les plaintes se multiplient à propos de l'invasion des courriels, quand ce ne sont pas des pourriels. Notez que ces derniers représentaient 65 % des messages électroniques transmis en 2004, d'où l'intérêt de recourir à des technologies antipourriel. À ces pourriels s'ajoutent les messages personnels que reçoit l'employé au bureau.

Un internaute peut réaliser entre 20 et 70 transactions quotidiennement : réception et lecture, rédaction et envoi, ainsi que retransmission. Ceci grève de façon croissante son emploi du temps et cause préjudice à son rendement. Il importe donc d'introduire des méthodes de contrôle, comme les filtres, ou des instructions, afin de s'assurer que les gains de productivité résultant du courriel ne soient pas contrecarrés par l'accrois-sement des tâches quotidiennes relié à la gestion de ce nouveau mode de communication. Déjà, une large proportion de gestionnaires souffrent d'un stress causé par le surplus d'information qu'ils ont à prendre en compte depuis l'introduction du courriel. Surtout qu'en raison de leur charge de travail régulière, une bonne proportion d'entre eux ont choisi de traiter leurs messages électroniques à la maison.

Afin d'atténuer l'effet du surplus d'information actuellement transmise aux gestionnaires d'entreprise, certains ont établi pour règle que tout do-cument important joint comme fichier doit être accompagné d'un résumé d'au plus quatre lignes sur son contenu et son intérêt.

---

1. Dans l'article de *La Presse* intitulé « Internet », paru le 12 août 2005, Maxime Bergeron rapportait que 7 entreprises québécoises sur 10 surveillaient l'activité Internet de leurs employés en grande partie en raison des effets sur leur rendement.

Un nouveau classeur : le disque dur

Il est à présent facile de conserver dans son ordinateur les messages envoyés ou reçus. De plus, lorsque les interlocuteurs utilisent la fonction *Répondre* dans leurs échanges, il est possible de suivre l'évolution des messages sur le même fichier, ce qui constitue ainsi un fil conducteur intéressant.

Ceux qui ont troqué le téléphone pour le courriel bénéficient également de la possibilité de conserver leurs écrits, ce qui peut s'avérer un avantage non négligeable pour documenter des échanges ou en cas de divergences d'opinions. Par contre, le disque dur ne peut pas remplacer un système de classement, et ce, pour plusieurs raisons :

- Un faux mouvement ou une distraction, et des fichiers sont effacés.

- La capacité de stockage d'un ordinateur n'est pas infinie.

- Il n'est pas rare que, pour libérer le disque dur de son ordinateur, on efface par erreur des messages qu'on voulait pourtant conserver.

- Il est souvent fort difficile pour une autre personne que l'utilisateur de retrouver un document.

- Les virus ainsi que les pannes viennent cruellement rappeler les limites du progrès.

Pour parer à ces inconvénients, il est conseillé de conserver des sorties électroniques (cédérom, mémoire flash, etc.) ou papier pour classement ou référence.

Un autre danger guette ce nouveau mode de communication : la possibilité de rupture dans la diffusion de l'information avec votre adjoint, si vous en avez un. À présent que vous prenez vous-même vos messages et y répondez, votre adjoint peut ne plus être en mesure de jouer son rôle essentiel et les tâches qui y sont associées, comme de retrouver ce document dont vous avez un si urgent besoin. Assurez-vous donc que votre adjoint a accès à votre courriel et qu'il est chargé de classer tous les documents qui y transitent.

Le danger de relâchement sur la qualité

On ne peut jamais lésiner sur la qualité, quelle que soit la forme de communication. Les erreurs de forme ainsi que le manque de cohérence dans les idées ne peuvent y avoir leur place. Comme le soulignait Mark McCormack[1], « la correspondance – intérieure à l'entreprise ou extérieure à elle – est l'une des occasions les plus fréquentes que vous avez de faire une bonne impression sur ceux avec lesquels vous êtes en relation d'affaires ». Or, le caractère moins officiel du courriel engendre trop souvent un laisser-aller sur différentes facettes dont voici les principales :

- *Oubli d'une formule d'appel.*

    Cher Claude,
    Bonjour Monsieur Dubois,
    Allô Marie,
    Monsieur,

- *Absence d'une indication de l'objet.* Il est capital de toujours indiquer l'objet de façon explicite afin d'éviter que l'interlocuteur n'ouvre pas le message en raison du volume important des messages reçus. Un objet clair est encore plus important si vous êtes inconnu du destinataire qui peut le confondre avec un pourriel. Puisque l'espace de la ligne « Objet » est limité, le libellé doit être court. Un maximum de quatre mots est conseillé. De plus, un titre court et précis facilite grandement l'archivage et la recherche.

---

1. McCormack, Mark H. *Tout ce que vous n'apprendrez jamais à Harvard : Notes d'un homme de terrain*, Paris, Rivages/Les Échos, 1985, p. 119.

Titres peu explicites	Titres à favoriser
Projet de texte	Études marché Japon (6)
Note au personnel	Projet aménagement cafétéria
Commentaires sur le plan d'action	Plan d'action – Pas contente
Changement d'adresse	Nouvelle adresse MVB inc.
Retard	Paiement attendu

- *Absence de formule de salutation.* Soyez attentif à toujours dire au revoir ou à inclure une autre forme d'adieu.

    Grand merci pour ton aide,
    Cordialement,
    À bientôt,

- *Absence de signature.* Après tout, vous avez tout avantage à faire ressortir votre rôle.

    Raoul Gagné
    Directeur des ventes

    Francine Bernard, votre chargée de compte

- *Absence d'adresse électronique en fin de message.* Votre signature doit contenir au moins la même information que sur le papier à en-tête de l'entreprise. De plus, il est conseillé de toujours y ajouter l'adresse du site Web de l'entreprise.

    Marie-Suzanne Menier
    Chef de la rédaction et de la production
    Les Éditions Transcontinental
    Tél. : 514 392-9000, poste 242
    Téléc. : 514 392-4726
    marie-suzanne.menier@transcontinental.ca
    www.livres.transcontinental.ca

- *Abus de ponctuation.* Les points d'exclamation, d'interrogation et de suspension servent à moduler le message, mais leur surabondance nuit à la bonne communication.

> Salut!!!
>
> C'est donc à cela que ressemble le nouveau prototype... Je ne peux te contre-
> dire, il est pas mal du tout!!!!! Es-tu de retour à Montréal? Je crois que oui... Il
> me semble que tu m'as dit que tu revenais dimanche... Je te rappelle mardi...
> J'ai super hâte de te reparler!!!
>
> Roberto

- *Rédaction du texte ou d'une grande partie de celui-ci en majuscules.*
  À l'intérieur d'un message électronique, les mots ou portions de texte
  tout en capitales signifient que le rédacteur crie ou proteste de façon
  véhémente.

  > Vous m'avez retourné soit les pièces initiales défectueuses, soit d'autres
  > pièces tout aussi défectueuses. Une chose est certaine : LES INSTRUMENTS
  > NE FONCTIONNENT PAS!
  >
  > J'EN AI MARRE DE RECEVOIR DES RAPPELS DE PAIEMENT ALORS QUE
  > J'AI RÉGLÉ MON COMPTE DEPUIS AU MOINS UN MOIS ET DEMI.

- *Erreurs de grammaire, d'orthographe ou de vocabulaire.* Celles-ci risquent de distraire le lecteur dont l'attention sera portée sur les erreurs
  plutôt que sur votre message. De plus, elles minent votre crédibilité,
  car elles créent l'impression que la qualité ne fait pas partie des préoccupations de votre entreprise ou encore que vous accordez peu
  d'importance à votre interlocuteur.

  > À leur actuelle, qui peut se passé d'un outil de qualiter comme le Consumat. Il
  > ne menquerat pas d'impresssionné tout ceux qui l'utiliserons.
  >
  > C'est l'habitacle parfait pour serrer tous ses objets que vous savez pas ou
  > mettre.

  Vous avez été distrait à la lecture des exemples? Vous rappelez-vous
  des messages?

- *Coquilles.* Elles sont vraiment à éviter, car elles dénotent un manque
  d'attention. Cependant, un texte électronique tapé à haute vitesse
  par une personne qui maîtrise la langue française peut contenir des
  coquilles, tout simplement parce qu'il a été rédigé et expédié en deux

temps trois mouvements. Il ne faut pas juger la correspondance électronique avec le même œil qu'on utilise pour juger de la présence d'une coquille sur une enseigne lumineuse ou dans un écrit officiel.

- *Abréviations inconnues de votre interlocuteur.* Voilà un élément à surveiller plus particulièrement lors d'échanges internationaux. L'utilisation d'abréviations inconnues peut être interprétée comme un signe que vous ne portez pas attention à votre interlocuteur. Et, en tout cas, cela nuira à la communication. À titre d'exemple d'abus de sigles ou d'abréviations, voici un texte de nature à faire bondir le destinataire s'ils ne lui sont pas familiers.

  > J'ai soumis votre demande au CRIQ ainsi qu'à l'OPIC qui ont tous deux émis une évaluation négative sur le DI et le PDE de votre projet. Il s'ensuit que nous ne pouvons donner suite à votre demande.

- *Mauvais agencement des idées.* Le rédacteur doit se préoccuper de la suite logique de ses arguments et de l'économie de ses propos, comme il le ferait probablement dans une lettre.

  La phrase

  > *Le Donabrez est un outil dont vous ne pourrez vous passer. Les conditions de paiement sont des plus avantageuses. Il est pratique et facile d'usage.*

  devrait être remplacée par

  > *Le Donabrez est un outil dont vous ne pourrez vous passer. Il est pratique et facile d'usage. De plus, les conditions de paiement sont des plus avantageuses.*

- *Long texte sans paragraphes.* Pour faciliter la lecture, aérez le message en introduisant les éléments sous forme d'énumération verticale ou dans des paragraphes différents.

- *Messages trop longs.* N'oubliez pas que le courriel s'inscrit dans la culture de la communication rapide et efficace. Il est conseillé d'éviter les courriels de plus de quatre paragraphes.

- *Utilisation de binettes ou frimousses (*smileys*).* Si cette nouvelle façon d'exprimer ses sentiments peut être utile dans les liens avec des proches, elle n'a pas sa place dans des documents officiels et, à peine, avec des inconnus. Par contre, les binettes sont utiles et appropriées lorsqu'on doute que le destinataire comprenne le sens d'une phrase ou encore pour un type d'humour particulier.

> Bonjour,
>
> Voici le guide que je vous avais promis pour vous aider dans vos évaluations. J'espère qu'il vous satisfera, même si vous devrez y consacrer une partie de votre fin de semaine.
>
> Merci et bonne fin de semaine. :-(
>
> À mardi ☺
>
> Attention, si tu *tombes* en vacances ce soir, de ne pas te faire trop de mal... ;-)

- *Oubli que l'on représente une organisation.* Si vous exprimez votre point de vue personnel, soyez attentif à mentionner que votre opinion est indépendante de celle de votre organisation, pour ne pas créer de confusion.

> Ce message exprime mon opinion personnelle et ne représente pas nécessairement celle de mon organisation.

- *Non-respect du niveau hiérarchique.* Si vous adressez un message à un collègue ou à votre supérieur, vous ne devriez envoyer une copie conforme au président de l'entreprise que s'il est justifié qu'il en prenne connaissance.

Les usages à uniformiser pour ce moyen de communication incontournable

Puisque le courriel draine actuellement plus de 50 % des communications, il faut le considérer très concrètement dans les suivis de gestion.

Il est donc conseillé aux organisations préoccupées de la qualité de la communication d'inclure, dans leur protocole épistolaire, des balises sur l'utilisation de ce nouveau véhicule de communication, entre autres sur les points suivants :

- La lecture systématique des messages reçus ou l'indication d'un avis d'absence, puisque, dans notre société d'instantanéité, votre interlocuteur s'attend à ce que vous lui répondiez dans les quelques heures qui suivent.

- La nécessité d'un objet explicite et court.

- L'utilisation de titres de fichiers clairs ou accrocheurs.

- La présence de formules d'appel et de salutation inventives pour attirer l'attention et laisser une bonne impression.

- Le choix du style à utiliser selon le message et la clientèle.

- Les exigences de classement et d'archivage, y compris l'accès de l'adjoint au courrier électronique de son supérieur.

- La nécessité d'une stratégie pour l'envoi d'information par courriel et par courrier ordinaire ou recommandé ainsi que pour les suivis à donner aux courriels.

- Des instructions afin de limiter le nombre de destinataires ainsi que la quantité et la grosseur des fichiers joints.

À cela s'ajoutent des approches de gestion à considérer, comme :

- Mettre en place des mesures de protection de la confidentialité des courriels.

- Adopter une politique interne concernant les mesures de conservation et de destruction des courriels, compte tenu que les renseignements transmis de façon électronique peuvent être interprétés comme éléments de preuve.

LA CONFIDENTIALITÉ DANS LES ÉCHANGES PAR COURRIER ÉLECTRONIQUE

Par Mᵉ Marc Beauchemin, associé
Desjardins Ducharme, S.E.N.C.R.L.

Avec la précieuse collaboration
de Mᵐᵉ Alexandra Ferland-Dorval, stagiaire

Le courrier électronique est un outil de travail récent mais incontournable dans le monde des affaires. Ce moyen de communication comporte certains risques et entraîne des effets juridiques méconnus pour les utilisateurs, principalement en ce qui a trait à la confidentialité et à l'intégrité des messages ainsi qu'à l'authenticité et à l'identité de leur expéditeur. Que ce soit pour des messages personnels ou des écrits importants, il faut prendre en considération les quelques principes suivants.

Le nom de l'expéditeur de courriel : anonyme

Il est d'abord important de noter que l'adresse de courrier électronique d'un utilisateur n'est pas une information banale comme plusieurs peuvent le croire. Au contraire, c'est une donnée personnelle et confidentielle pour cet utilisateur. Bien qu'il soit possible que le destinataire demeure anonyme, l'identité de l'expéditeur est connue de son fournisseur de courrier électronique.

Malgré l'existence de lois interdisant à une entreprise de colliger des renseignements sur autrui à son insu et de communiquer à un tiers de l'information personnelle sur lui sans son consentement, la réalité peut cependant être tout autre. Un moyen de parvenir à conserver votre anonymat est de procéder par chaîne de plus de deux redistributeurs (*remailers)* qui font suivre votre message, afin de rendre quasi impossible la faculté de remonter jusqu'à vous, notamment pour du marketing ou de la publicité.

Un message par courriel, confidentiel comme une carte postale

Il serait faux de prétendre que le message envoyé par courriel ne peut être lu que par son destinataire, à moins d'un acte de piraterie Internet. Au contraire, plusieurs intervenants peuvent avoir accès à un message donné et lire le courrier électronique de manière systématique. La protection de la confidentialité du message est si faible qu'il est souvent comparé à une carte postale qui peut être consultée par tous les intermédiaires aux mains desquelles elle passe.

Que ce soit une erreur de la part de l'auteur du courriel dans l'écriture de l'adresse électronique ou une erreur du serveur dans la chaîne de transmission, personne n'est à l'abri d'un envoi à un destinataire non désiré. De plus, les moyens et les connaissances technologiques évoluent tellement rapidement qu'il est impossible d'être totalement à l'abri des pirates informatiques qui, pour leur propre gouverne ou pour des entreprises concurrentes, s'immiscent dans les relations Internet.

Les messages envoyés ne sont pas encodés au cours de leur voyage vers leur destinataire. En conséquence, le fournisseur de service de courrier électronique et le serveur Internet ainsi que tous leurs employés peuvent les consulter avec facilité. Jusqu'à son arrivée dans l'ordinateur du destinataire, le message passe par plusieurs ordinateurs et, à chaque station, laisse des traces qui en permettent l'interception, la lecture ou la modification. À cet égard, le fournisseur de messagerie devrait informer l'expéditeur de sa politique de gestion du courrier électronique et des mesures de sécurité mises en place afin d'assurer la protection des données personnelles.

De plus, comme les services de messagerie des entreprises appartiennent aux employeurs, ceux-ci ont le droit de consulter les courriels envoyés par ce moyen. Effectivement, même avec des mots de passe personnels, les administrateurs de système ont un droit d'accès à tous ces courriels, ce qui donne toute capacité à l'employeur et aux techniciens du système de les consulter. Toutefois, l'employé a droit au respect de sa vie privée. Par conséquent, le contrôle de l'employeur sur les courriers électroniques est limité par le droit de l'employé d'être informé des motifs et des mécanismes de contrôle ainsi que de ses droits et obligations à l'égard du fonctionnement du système interne de courrier électronique.

Même effacés d'une boîte de réception, les messages transmis par courriel sont conservés sur le disque dur de l'ordinateur. Une interception est donc possible par quiconque a accès à cet ordinateur, matériellement ou à distance. De plus, plusieurs fournisseurs d'accès Internet ou entreprises privées ont comme politique d'archiver les courriers électroniques. Les courriels deviennent donc disponibles à quiconque accède à ces archives ou au système informatique de l'entreprise. À ce sujet, comme les administrateurs de courrier électronique et les organismes publics, les entreprises privées devraient fixer une politique et des délais de conservation des messages échangés par courriel.

Au nom de la loi, donnez-moi vos courriels

Le contenu d'un courrier électronique peut engendrer des effets juridiques à titre d'acte juridique ou de déclaration d'un fait matériel à condition qu'il respecte les prescriptions de la loi propres à cet acte ou à cette déclaration. À cet égard, la loi prévoit que, quel que soit son support, informatique ou papier, l'écrit a la même valeur, à moins que la loi ne requière un mode particulier.

Le courriel peut donc constituer le moyen de preuve d'un acte ou d'un fait pour autant que son intégrité ait été assurée. De plus, même si une preuve n'a pas encore démontré cette intégrité, le courriel pourrait être reçu à titre de commencement de preuve. Néanmoins, il est important de considérer que certains principes, tels que le secret professionnel, font échec à l'admissibilité de certains courriels en preuve. Tout comme l'écrit, la signature électronique sur un courriel a la même valeur qu'une signature papier et elle permet ainsi d'accorder une valeur de preuve à l'écrit sur lequel elle est apposée. À cet égard, il est donc conseillé aux entreprises de faire en sorte que leurs employés se dotent d'une signature électronique personnalisée.

Au cours d'un litige, non seulement les courriels peuvent être utilisés en preuve par les parties, mais ils peuvent également être visés par une demande de communication de l'autre partie. Ainsi, qu'elle soit une partie au litige ou simplement un témoin interrogé, une personne peut se voir ordonner par la cour d'imprimer et de produire au dossier de la cour les courriers de sa messagerie électronique ou même se voir ordonner la communication du disque dur contenant les courriels effacés de sa boîte de réception, puisqu'ils y demeurent archivés. Néanmoins, les courriels visés par cette obligation de divulgation demeurent assujettis aux règles de pertinence et du secret professionnel dans leur admissibilité au tribunal.

Le tribunal a également le pouvoir d'émettre une ordonnance de conservation des courriers électroniques. Toutefois, même en l'absence d'une telle ordonnance, la destruction de certains éléments de preuve, tels que les courriels, pourrait entraîner une difficulté dans le déroulement du litige et même le rejet de l'action ou de la défense de la partie fautive. Afin d'éviter de se voir reprocher d'avoir ainsi détruit des courriers électroniques considérés comme des éléments de preuve, il est conseillé à toute entreprise d'adopter une politique interne concernant les mesures de conservation et de destruction des courriels pouvant servir d'éléments de preuve.

Un avis de confidentialité dans vos courriels, une illusion?

Plusieurs entreprises annexent automatiquement un avis de confidentialité dans tout courriel envoyé par leur système de messagerie interne. La position actuelle du droit est à l'effet qu'un tel avis serait inopposable contre la personne qui aurait reçu le courriel par erreur. D'abord, en raison de l'effet relatif des contrats, on ne peut unilatéralement obliger quelqu'un d'autre que soi-même. Effectivement, une obligation ne peut être imposée par autrui sans obtenir le consentement de la personne qui s'oblige.

De plus, dans l'éventualité où le message serait reçu par erreur par un tiers, il serait possible de considérer que l'information cesserait d'être caractérisée comme étant confidentielle, ayant été révélée. Finalement, comme le courriel appartient autant à l'expéditeur qu'au destinataire, celui-ci ne saurait être contraint dans son utilisation à moins qu'il ne soit lui-même ou de l'effet de la loi obligé à conserver la confidentialité du courriel. Conséquemment, un tel avis de confidentialité ne rend pas inadmissible en preuve ce courriel.

Il serait néanmoins faux de prétendre que cet avis n'a aucune valeur. Effectivement, il s'agit d'une protection minimale en tant que force dissuasive.

Des méthodes de contrôle

Certains moyens de contrôle de la confidentialité des courriels existent sur le marché, mais à différents degrés et coûts. D'abord, la méthode de base est l'utilisation d'un mot de passe complexe d'ouverture du service de messagerie qui protège au moins des regards indiscrets des personnes ayant accès au poste de l'utilisateur du courriel. Puis, il y a la méthode de cryptage des documents consistant en la transformation de chaque caractère selon une méthode définie. Finalement, il y a les systèmes à double clé, soit un mot de passe public et un mot de passe privé qui servent réciproquement à encoder le message puis à le décoder.

Ce système de clés privée et publique permet non seulement que le message ne soit lu que par le destinataire voulu, mais permet également d'offrir une garantie quant à l'identité de l'expéditeur et une garantie que celui-ci appartient bien à l'organisation à laquelle il prétend apparte-nir. L'utilisation de ces clés a d'ailleurs été considérée comme une signa-ture électronique qui a ainsi valeur de preuve à condition que l'intégrité de l'authentification ait été démontrée.

Les lois encadrant l'informatique, en constante évolution

Comme le développement informatique est d'invention récente et est en rapide évolution, le processus d'adoption de normes juridiques est claire-ment en retard par rapport à l'avancée technologique actuelle et laisse ainsi un certain vide juridique quant à de nombreuses préoccupations. Néanmoins, voici quelques dispositions législatives encadrant le courriel. Elles sont, il va sans dire, d'adoption récente.

De façon générale, le *Code civil du Québec* prévoit les règles d'admissi-bilité et d'administration de la preuve qui s'appliquent autant aux docu-ments technologiques que sont les courriels qu'aux écrits sur format papier. D'ailleurs, une section est consacrée au principe selon lequel un écrit a la même valeur quel que soit son support technologique à condition que son intégrité soit assurée. La loi prévoit également des règles entourant le transfert d'un support technologique à un autre.

La *Loi concernant le cadre juridique des technologies de l'information* s'applique autant au domaine public, privé qu'individuel et prévoit des règles concernant la sécurité des communications par un moyen technologique, l'équivalence et la valeur juridique des écrits sur support technologique et les moyens d'assurer l'intégrité du document ainsi que la certification de l'identité de la personne reliée au document technologique.

À titre d'exemple, la loi prévoit que l'analyse de l'intégrité d'un docu-ment technologique doit se faire en considérant les mesures de sécurité mises en place pour le protéger au cours de son cycle de vie, soit sa création, son transfert, sa consultation, sa transmission, sa conservation ou sa destruction. De plus, la loi prévoit que des renseignements confidentiels doivent être communiqués par le biais d'un mode et d'un réseau de communication appropriés à cette nature confidentielle. Finalement, la loi mentionne que la signature électronique d'une personne permet d'établir un lien entre elle et le document technologique et qu'elle lui est opposable.

Pour les échanges avec les organismes publics, la *Loi sur l'accès aux documents des organismes publics et sur la protection des renseignements personnels* prévoit des droits d'accès et de rectification reconnus aux citoyens concernant les messages et les fichiers électroniques. Cette loi énonce que toute personne qui en fait la demande a un droit d'accès aux documents d'un organisme public. Néanmoins, la loi protège certains renseignements confidentiels, tels que les renseignements nominatifs détenus sur une personne qui ne peuvent être divulgués à moins que cette divulgation soit autorisée par cette personne ou qu'ils aient été obtenus par un organisme public dans une fonction d'adjudication.

Pour son corollaire dans le secteur privé, la *Loi sur la protection des renseignements personnels dans le secteur privé* prévoit quant à elle des règles particulières à l'égard des renseignements personnels sur autrui qu'une personne recueille, détient, utilise ou communique à des tiers dans le cadre de l'exploitation d'une entreprise. À ce titre, toute personne qui constitue ainsi un dossier sur autrui dans le cadre de l'exploitation d'une entreprise doit être motivée par une raison sérieuse et légitime et ne doit colliger que les renseignements nécessaires à cette fin. L'entreprise doit adopter des mesures afin d'assurer la nature confidentielle de ces renseignements. La personne visée doit être informée de la constitution d'un tel dossier, et aucune communication de ces renseignements ou utilisation subséquente à l'objet du dossier ne peuvent être faites à moins du consentement de cette personne.

Finalement, entrée pleinement en vigueur dans sa totalité en 2004, la *Loi sur la protection des renseignements personnels et les documents électroniques* énonce les règles relatives aux renseignements personnels recueillis, utilisés ou communiqués concernant des consommateurs dans le cadre des activités commerciales des entreprises du secteur privé. Ces règles visent donc la façon dont les renseignements personnels peuvent être utilisés, notamment l'adresse de courriel et le contenu d'un courriel. La loi prévoit également les règles entourant l'utilisation de moyens électroniques pour communiquer ou enregistrer de l'information et des transactions. La loi prévoit, entre autres, qu'une entité ne peut recueillir des renseignements personnels sans le consentement de l'intéressé. Elle ne peut de surcroît les utiliser ou les communiquer à d'autres fins que celle pour laquelle elles ont été recueillies.

*   *   *

Quelques réserves s'imposent quant à la portée de nos commentaires en complément de ceux que nous apportons en pages 116 à 123.

Comme le droit et ses règles évoluent au fil des ans, une règle concernant les courriers électroniques ne sera pas nécessairement la même demain. Par exemple, le droit civil québécois a subi de profondes transformations lorsque nous sommes passés, le 1er janvier 1994, au nouveau *Code civil du Québec*, qui constitue maintenant une grande partie du droit en vigueur au Québec. Cette réforme n'a pas été sans modifier quelque peu les règles applicables aux écrits. De plus, les lois concernant la protection de la confidentialité et les documents technologiques sont, pour la plupart, d'adoption récente. Ainsi, depuis le début des années 2000, ces lois ont donc apporté autant de nouvelles solutions que de nouvelles préoccupations.

PARTIE II

GRAMMAIRE ET PRÉSENTATION

Pour écrire une bonne lettre, vous devez non seulement transmettre le message approprié, bien agencer vos idées et respecter les usages épistolaires, mais aussi porter attention aux éléments suivants :

- la majuscule;
- les abréviations, les symboles, les sigles et les acronymes;
- la ponctuation;
- les mots ou expressions de liaison;
- l'accord du participe passé;
- les coupures de mots en fin de ligne;
- la mise en relief;
- l'énumération verticale.

LA MAJUSCULE

Les règles générales

La majuscule sert à signaler un nom propre, qu'il le soit *par essence* (Réal, Québec) ou *par occasion* (Société générale de financement, *Correspondance d'affaires*, Convention de travail).

Nom propre

Lorsque le nom propre par occasion est précédé d'un démonstratif ou d'un qualificatif qui lui ôte sa qualité de nom propre, le nom s'écrit avec une minuscule.

Démonstratif, qualificatif

> … la Société de transport Chabot inc. Cette société…
>
> … l'entrée en vigueur de la Loi sur l'assurance médicaments. Ladite loi…
>
> Il habite près de la 25ᵉ Rue. Cette rue est située…
>
> … le Service de la comptabilité. Ce service…

Comme la majuscule vise à individualiser, il faut en limiter l'usage au seul mot qui la requiert. Ainsi, il faut éviter :

> Bureau des Services Financiers
> Direction de l'Évaluation et de l'Actuariat

On écrit plutôt :

> Bureau des services financiers
> Direction de l'évaluation et de l'actuariat

Les règles particulières

On met la majuscule initiale :

Terme spécifique

1 Généralement à un terme spécifique, c'est-à-dire lorsqu'on se réfère à une personne ou à une chose en particulier.

> Le Pape prononcera une allocution. (spécificité)
> Je crois que vous devriez lire le Chapitre III. (spécificité)
> Ce livre contient dix chapitres. (généralité)

Titre de fonction

Néanmoins, si le titre de la personne est précédé ou suivi de son nom, on met la minuscule initiale.

> Gilles Côté, ministre de l'Éducation, sera présent à la réunion.
> Le président, Luc Tardif, recevra les membres du Comité.

Procès-verbal, compte rendu

Remarque : Dans les procès-verbaux et dans les comptes rendus, les termes *président*, *secrétaire*, *vérificateur*, etc., ne prennent pas la majuscule, car on insiste alors plus sur la fonction que sur la personne.

Titre de civilité ou de fonction

2 À un titre de civilité ou de fonction lorsqu'on s'adresse à la personne. Dans les dénominations composées, on met la majuscule à la première lettre des divers éléments du titre de fonction, sauf aux adjectifs.

> Nous vous prions d'accepter, Madame, …
> Je vous prie de recevoir, Monsieur le Secrétaire-Trésorier, …
> Veuillez agréer, Monsieur le Vice-Président, …
> Je vous saurais gré, Monsieur le Président-Directeur général, …

Premier ministre

Remarque : On écrit « le Premier Ministre ».

3 Aux noms de races, de peuples ou aux noms indiquant la nationalité.

Race, peuple, nationalité

> les Peaux-Rouges
> les Nord-Africains
> les Québécois
> un Blanc, un Noir
> les Canadiens français

Cependant, si ces noms désignent la langue ou sont utilisés adjectivement, ils prennent la minuscule.

Langue, adjectif

> On parle l'allemand.
> les Basques espagnols
> le parlement québécois
> la région montréalaise
> le peuple canadien-français

4 Aux noms de points cardinaux.

Point cardinal

> Charlesbourg-Est
> rue Bernard Ouest
> l'Afrique du Nord
> Elle vit dans le Sud.

5 Aux noms géographiques.

Nom géographique

> Les Éboulements
> la Belgique
> l'Angleterre
> l'Atlantique

Remarque : Lorsqu'un nom géographique est un nom composé, c'est-à-dire qu'il est formé de plusieurs termes, ceux-ci sont alors tous reliés par un trait d'union. Chacun des termes prend alors la majuscule, sauf les articles et les prépositions.

Nom géographique composé

Rivière-du-Loup
le Lac-Saint-Jean (pour désigner la région)
Grosse-Île
l'Anse-Saint-Jean
Baie-Saint-Paul

Toutefois, le nom commun qui accompagne un nom géographique (*lac, rivière, fleuve, océan, baie,* etc.) ne prend pas la majuscule et n'est pas relié à celui-ci par un trait d'union.

le lac Saint-Jean (le lac lui-même)
la vallée de la Jacques-Cartier
la baie des Chaleurs
le mont Saint-Bruno

Type de voie
de circulation

6 Aux indications qui suivent le type de voie de circulation.

rue Saint-Laurent
rue La Rochette

Se référer à la Partie I, aux pages 34 à 36, pour ce qui a trait aux règles sur l'usage de la majuscule dans les types de voie de circulation ainsi qu'aux noms spécifiques de ces voies.

Fête

7 Aux noms des fêtes religieuses, nationales ou civiles ainsi qu'à l'adjectif qui les précède. Les termes génériques (comme *jour* et *fête*) ne prennent généralement pas la majuscule.

le jour de l'An
le Premier de l'an
le Nouvel An
la Saint-Jean-Baptiste
la fête du Travail
la fête des Mères

le jour de Pâques
le Vendredi saint
le Mardi gras
l'Action de grâce (*ou* l'Action de grâces)
le jour du Souvenir

mais

la Journée nationale des patriotes
l'Année de la science

8 Au premier mot des titres de livres, d'articles, d'ouvrages, de rapports, de films, etc.

> *Correspondance d'affaires française*
> *Stupeurs et tremblements*
> *Le bon usage*
> *La bourse s'envole!*

Par ailleurs, dans les ouvrages anciens, on rencontre des titres où le nom ainsi que l'adjectif qui le précède prennent la majuscule.

> *Le Petit Prince*
> *La Divine Comédie*
> les *Quatre Saisons* de Vivaldi

9 Dans le cas des titres de journaux et de périodiques, à l'article (s'il fait partie du titre), à l'adjectif qui précède le premier nom, ainsi qu'au premier nom.

> *Le Devoir*
> *Le Journal de Québec*
> *Le Nouvel Observateur*

10 Aux mots *loi*, *règlement* et *charte* lorsqu'on cite le titre de la loi ou du règlement au complet ainsi qu'au premier nom des titres officiels désignant des ententes et des textes juridiques et politiques, tels que *accord*, *acte*, *arrangement*,

(marginalia)
Titre de livre, d'article, d'ouvrage, de rapport, de film

Titre de journal, de périodique

Loi, règlement, charte

Accord, convention, entente

code, *convention*, *entente*, *mémoire*, *pacte*, *traité*, si on cite exactement le titre du document et lorsque, par la suite, ils sont employés avec un article défini.

> la Loi sur la distribution des produits et services
>
> le Règlement relatif à l'inscription d'un cabinet, d'un représentant autonome ou d'une société autonome
>
> la Charte de la langue française
>
> Notre décision repose sur les dispositions de la Loi sur les produits dangereux. En effet, la Loi prévoit que…
>
> la Déclaration universelle des droits de l'homme
>
> le Code civil du Québec
>
> l'Acte unique européen

Par contre, si on ne cite pas le titre officiel du document, ces termes prennent la minuscule.

> le rapport Parent (titre exact : Rapport de la Commission parlementaire sur l'avenir politique et constitutionnel du Québec)
>
> l'accord du libre-échange (titre exact : Accord de libre-échange nord-américain)

Loi   À noter que le mot *loi* prend la minuscule initiale lorsqu'on se réfère à l'ensemble des textes législatifs.

> Nul n'est censé ignorer la loi.

Entreprise, société, établissement de santé   **11** Aux noms d'entreprises, de sociétés commerciales, agricoles, industrielles et financières ainsi qu'aux noms d'établissements de santé.

> les Établissements Fortier & Taschereau
> les Entreprises de placage de bois inc.
> la Société générale immobilière
> l'Union régionale des Caisses populaires Desjardins
> la Caisse populaire de Québec

le restaurant *La bonne bouffe*
l'*Auberge Au grand fanal*
le Centre de l'ouïe et de la parole

Toutefois, il faut respecter la graphie utilisée par l'entreprise, même si celle-ci ne suit pas les règles énoncées ci-dessus.

12 Au premier nom dans les noms d'associations ayant un but scientifique, littéraire, artistique, culturel, sportif, social ou politique.

Association

l'Association générale des étudiants
la Fédération québécoise des sports d'hiver
l'Académie de médecine
la Société canadienne du cancer
le Parti québécois

13 Au premier nom et à l'adjectif qualificatif qui le précède, pour les noms d'expositions, de festivals, de salons, de foires, de congrès, de championnats et de manifestations commerciales ou artistiques.

Exposition, salon, foire, congrès

le Festival d'été de Québec
le Salon de la femme
la Foire régionale gaspésienne
les Jeux scolaires du Québec
le Grand Prix de la critique
la Campagne du timbre de Noël

14 Au premier nom et à l'adjectif qui le précède dans les noms d'organismes ou d'unités administratives uniques dans un État.

Organisme, unité administrative

la Cour supérieure
la Régie de l'assurance maladie du Québec
les Publications du Québec
la Caisse de dépôt et placement du Québec

le Centre de traitement électronique des données
le Syndicat des fonctionnaires provinciaux du Québec
le Haut Commissariat aux loisirs et aux sports
le Conseil supérieur de l'éducation

mais

le conseil d'établissement

Dans le cas où la dénomination d'un organisme n'est pas unique, vous suivez le même usage que pour les dénominations uniques, c'est-à-dire que vous mettez la majuscule au premier nom.

le Service des finances

la Division de l'approvisionnement

La Section de la correspondance a enfin rédigé un protocole d'entente. Cette section le distribuera.

La proposition des Ressources matérielles a été approuvée.

Ministère

La seule exception est *ministère*. Ce terme prend la minuscule, et chaque entité qui le suit prend la majuscule.

le ministère du Développement économique, de l'Innovation et de l'Exportation

On peut mettre la majuscule au mot *ministère* lorsqu'il est employé seul et qu'on en a déjà cité le nom.

Le Conseil exécutif a demandé au ministère des Affaires intergouvernementales... Le Ministère (*ou* ministère) accepte de...

Gouvernement

Il ne faut pas de majuscule au mot *gouvernement* employé seul ou dans les expressions *gouvernement du Québec* et *gouvernement fédéral*.

15 Au mot *État* dans le sens de territoire, gouvernement d'un pays ou communauté nationale.

État

> l'État de la Californie
> un chef d'État
> Il vit aux dépens de l'État.

16 Généralement aux noms d'établissements scolaires.

Établissement scolaire

> l'Académie Émile-Nelligan
> le Collège Saint-Charles-Garnier
> l'École Saint-Mathieu
> l'Université Laval
> l'École de technologie supérieure
> le Collège Jean-de-Brébeuf

17 Aux noms de bâtiments et de lieux publics.

Bâtiment, lieu public

> le Centre des sciences de Montréal
> le Château Frontenac
> la Cité du multimédia

18 Aux termes *Internet* et *Web*, qu'ils soient noms ou adjectifs.

Internet, Web

> naviguer dans Internet (*et non* dans l'Internet)
> adresse Internet
> site Web

mais

Vous le trouverez dans l'intranet de l'entreprise.

La majuscule et les accents

Dans un texte en majuscules, on doit mettre les accents, le tréma et la cédille.

> LE NOMBRE D'ENTREPRISES N'A CESSÉ D'AUGMENTER
> ÊTES-VOUS EN DEÇÀ...
> LE CÉLÈBRE ENTARTEUR DU PREMIER MINISTRE ENTARTÉ

Exercice

Placez les majuscules, s'il y a lieu :

1. Le premier ministre a annoncé aux québécois qu'il étudierait la possibilité de réduire les impôts versés par les contribuables québécois.

2. Avez-vous lu *un jour à percé*?

3. La loi sur la protection de la jeunesse est entrée en vigueur le mois dernier. cette loi prévoit que...

4. Demain, le ministre o'neil participera à cette émission en même temps que le chef d'état john arbour.

5. Cet allemand parle le français, l'anglais et l'allemand.

6. Le président de l'entreprise est élu pour dix ans.

7. Je vous prie d'agréer, monsieur le président,...

8. Le directeur des communications a convoqué le chef des relations publiques.

9. Cette dernière est domiciliée à lac-beauport.

10. J'ai envoyé un don à la société canadienne du cancer.

11. Le chef de la division de la comptabilité a écrit au directeur du service des finances. Il propose que sa division revoie...

12. Nous vous invitons au salon du livre.

13. Le ministère de la main-d'œuvre, de la sécurité du revenu et de la formation professionnelle a emménagé dans ses nouveaux locaux. Le ministère recevra...

14. Nous irons tous à l'exposition provinciale de québec.

15. Ce dépliant a été déposé à la bibliothèque nationale.

16. Le 11 décembre, claire paquet, directrice des services linguistiques, annoncera...

17. Il a participé à la traversée du lac saint-jean.

(Pour le corrigé, voir p. 435 et 436.)

LES ABRÉVIATIONS, LES SYMBOLES, LES SIGLES ET LES ACRONYMES

Les abréviations

En général, il est préférable de limiter l'utilisation des abréviations. En effet, celles-ci sont plutôt réservées aux textes techniques, aux tableaux et aux notes explicatives. Si l'emploi d'abréviations s'avère nécessaire, respectez les règles qui suivent.

Les règles générales

1 On forme l'abréviation :

– en retranchant, après une consonne mais avant une voyelle, les lettres finales qui sont remplacées par un point.

chap. (chapitre)
vol. (volume)
art. (article)

– en retranchant certaines lettres à l'intérieur d'un mot. Puisque la dernière lettre du mot abrégé subsiste alors dans l'abréviation, on ne met pas de point abréviatif. Les dernières lettres maintenues sont souvent écrites au-dessus du niveau de la ligne.

D^r
Mme
N^o
ltée

— en ne conservant que quelques consonnes du mot.

qqn
qqch.

2 On conserve les accents dans le mot abrégé.   Accent

éd.
Î.-P.-É.

3 On ne met pas la marque du pluriel aux mots abrégés.   Pluriel

p. 25 et 26
art. 57 à 65

Toutefois, cette règle, comme beaucoup d'autres, souffre certaines exceptions, surtout dans les cas où la dernière lettre du mot abrégé subsiste.

Mmes
Mlles
MM.
N^{os}
S^{ts} (saints)

4 Lorsqu'un mot s'écrit avec un trait d'union, on le con-   Trait d'union
serve dans l'abréviation.

c.-à-d. (c'est-à-dire)
C.-B. (Colombie-Britannique)

Le point abréviatif se confond avec le point final et les   Ponctuation
points de suspension, mais n'exclut pas les autres signes de ponctuation.

Nous vendons des fruits, des légumes, de la viande, etc.
Que pensez-vous de ce C.V... et de cette entrevue?
La dénomination officielle de votre entreprise est-elle Miville et Carmichaël enr.?

Date   **5** On peut abréger une date dans une référence, mais jamais au début de la lettre.

> Québec, le 28 décembre 2006
> Bulletin du 2006-05-30 ou du 2006 05 30

Titre de civilité   **6** On abrège le titre de civilité lorsqu'il est placé devant le nom ou le titre de fonction de la personne dont on parle ou que l'on désigne. On ne l'abrège pas si on s'adresse à la personne ni dans les cartes d'invitation.

> Je vous présente M. Durand.
> M. le président Cliche vient d'arriver.
> Veuillez agréer, Madame la Présidente,... (lettre)
> Monsieur Charles Cannon a le plaisir de... (carte d'invitation)

Saint   **7** Il est préférable de ne pas abréger le mot *Saint*. Par ailleurs, si on fait référence au saint lui-même, on ne met ni majuscule ni trait d'union.

> M. Jean Saint-Pierre
> Il travaille à Saint-Jean.
> 285, rue Saint-Paul
> Édifice Sainte-Brigitte
> Le patron des écoliers est saint Nicolas.

Nombre   **8** Si un nombre est composé en chiffres, il ne s'abrège pas.

> de 5 000 à 6 000 personnes (*et non* de 5 à 6 000 personnes)
> *mais*
> de cinq à six millions de dollars

Les symboles et les unités de mesure

Les symboles sont des signes conventionnels constitués par une lettre ou un groupe de lettres. Ils ne sont jamais suivis du point abréviatif et ne prennent pas la marque du pluriel.

Point abréviatif, pluriel

> 30 km
> 20 g

Lorsque le symbole est une lettre, on laisse une espace (ou, mieux, une espace moyenne) entre le chiffre et le symbole. Cependant, lorsque le premier caractère du symbole n'est pas une lettre, on ne laisse pas d'espace, sauf pour ce qui est du signe de pourcentage (%) et de devise ($).

Espacement

> 10 h 40 min
> 40 g
> un angle de 35° 7'
> 8 %
> 125,38 €
> 99,09 $

Par ailleurs, si le symbole est suivi d'une échelle de mesure, le symbole est alors séparé du chiffre par une espace.

Échelle de mesure

> 35 °C

Les symboles sont écrits en minuscules, sauf s'ils tirent leur origine d'un nom propre.

Majuscule

> 10 m (mètres)
> 25 A (Ampère)
> 10 °C (Celsius)

Abréviation des indications de temps

année	a	minute	min
jour	J	seconde	s
heure	h		

Date, heure

Aux usages courants d'indication du temps comme :

le 23 avril 2006
8 h 5
de 9 h 30 à 15 h

s'ajoutent des usages répondant au besoin d'indiquer le temps de façon entièrement numérique (tableaux, horaires, etc.). Dans ces cas, le trait d'union ou l'espace sont utilisés comme séparateur entre les unités de temps. Le deux-points est réservé pour séparer les heures des minutes.

2006-04-23 (plus courant)
06-04-23
2006 04 23
06 04 23
9 h 45 le 23 avril 2006 ⟶ 2006-04-23-09:45
                                         2006 04 23 09:45

Nombre

Dans les nombres écrits en chiffres, on utilise une espace pour séparer les longues suites de chiffres en groupes de trois à gauche et à droite de la virgule décimale, sauf dans les adresses, puisqu'il s'agit d'un numéro, et non d'un nombre.

123 456,7
la valeur de pi est 3,141 592 653 5
12635, boul. Hochelaga

Un nombre inférieur à l'unité est toujours précédé d'un zéro suivi de la virgule décimale.

0,002 8
0,45

On représente généralement les sommes par des chiffres. Toutefois, lorsqu'il s'agit de montants importants, on peut se servir de *million, milliard,* etc., écrits en toutes lettres. Dans ce cas, l'indication de la monnaie de s'abrège pas.

2 300 000 $
2,3 M$
2,3 millions de dollars

et non

2,3 millions $

Les sigles et les acronymes

Un sigle est une désignation unique formée des lettres initiales d'un ensemble de mots. Chaque lettre s'écrit en majuscule. Auparavant, dans la plupart des sigles, chaque lettre était séparée de la suivante par un point. Cette façon de faire a pratiquement disparu.

FRSQ : Fonds de la recherche en santé du Québec
SFPQ : Syndicat de la fonction publique du Québec
PEPS : Pavillon de l'éducation physique et des sports
REER : régime enregistré d'épargne-retraite
CV : curriculum vitæ
SRC : Société Radio-Canada

On assiste à une prolifération de l'usage de sigles avec les avantages et… les inconvénients que cela occasionne. Donc, pour assurer la clarté et la précision, il est préférable de mettre entre parenthèses, au moins la première fois qu'il paraît dans une lettre, la signification du sigle si l'on doute qu'il soit connu de tous. De même, si l'on emploie, au cours d'un rapport, un certain nombre de sigles spécialisés, il vaut mieux en dresser la liste au début ou à la fin.

Genre, nombre   Un sigle a toujours le genre et le nombre du premier mot.

> le NAS
> la RAMQ
> les HLM
> l'ONF

Pluriel   Un sigle qui devient un mot de la langue commune mais qui continue à s'écrire en majuscules ne prend pas la marque du pluriel.

> des OGM

Acronyme   Si le sigle peut être prononcé comme un mot, il devient alors un acronyme. Dans un tel cas, seule la première des initiales doit être une majuscule. Les autres initiales <u>peuvent</u> s'écrire en minuscules.

> UNESCO *ou* Unesco

Accent   Certains acronymes d'usage très répandu sont traités comme des substantifs. Par conséquent, ils peuvent prendre la marque du pluriel (les radars). Dans certains cas, ils peuvent même prendre un accent pour en faciliter la prononciation (cégep) et avoir des dérivés (cégépien).

Les abréviations courantes et les symboles

appartement	app. (*et non* apt.)
article	art.
association	assoc.
aux soins de	a/s de
avenue	av. (*et non* ave.)

boulevard	boul., b^d (*et non* blvd.)
bureau	bur.

Case postale	C. P.
cent (monnaie)	¢
centimètre	cm
centimètre cube	cm^3
c'est-à-dire	c.-à-d. (*et non* i.e.)
chapitre	chap. (« c. » dans une référence bibliographique)
compagnie	Cie
comptable agréé	CA, c. a.
compte rendu	CR, c. r.
confer, voir	cf.
conseil d'administration	C. A.
contre	c.
copie conforme	c. c.
coût, assurance et fret	CAF
curriculum vitae	CV, C. V.

décembre	déc.
degré Celsius	°C
destinataire	dest.
deuxième, deuxièmes	2e (*et non* 2ième *ni* 2ème), 2^{es}
directeur, directrice, direction	dir.
Docteur, Docteure, Docteurs, Docteures	D^r, D^{re}, D^{rs}, D^{res}
dollar américain	$ US
dollar canadien	$ CA, $ CAN

éditeur, éditrice	édit.
édition	éd.

enregistrée (entreprise)	enr.
est	E.
États-Unis	É.-U., USA
et cetera *ou* et cætera	etc.
euro	€
exemple	ex.
expéditeur, expéditrice	exp.

fédéral	féd.
février	févr.
franco à bord	FAB *ou* FOB (abréviation anglaise de *free on board* couramment utilisée dans le commerce international)

gouvernement	gouv.
gramme	g

heure	h
hypothèque	hyp.

inclusivement	incl.
incorporée (entreprise)	inc.
intérêt	int.
italique	ital.

janvier	janv.

kilogramme	kg
kilomètre	km
kilomètre à l'heure	km/h

kilowatt	kW

limitée (compagnie)	ltée, l^tée
litre, litres	l (*ou* L *lorsqu'il y a confusion avec le chiffre* un)
livre, livres (poids)	lb

Madame, Mesdames	Mme, Mmes
Mademoiselle	Mlle
Maître, Maîtres (avocat, notaire)	M^e, M^es
Messieurs	MM.
mètre	m
mètre carré	m^2
mille (quantité)	k
milliard, giga	G
millilitre	ml
millimètre	mm
million, méga	M
minute	min
Monsieur	M.
municipalité régionale de comté	MRC

net 30 jours	n/30
nombre	n^bre
non disponible	nd, ND
nord	N.
nota bene	N. B.
notre référence	N/Réf.
novembre	nov.
numéro, numéros	n^o, n^os

octobre	oct.
once, onces	oz
ouest	O.

page, pages	p.
par exemple	p. ex.
par intérim	p. i.
par procuration	p. p.
petite et moyenne entreprise, petites et moyennes entreprises	PME
pièce jointe, pièces jointes	p. j.
port payé	P. P.
post-scriptum	P.-S.
pour cent	%, p. cent, p. 100
premier, premiers	1er (*et non* 1^{ier}), 1ers
première, premières	1re (*et non* 1^{ière}), 1res
président-directeur général, présidente-directrice générale	PDG, pdg, P.-D. G., p.-d. g.
primo, premièrement	1°
procès-verbal	P.-V., p.-v.

quelque, quelques	qq.
quelque chose	qqch.
quelqu'un	qqn
question	Q., quest.

recherche-développement	R-D, RD
recto	r°
référence	réf.
répondez, s'il vous plaît	RSVP
réponse	R., rép.
route rurale	RR

Saint, Sainte, Saints, Saintes	S^t, S^{te}, S^{ts}, S^{tes}
sans objet	S. O., s. o.
seconde	s
septembre	sept.
s'il vous plaît	SVP, svp
société en commandite	SEC, S.E.C.
société en nom collectif	SENC, S.E.N.C.
succursale	succ.
sud	S.
supplément	suppl.

taxe de vente du Québec	TVQ
taxe sur la valeur ajoutée	TVA
taxe sur les produits et services	TPS
télécopie, télécopieur	téléc.
téléphone	tél.
téléphone cellulaire	tél. cell.
tome, tomes	t.
tonne, tonnes	t
toutes taxes comprises	TTC, t. t. c.

verso	v^o
vice-président, vice-présidente	v.-p.
voir	V., v.
volume	vol.
votre référence	V/Réf.

Les noms des provinces et des territoires canadiens

	Abréviation	Symbole*
Alberta (fém.)	Alb.	AB
Colombie-Britannique (fém.)	C.-B.	BC
Île-du-Prince-Édouard (fém.)	Î.-P.-É	PE
Manitoba (masc.)	Man.	MB
Nouveau-Brunswick (masc.)	N.-B.	NB
Nouvelle-Écosse (fém.)	N.-É.	NS
Nunavut (masc.)	–	NU
Ontario (masc.)	Ont.	ON
Québec (masc.)	Qc	QC
Saskatchewan (fém.)	Sask.	SK
Terre-Neuve-et-Labrador (fém.)	T.-N.-L.	NL
Territoire du Yukon (masc.)	Yn	YT
Territoires du Nord-Ouest (masc. plur.)	T.N.-O.	NT

*   Les symboles sont réservés aux envois massifs ou lorsque le manque d'espace le justifie (étiquettes, formulaires informatiques, tableaux statistiques).

Exercices

Exercice A – Abrégez les mots en italique :

1. *Référence* : Cours de grammaire

2. *Mesdames* Brochu et Fortier

3. Faites une distinction entre le *nota bene* et le *post-scriptum*.

4. Jean-Paul pesait 11 *livres* et 14 *onces* (5,4 *kilogrammes*) à la naissance.

5. Mardi : Montréal *contre* Toronto

6. 73, *vingt-cinquième* Rue

7. Les Paré, les Tanguay, les Tremblay, *et cætera*, sont invités à ce congrès.

8. 90 *pour cent* des étudiants ont réussi cet examen.

9. La Compagnie de démolition *limitée*

10. ..., *c'est-à-dire* la date et l'heure

11. 503, *première* Avenue

12. ... *quelqu'un* a placé *quelque chose* dans le bureau de *quelque* secrétaire.

13. Il a parcouru 700 *kilomètres* en 2 *heures* 9 *minutes* 53 *secondes*; c'est son record.

14. Les *numéros* 5 et 6 du Bulletin

15. J'ai acheté 2 *kilogrammes* d'oignons.

16. Notre organisme a reçu 2,4 *millions de dollars* en subventions.

(Pour le corrigé, voir p. 436 et 437.)

Exercice B – Abrégez tous les mots qu'il est possible d'abréger dans les adresses suivantes :

1) Monsieur Jean-Louis Parent
    Aux soins de Monsieur Fernand Turpin
    4321, avenue Saint-Jean-Baptiste
    Québec (Québec) G2E 2K3

2) Madame Luce Jobin-Breton, ingénieure
    Les Chantiers incorporés
    Case postale 8000, succursale K
    Montréal (Québec) H1N 3L5

3) Maître Charles Doyon
138, boulevard Perron Ouest, appartement 3
Sainte-Anne-des-Monts (Québec) G4V 3C3

(Pour le corrigé, voir p. 437 et 438.)

Exercice C – Placez les majuscules et abrégez les titres de civilité, s'il le faut :

1. Monsieur lemieux a rencontré le directeur du service médical.

2. Le procès-verbal est signé par madame la secrétaire desbiens.

3. Nous vous prions d'agréer, monsieur le secrétaire-trésorier, ...

4. Vous rencontrerez monsieur labbé au sujet de la mutation de madame saint-onge.

(Pour le corrigé, voir p. 438.)

Exercice D – Abrégez, s'il y a lieu :

1. Québec, le 29 septembre 2006 (en tête d'une lettre)

2. Monsieur le président Aubin vous rencontrera demain.

3. L'exercice financier 2006-2007

4. Pourriez-vous remettre cette invitation à Monsieur Urbain Saint-Laurent.

5. Référence : Bulletin du 30 octobre 2006

6. Je vous prie d'accepter, Monsieur le Président-Directeur général, l'assurance de ma haute considération.

(Pour le corrigé, voir p. 438 et 439.)

Exercice E – Trouvez la (les) bonne(s) graphie(s) des sigles suivants :

1. J'écoute _____.
   a) C.H.R.C.
   b) CHRC
   c) Chrc

2. Le siège de l'_____ est à Paris.
   a) U.N.E.S.C.O.
   b) UNESCO
   c) Unesco

3. Personne n'a le droit d'avoir plusieurs _____.
   a) N.A.M.'s (numéros d'assurance maladie)
   b) N.A.M.
   c) NAM's
   d) NAMS
   e) NAM
   f) nams
   g) nam

(Pour le corrigé, voir p. 439.)

LA PONCTUATION

La ponctuation est essentielle pour exprimer les nuances de la pensée et pour marquer le rythme de la langue parlée (pauses, intonations). Ce n'est donc pas un ensemble de signes que l'on place au hasard.

Pour illustrer l'importance de la ponctuation, voici une phrase dont le sens change selon la ponctuation utilisée :

> Les gens d'affaires, qui sont toujours pressés, doivent prendre le temps de se détendre.

> Les gens d'affaires qui sont toujours pressés doivent prendre le temps de se détendre.

Dans le premier cas, tous les gens d'affaires doivent prendre le temps de se détendre. Dans le deuxième cas, seuls les gens d'affaires qui sont toujours pressés doivent prendre le temps de le faire.

Le point

On met un point :

Question indirecte

1 À la fin d'une phrase déclarative ou impérative, d'une question indirecte ou d'une demande formulée sous forme de question.

> Le Président parlera à tous les employés. (phrase déclarative)

> Remercie Diane pour le beau geste qu'elle a eu à mon endroit. (phrase impérative)

Elle voudrait savoir quand les invités arriveront. (question indirecte)

Pourriez-vous répondre immédiatement à notre lettre. (demande sous forme de question)

2 À la fin d'une note de bas de page ou de tableau, même si la note ne constitue pas une phrase.

Note de bas de page

1. Nombre de personnes au Québec en août 2005.

3 Pour remplacer la parenthèse après un chiffre dans une énumération verticale.

Énumération verticale

Deux problèmes se posent dans ce cas :
1. La multitude d'exceptions;
2. La difficulté de limiter les abus.

4 Dans une énumération verticale, après chaque élément constituant une phrase ou un segment important de phrase.

Énumération verticale

Nous discuterons des points suivants :
– Le nombre de jours de vacances accordés pour l'année.
– L'ordre d'ancienneté comme critère pour l'approbation des vacances.
– Le nombre d'employés autorisés à avoir des congés durant la période des Fêtes.

5 Après un mot abrégé, sauf si la dernière lettre de l'abréviation est la dernière lettre du mot abrégé.

Abréviation

boul. (boulevard)
M. (Monsieur)
N. (Nord)
Mme (Madame)
n^o (numéro)

On ne met pas de point :

Titre, consigne

1 Après un titre, ni à la fin d'une consigne.

Rapport annuel
Le livre *Le vingt et unième siècle sonne à votre porte* se vend bien.
Défense de fumer

Date, adresse, signature

2 Dans une lettre, après la date, après chaque ligne de l'adresse ni après la signature.

Énumération verticale

3 Dans une énumération verticale, après les éléments énumérés s'ils ne constituent pas des phrases ou des segments importants de phrase.

Le babillard peut être utilisé pour :
– les convocations de réunion
– les avis d'élection
– les résultats d'élection
– l'information aux membres

Points de suspension, d'interrogation, d'exclamation, point abréviatif

4 Après les points de suspension, ni après le point abréviatif, pas plus qu'après le point d'interrogation ou d'exclamation.

Il faut apporter carnets, crayons, plumes…

Il est représentant chez Blouin et Blouin inc.

Somme d'argent

5 Après un nombre entier indiquant une somme d'argent.

25 $

Nombre

6 À l'intérieur d'un nombre. En effet, en français, le point a disparu de la graphie des nombres.

Les points de suspension

Les points de suspension indiquent qu'un passage est supprimé dans une phrase, qu'une énumération n'est pas complète ou que l'idée est inachevée.

> « L'entreprise est fière de présenter cette nouveauté [...] et est convaincue que les consommateurs seront satisfaits du produit. »

> Il voulait en discuter davantage, mais…

Remarques :
- On ne met pas de points de suspension après *etc.*,   Etc. puisque cette abréviation fait déjà ressortir que l'énumération n'est pas complète.
- Les points de suspension peuvent se placer à la suite d'autres signes de ponctuation. Seuls le point final et le point abréviatif se confondent avec les points de suspension.

> Quel plan choisissez-vous?...

> Faites disparaître les abréviations p.-v., c. r...

Le point d'interrogation

On met un point d'interrogation :

1 À la fin d'une interrogation directe.

> Devrons-nous attendre encore bien longtemps?

> Paierez-vous par chèque ou par carte de crédit?

2 À la fin de phrases affirmatives ou négatives qui marquent une interrogation.

> Vous comptez assister à un congrès? Voici quelques conseils.
>
> Vous ne fumez plus depuis quelques mois? Nous vous offrons une réduction de primes.

Parenthèses **3** Pour indiquer que l'on doute de l'exactitude d'un renseignement, d'une date, d'un nom. Dans ce cas, il se met entre parenthèses.

> La ville de Québec compte actuellement 500 000 (?) habitants.
>
> M. Graytick (?) vous a téléphoné.

On ne met pas de point d'interrogation :

À la fin de phrases construites comme une interrogation mais qui, dans les faits, constituent un ordre poli.

> Auriez-vous l'obligeance de nous faire parvenir les documents demandés.

Le point d'exclamation

Interjection, ordre

Le point d'exclamation est utilisé après une interjection ou un ordre.

> Finis les problèmes! (interjection)
>
> Cessez d'investir dans des projets sans avenir! (ordre)
>
> Bravo, vous avez gagné! (interjection)

La virgule

La virgule, signe de ponctuation le plus courant, s'emploie pour clarifier la phrase ou pour mettre des segments de phrase en évidence. Cependant, la virgule est souvent utilisée à tort, et l'erreur la plus courante consiste à *séparer par une virgule le verbe de son sujet ou de son complément.*

À l'intérieur d'une proposition, on met une virgule :

1 Pour séparer les mots en apostrophe ou en apposition, ainsi que les parties explicatives qui pourraient être retranchées sans nuire au sens de la phrase.

Mot en apostrophe, en apposition

> J'ai apprécié, Monsieur le Président, l'excellence de votre présentation. (apostrophe)
>
> Neuville, ville de banlieue, a une population de... (apposition)
>
> Il faut dire que, forte de son expérience, elle a mis toutes les chances de son côté. (partie explicative)
>
> M. Bertrand, nouvellement retraité, est très actif dans le milieu. (partie explicative)

2 Entre deux éléments ou plus de nature semblable (sujets, verbes, compléments, épithètes ou attributs), sauf si les termes sont reliés par *et, ou, ni.*

Et, ou, ni

> La maison, le garage, la voiture, tout a brûlé.
>
> C'est un employé responsable, fidèle et ponctuel.

3 Pour remplacer un verbe sous-entendu.

Verbe sous-entendu

> En 2003, la compagnie a embauché 200 personnes; en 2004, 100 et en 2005, jusqu'à présent, 50.

Complément circonstanciel

4 Pour séparer un complément circonstanciel placé en tête de phrase. Cependant, s'il est court, il est courant d'omettre la virgule.

> Après analyse de vos commentaires, nous sommes prêts à faire une contre-proposition.

> *mais*

> Bientôt il devra partir.

Cependant, toutefois, donc

5 Après les locutions adverbiales suivantes, lorsqu'elles sont en début de phrase : *cependant, d'une part, d'autre part, par ailleurs, toutefois, donc, en conséquence,* etc.

> Donc, vous n'avez pas reçu notre message.

> *mais*

> Vous n'avez donc pas reçu notre message.

Et ce, etc.

6 Avant et après *et ce* ou *etc.* à l'intérieur d'une phrase.

> Nous avons réussi à vous faire parvenir le matériel à temps, et ce, malgré la grève.

> Les lettres, les comptes rendus, les rapports, etc., doivent être soumis à l'approbation du supérieur immédiat.

Date

7 Après le nom de lieu accolé à l'énoncé de la date, dans une lettre.

> Trois-Rivières, le 9 juin 2006

Nombre

8 Comme marque décimale dans un nombre. Le point a donc disparu de la graphie des nombres.

> 25,8 %
> 128,29 $

9 À la fin de chacun des éléments d'une énumération verticale s'ils sont courts, s'ils assurent une continuité (par exemple avec une conjonction comme *et, ou, ni*) et qu'ils ne constituent pas une phrase.

Énumération verticale

> Voici les documents que vous devez apporter :
> – le relevé des transactions,
> – le bilan final, et
> – l'état de compte.

10 Pour faire ressortir une partie de la phrase.

> Vous deviez nous faire parvenir un versement de 1000 $, et non de 500 $.

Et non

11 Après l'appel dans une lettre.

Appel

> Monsieur,
> Cher confrère,

Dans un groupe de propositions, on met une virgule :

1 Entre deux propositions de même nature, sauf si elles sont reliées par *et, ou, ni.*

Et, ou, ni

> Nous planifions, coordonnons, vérifions et contrôlons.

2 Pour séparer deux propositions qui s'opposent l'une à l'autre, même si elles sont reliées par *et, ou, ni.*

Propositions qui s'opposent

> Il arrive tard au travail, n'exécute pas les tâches demandées, et il prétend être au-dessus de tout reproche!

3 Pour séparer deux propositions très longues, même si elles sont reliées par *et, ou, ni.*

Longues propositions

Lorsqu'on se rend compte que le temps file avec une rapidité étonnante alors qu'on manque de temps, et qu'on n'a pas fini...

Car, puisque, mais

4 Pour séparer une proposition principale et une subordonnée qui commence par *car, puisque, mais,* etc.

Vous devrez y aller, puisqu'on vous l'a demandé.

La commande est arrivée, mais nous n'avons pas les articles en stock.

Proposition subordonnée, participiale

5 Pour séparer une proposition subordonnée ou participiale placée avant la principale.

Si vous ne vous conformez pas à nos demandes, nous nous verrons dans l'obligation d'intenter une poursuite.

En fumant, vous augmentez vos risques de cancer.

Proposition relative explicative

6 Pour séparer une proposition relative explicative, c'est-à-dire qui peut être retranchée sans nuire au sens de la phrase.

M. Smith, qui est de retour de la conférence à Winnipeg, est la personne qui peut le mieux vous informer.

Sujets différents

7 Pour séparer deux propositions coordonnées qui ont des sujets différents.

Cette procédure a été approuvée par le Président, et toutes les filiales doivent s'y conformer.

Proposition relative

8 Devant une proposition relative lorsque le pronom relatif ne se rapporte pas au mot qui le précède immédiatement.

Le Directeur général a étudié le rapport du vérificateur, qui lui a été remis vendredi dernier.

9 Pour encadrer un complément circonstanciel ou un groupe adverbial placés au début d'une proposition subordonnée.

Nous sommes conscients que, sans votre participation, nous ne pourrons développer ces nouveaux produits.

Le règlement stipule que, conformément à la *Loi sur les faillites*, toute personne doit…

Cependant, si le complément circonstanciel ou le groupe adverbial commencent par une voyelle ou un h muet et qu'ils sont précédés d'un mot élidé, les deux virgules peuvent être omises.

Nous sommes conscients qu'avec votre participation nous pourrions développer de nouveaux produits.

au lieu de

Nous sommes conscients que, avec votre participation, nous pourrions développer de nouveaux produits.

On ne met pas de virgule :

1 Devant une proposition relative déterminative, c'est-à-dire qui est essentielle au sens de la phrase.

Les représentants qui travaillent fort réussissent bien.

2 Après un complément indirect placé en tête de phrase.

À une telle personne que répondre?

3 Entre deux éléments reliés par *ni*.

Il n'est ni Anglais ni Français.

Ce n'est ni juste ni équitable.

Ni François ni Annie n'étaient à la réunion.

Toutefois, si la longueur des éléments le justifie ou si le *ni* se répète plus de deux fois, on ajoute une virgule entre tous les éléments.

> Le président ne veut participer ni aux colloques de l'Association de la lutte au sexisme et au racisme, ni aux délibérations qui se tiennent à Chicago.
>
> Ni l'or, ni la puissance, ni la gloire ne suffiront à le convaincre.
>
> Cette personne n'a ni la vision, ni la détermination, ni le courage moral nécessaires pour se pencher sur cette question.

Date **4** Dans une indication de date précédée de la mention du jour.

> Nous vous rencontrerons le mardi 24 octobre.

Nombre **5** Entre les tranches de trois chiffres.

> 245 339

Nombre **6** Entre les différentes parties d'un nombre écrit en lettres.

> Vingt-deux heures quinze minutes quarante secondes
>
> Quarante dollars vingt-huit cents

Soussigné **7** Avec l'adjectif *soussigné.*

> Je soussigné déclare que...

On met la virgule uniquement si l'on cite le nom, ou le nom et la qualité, qui sont alors en apposition.

> Je soussignée, Louise Petitgrew, déclare que...
>
> Je soussigné, Mario Paré, technicien, déclare que...

8 À l'intérieur d'un texte, pour séparer une ville de la province ou de l'État. On met plutôt des parenthèses ou on ajoute les prépositions *au* ou *en*.

Ville, province, État

> Notre représentant tiendra des séances d'information à Winnipeg (Manitoba), à Jasper (Alberta), puis à Caraquet (Nouveau-Brunswick).

> La ville de Rimouski au Québec...

> L'exposition se tiendra à Rouen en France.

Le point-virgule

On met un point-virgule (qui indique une pause plus prononcée que la virgule) **:**

1 Pour rendre plus compréhensible une phrase qui contient une énumération.

Énumération

> Chaque étudiant doit réaliser deux présentations, une sur la ponctuation et l'autre sur l'utilisation des majuscules; deux thèses d'au moins 300 mots chacune; et trois examens sur les sujets traités pendant le cours.

> On peut écrire des lettres pour diverses raisons : pour commander de nouveaux articles, de l'équipement ou du matériel; pour demander de l'information sur des nouveaux produits; pour remercier une personne pour ses bons services; ou simplement pour accuser réception d'un document.

2 Pour séparer des phrases en opposition ou des phrases introduites par des mots de liaison tels que *cependant*, *toutefois*, *par conséquent*, *en fait*, *en effet*, *en d'autres termes*, etc.

Mot de liaison

> L'euro a pris de la valeur; le yen, hélas, a baissé.

> Les salaires ont outrageusement augmenté; en fait, ils n'auraient pas dû être indexés.

3 À la fin de chacun des éléments d'une énumération verticale, s'ils ne constituent pas une phrase.

Énumération verticale

> Chaque personne doit pouvoir fournir :
> - son acte de naissance;
> - un rapport signé par son médecin traitant;
> - une demande dûment remplie.

Le deux-points

On met un deux-points :

1 Pour introduire une explication, une définition ou une énumération.

Explication, définition, énumération

> Il n'avait qu'un objectif : une formation universitaire.
>
> Ponctuer : diviser au moyen de la ponctuation.
>
> Nous avons retenu votre proposition : la composition de l'équipe, les conditions de réalisation et l'échéancier correspondent à nos attentes.

2 Pour introduire une citation.

Citation

> Georg Christoph Lichtenberg a dit : « Le génie est une des formes les plus méprisables de la sottise. »

3 Pour introduire une énumération verticale.

Énumération verticale

> Chaque personne doit apporter :
> - une lettre de son employeur,
> - la documentation complète,
> - un bloc de papier et un stylo.

4 Pour indiquer un espace à remplir dans certains textes de nature juridique, dans les formulaires, dans une note ou dans une note de service.

Espace à remplir

Nom : _____ Adresse : _____

Signé à : _____

5 Dans les indications d'heure, pour séparer l'heure   Heure
des minutes dans les tableaux et dans les horaires de
compagnies de transport.

08:07
20:00

Les parenthèses

On met des parenthèses :

1 Pour ajouter une explication ou un commentaire à   Explication,
l'intérieur d'un texte.   commentaire

Tous les documents nécessaires (dictionnaires, lexiques, brochures,
etc.) vous seront fournis.

La ponctuation (essentielle en écriture) s'utilise avec bon sens.

Le signe de ponctuation qui suivrait normalement le membre
de phrase interrompu par les parenthèses doit être reporté
après la parenthèse fermante.

Il serait préférable que vous utilisiez le formulaire prescrit (B-231),
car il contient toutes les questions essentielles.

Si les éléments à l'intérieur des parenthèses forment une
phrase indépendante, on suit les règles de la ponctuation.

Je n'ai pas donné mon avis (pourquoi l'aurais-je fait?), mais je n'ai
pas manqué d'exprimer mon mécontentement.

Note : Dans l'exemple précédent, les parenthèses peuvent   Tiret
être remplacées par des tirets.

Suite, sic   **2** Pour insérer les termes *suite*, *sic*, etc.

Énumération
verticale   **3** Après une lettre ou un chiffre au début d'une énumération verticale (la parenthèse fermante uniquement).

> Nos quatre champs d'expertise sont les suivants :
> *a*) énergie à base de résidus de bois;
> *b*) énergie alimentée au gaz naturel;
> *c*) énergie hydroélectrique;
> *d*) énergie éolienne.

Le trait d'union

On met un trait d'union :

Nombre   **1** Dans les nombres, entre les éléments inférieurs à cent, sauf s'ils sont joints par la conjonction *et*.

> Elle a déjà dix-huit ans!
>
> À quatre-vingt-douze ans, elle jouait encore aux quilles.
>
> Il a obtenu quatre-vingts dollars pour son œuvre.
>
> Trente-deux mille quatre cent cinquante-huit
>
> *mais*
>
> Cette voiture se vend trente mille deux cent cinquante dollars.
>
> Il a dû prendre sa retraite à soixante et un ans.

Adjectif
numéral ordinal   Un adjectif numéral ordinal s'écrit avec ou sans trait d'union selon que le nombre cardinal dont il est dérivé s'écrit avec ou sans trait d'union.

> Elle est dans sa soixante-treizième année.
>
> Il s'est classé vingt et unième.

2 Dans les mots composés avec les préfixes suivants : *après-, arrière-, au-, avant-, ci-, demi-, ex-, grand-, là-, mi-, par-, sans-, semi-, sous-, vice-*.

> le document ci-joint
>
> Nous avons eu un avant-goût du printemps.
>
> Le nombre de sans-emploi a considérablement augmenté.

Toutefois, on n'emploie **généralement** pas de trait d'union dans les mots composés avec les préfixes suivants : *archi, audio, bi, co, hydro, hyper, hypo, inter, juxta, méga, mono, multi, para, photo, pluri, post, pré, pro, ré, super, télé*.

> Cet avion est un bimoteur.
>
> Tous les gens du multimédia étaient présents.

Si le mot qui suit les préfixes *anti-, auto-, bio-, macro-, mini-* commence avec un *i*, le trait d'union est utilisé.

> les mesures anti-inflation
> la bio-industrie
>
> *mais*
>
> une macromolécule

Dans les termes qui incluent les préfixes *non* ou *quasi*, le trait d'union est utilisé si le préfixe est suivi d'un nom ou d'un infinitif. Une erreur courante est d'appliquer cette règle lorsque *non* ou *quasi* sont suivis d'un adjectif.

> Le non-paiement de la facture entraîne des conséquences graves.
>
> La quasi-totalité des personnes étaient présentes.
>
> C'est une fin de non-recevoir.

mais

Il est non admissible.

Les employés non inscrits au Régime ne recevront pas cette prime.

C'est quasi terminé.

Nom de lieu   **3** Dans les noms de lieux comprenant plusieurs mots.

le Royaume-Uni
la Basse-Côte-Nord
Trois-Rivières-Ouest
le Nouveau-Brunswick
le fleuve Saint-Laurent
le boulevard Sir-Wilfrid-Laurier
la Maison-Blanche

Verbe   **4** Entre le verbe et le pronom qui le suit pour lier des formes verbales inversées.

Je m'en occuperai, dit-il.
Pourrais-je vous aider?
Crois-tu que je serai en mesure de terminer ce travail?

***T* euphonique**   Le *t* euphonique se place entre les traits d'union.

Va-t-on le laisser tomber comme ça?
Devra-t-il se porter volontaire?

Impératif   **5** Entre le pronom personnel et l'impératif qui s'y rattache, si ce dernier n'est pas à la forme négative.

Dites-moi si j'ai erré en pensant que…
Prends-le, je te l'offre.
Allez-vous-en, je suis à bout.

mais

Ne l'oubliez pas.

Si le verbe à l'impératif est suivi de deux pronoms, le complément direct se place avant le complément indirect, et deux traits d'union doivent alors être insérés.

> Dis-le-moi.

6 Entre le pronom personnel et l'adjectif *même*.

Même

> Elle devra faire le travail elle-même.
> Nous serons en mesure de tout régler nous-mêmes.

7 Entre le pronom démonstratif ou un nom précédé d'un démonstratif et les adverbes *ci* et *là*.

Ci, là

> Ceux-ci sont les mêmes ouvriers que nous avions embauchés l'an dernier.
>
> Ces femmes-là ont eu le courage de s'opposer aux mesures.

8 Pour remplacer *à* dans des dates, des chiffres ou des lieux.

À

> ouverture: lundi-vendredi
> articles 37-55
> les échanges commerciaux Canada-Chine

Le tiret

On met un tiret (plus long qu'un trait d'union) :

1 À la place du trait d'union pour séparer des noms de lieu comportant déjà un trait d'union et composés d'entités géographiques différentes.

Toponyme surcomposé

> Saguenay–Lac-St-Jean
> Bas-Saint-Laurent–Gaspésie

Parenthèses
2 Pour remplacer des parenthèses lorsqu'on veut ajouter une explication ou une nuance, ou indiquer un changement inattendu d'idée qui se traduit par une coupure dans la phrase.

> Mon premier voyage à l'étranger – en France en 1982 – m'a beaucoup marqué.
> Il est venu – je ne sais pourquoi –, mais il est reparti aussitôt.

Énumération verticale
3 Au début des éléments d'une énumération verticale.

> Il faut que le candidat ait les qualités suivantes :
> – jugement
> – intelligence
> – aptitude à la gestion

Nil
4 Pour marquer l'absence de données dans les tableaux, les factures, les catalogues, en remplacement du terme *nil* qui est un anglicisme.

Post-scriptum
5 Après l'abréviation *P.-S.*

> P.-S. – N'oubliez pas d'apporter votre carnet.

À
6 Pour remplacer *à* dans des dates, des chiffres ou des lieux, bien que le trait d'union soit plus courant.

> pages 58–70
> 1966–1974
> le train Montréal–Boston

Les crochets

On met des crochets :

Citation
1 Pour indiquer une suppression à l'intérieur d'une citation.

« […] les rapports […] doivent être préparés par un comptable. »

2 Pour marquer une insertion à l'intérieur d'une paren-   *Parenthèse*
thèse.

> L'explication est fournie dans le document ci-joint (voir particulière-
> ment la section 3 [pièges de la ponctuation]).

3 Pour préciser un terme dans une citation.   *Citation*

> « Il [le président] a accepté… »

4 Pour insérer le terme *sic*. Ce terme, écrit en italique, peut   *Sic*
aussi être placé entre parenthèses.

> Il a répond [*sic*] qu'il n'y pouvait rien.

Les guillemets

On met des guillemets :

1 Pour isoler un mot nouveau, telle une expression tech-   *Mot nouveau*
nique, argotique, vulgaire, étrangère, ou pour tout mot qu'on
veut mettre en évidence.

> Il devrait utiliser le mot « cotisation » au lieu de « contribution ».
>
> Au début des années 80, les « uniformes » portés par la plupart
> des avocats étaient des complets bleu marine ou rayés.

Toutefois, on utilise plus souvent les caractères italiques au   *Italique*
lieu des guillemets pour attirer l'attention sur un mot ou une
expression, ou pour citer un passage.

2 Au début et à la fin de toute citation dont les termes   *Citation*
sont rapportés tels quels. Si la citation comporte plusieurs

paragraphes, on ouvre des guillemets au début de chaque paragraphe et on les ferme uniquement à la fin de la citation, et non pas après chacun des paragraphes.

> « Les 70 employés de la Division assurent l'exploitation maximale de l'équipement en faisant l'entretien et la réparation de toutes les pièces, des plus petites aux plus grosses. Les pièces d'une valeur de plus de trois millions de dollars requises pour assurer le fonctionnement de l'équipement sont conservées dans l'entrepôt.
>
> « D'autres équipes ont la responsabilité de concevoir, de fabriquer et d'assurer l'utilisation des nouvelles pièces. »

Guillemets anglais, petits guillemets

Dans un texte en français, les guillemets français ou chevrons (« ») s'imposent. Par contre, les guillemets anglais (" ") ou les petits guillemets (" ") sont utilisés pour encadrer une citation à l'intérieur d'une autre citation.

> Il est mentionné dans la brochure que « toute personne doit se conformer à l'article 20 de la Loi qui prescrit que : "Les déclarations doivent êtres remplies et retournées avant le 20 janvier de chaque année" et qu'aucun report n'est autorisé ».

Ponctuation

Si la citation comporte déjà un signe de ponctuation, on place le signe avant le guillemet fermant.

> Et pourtant, vous mentionniez dans votre lettre : « Rien ne m'empêchera de remplir mes engagements. »

Si, par ailleurs, la ponctuation appartient au texte principal, on place le signe après le guillemet fermant.

> Il serait bon de bannir l'utilisation d'expressions telles que « Je suis sous l'impression que ».

La barre oblique

On met une barre oblique :

1 Dans certaines abréviations ou certaines mentions.

Abréviation

a/s de	*pour*	aux soins de
N/Réf. :	*pour*	Notre référence
BVCT/dfb	*pour*	les initiales d'identification dans une lettre

2 Pour indiquer un rapport entre des unités de mesure exprimées en symbole.

Unité de mesure

km/h
m/s

Par ailleurs, si l'unité de mesure est écrite au long, la barre oblique est remplacée par une préposition.

Préposition

90 kilomètres à l'heure
50 $ par personne ou 85 $ par couple

3 Dans les fractions.

Fraction

2/3
7/8

4 Pour mettre deux termes en relation ou en opposition.

Les relations employeur/employés doivent être basées sur un respect mutuel.

Exercice

Placez la ponctuation :

1. La revue La retraite se prépare est lue par beaucoup de gens

2. As-tu l'impression qu'il ment

3. Nous désirons souligner que
   Les personnes doivent se présenter à 8 h
   La réunion durera 2 h 30 min

4. Quel spectacle

5. Les secrétaires les agents les commis tous sont convoqués à la réunion

6. Dis moi ce que tu penses de ce rapport

7. Les tentes les roulottes etc offrent beaucoup d'avantages

8. Diane apporte moi ce rapport

9. Il s'est rendu compte que je n'étais pas contente

10. Les gens du service doivent soumettre
    1 une lettre bien rédigée
    2 un rapport complet et
    3 un échéancier

11. Je suis membre de l'AID Association internationale des débardeurs

12. Ainsi les gens pourront profiter d'un congé

13. Hélas je ne pourrai y aller

14. Là on voit tout

15. Paul pourrait s'occuper de la rédaction Hélène de la révision

16. Hier soir nous avons soupé chez Rémi

17. Anne a parlé chanté ri et dansé toute la nuit

18. Je soussignée Louise Nadeau reconnais avoir perdu

19. Cependant il faudrait avoir une idée générale du projet dont il est question

20. Il y a 72 068 personnes de plus de 40 ans soit 7,2 % de la population totale

21. La réunion aura lieu le mardi 30 mai 2006

22. Les habitants de cette ville qui appartiennent surtout à la classe ouvrière ont vu leurs taxes augmenter

23. Michèle l'aînée de la famille est très intelligente

24. Pendant que je travaillais à la préparation du cours et que je me posais sans cesse des questions elle ne cessait de me déranger

25. À des gens sans principes quels conseils donnes-tu

26. Puisque tu ne veux pas aller dans la région du Saguenay Lac Saint Jean nous nous y rendrons seuls

27. Enfin nous avons atteint nos objectifs

28. Louise se rendra chez nous et tu viendras la chercher

29. Nous aurions besoin de trois ouvrages une grammaire un lexique et un dictionnaire

30. J'ai cru qu'il viendrait mais on n'a pas eu de ses nouvelles

31. Il ne faut pas l'accuser car ce n'est pas lui qui a commis l'erreur

32. Et il croit qu'on va lui confier ce travail

33. Combien cela a-t-il coûté Soixante dix huit dollars trente deux cents

34. Les personnes qui ont vu le spectacle étaient enchantées

35. Non dit-il je ne peux accepter que M Dubois soit nommé président car le Règlement prévoit ce qui suit Le président doit résider au Québec depuis au moins cinq ans

36. Le mot plan est utilisé à tort pour parler des régimes de retraite

37. Apportez un manteau des bottes etc

38. Il me disait toujours Parle moi de ta famille

39. Les enfants doivent apporter
    un goûter
    une paire de chaussures
    leur maillot de bain

40. Tous les gens à qui on en a parlé secrétaires agents commis etc sont d'accord

41. Louis pourrait entreprendre les travaux de construction Paul lui pourrait faire la peinture

42. Elle est partie peut-être pour toujours mais j'espère qu'elle nous reviendra

43. Je lui ai caché la vérité en effet elle n'avait pas à savoir mais je crois qu'elle a deviné

44. Ce qu'elle m'a dit Non je ne te le dirai pas

45. Nous ne partons pas en vacances cet été nous préférons partir l'hiver prochain

46. Je vous rapporte vos livres sur la Chine et sur l'Italie qui m'ont été très utiles

47. P S   N'oubliez pas son anniversaire

48. Le trajet Lévis Montréal en 2005 2006 est plus rapide qu'en 2000 2001

(Pour le corrigé, voir p. 439 à 443.)

LES MOTS OU EXPRESSIONS DE LIAISON

Si la ponctuation peut faire la différence entre un texte confus et un texte clair, d'autres éléments peuvent servir à clarifier et à relier des mots, des phrases et des paragraphes suivant un déroulement logique : ce sont les mots ou expressions de liaison.

On emploie des expressions de liaison :

Pour rattacher des éléments

et	de même que	ni
ainsi que	ou	

Pour marquer le but

afin de	dans le but de	en vue de
pour	à cette fin	

Pour exprimer une opinion personnelle

à mon avis	pour ma part	quant à moi
selon moi	à mon sens	
il me semble	en ce qui me concerne	

Pour attirer l'attention

en particulier	entre autres	à noter que
particulièrement	remarquez que	
notamment	notez que	

Pour préciser le temps

Passé

avant	dans/par le passé	jusqu'à maintenant
précédemment	jusqu'ici	jusqu'à présent
antérieurement	jusqu'à ce jour	

Moment présent

à ce jour	pour le moment	pour l'instant
aujourd'hui	actuellement	dès maintenant
à présent	dans les circonstances actuelles	d'ores et déjà
présentement	dans les conditions actuelles	
maintenant	dans l'état actuel des choses	
à l'heure actuelle	en ce moment	

Futur

dorénavant	à compter de	d'ici là
à l'avenir	à partir de	
désormais	dès maintenant	

Répétition

chaque fois que	toutes les fois que	de façon répétée
à plusieurs reprises		

Rapidité

sans délai	vite	sans retard
rapidement	sans tarder	

Intervalle

entre-temps	en attendant	d'ici là

Pour marquer différentes étapes d'un texte

Rappel d'un événement précédent

pour faire suite à votre lettre du

en réponse à votre lettre du… ⎫ par laquelle
                               ⎪ relative à
                               ⎬ nous demandant
                               ⎪ ayant pour objet de
                               ⎭ portant sur

nous vous remercions de votre lettre du

nous accusons réception de

nous avons pris connaissance de

me référant à

pour répondre à

comme suite à

à la suite de

lors de la visite que vous avez faite à

Lien avec un élément précédent

à ce propos
à cet égard
en ce sens
dans cet ordre d'idées
sur ce point
sous ce rapport

de ce point de vue
sous cet angle
précité
mentionné
concerné
en cause

en question
en considération de
à la lumière de
en raison de
à l'appui de

Introduction d'un élément

au sujet de
à propos de
pour ce qui est de
en ce qui regarde
en ce qui concerne
en ce qui touche
en ce qui a trait
quant à

relativement à
étant donné que
compte tenu de
compte tenu du fait que
considérant
en lien avec
en rapport avec
en liaison avec

eu égard à
à l'égard de
au regard de
en matière de
en termes de
par rapport à

Addition d'un élément

en outre
de surcroît

par surcroît
de plus

au surplus
également

Insistance sur un élément antérieur

de fait
en fait

à vrai dire
en réalité

effectivement
au demeurant

Conformité

conformément à
en conformité avec
en accord avec

suivant
d'après
selon

en vertu de

Gradation

en premier lieu, en deuxième lieu, en troisième lieu, en dernier lieu
en premier lieu, en second lieu
tout d'abord/d'abord, ensuite, puis, de plus, par ailleurs, enfin, en conclusion

Transition

soit, soit
d'une part... d'autre part
d'un côté... d'un autre côté
tantôt, tantôt
non seulement, mais encore/aussi
par ailleurs, enfin

Résumé ou explication d'un élément

en résumé

en substance

bref, en bref

en un mot

pour tout dire

somme toute

en d'autres termes

autrement dit

en gros

tout bien considéré

en fin de compte

tout compte fait

certes

à tout prendre

en tout état de cause

de façon générale

en général

en principe

dans l'ensemble

en effet

Conclusion

pour terminer

en terminant

en dernière analyse

finalement

enfin

en conclusion

pour conclure

quoi qu'il en soit

dans le fond

au fond

du reste

au reste

de toute façon

de toute manière

Pour exprimer la conséquence

en conséquence

par conséquent

partant de ce fait

par suite de

ainsi

donc

aussi

d'où

de ce fait

du fait que

voilà pourquoi

pour ces motifs

pour cette raison

puisque

vu que

comme

attendu que

Pour exprimer une opposition

mais

cependant

pourtant

néanmoins

toutefois

d'ailleurs

par contre

à l'encontre de

au contraire

contrairement à

à l'opposé

à l'inverse

en revanche

au lieu de

d'autre part

par ailleurs

dans un autre ordre d'idées

d'un autre côté

d'un autre point de vue

alors que

tandis que

plutôt que

Pour exprimer une réserve

sous réserve que/de
sans préjuger de
bien que
dans la mesure où
pour autant que
pourvu que

sauf pour
sauf que
sans parler de
néanmoins
quitte à
malgré

même si
seulement
en dépit de
au risque de

Pour exprimer une hypothèse

en cas de
au cas où
dans le cas où
pour le cas où
advenant (le cas où)

dans l'hypothèse où
à supposer que
en supposant que
en admettant que
si

à condition que
le cas échéant
s'il y a lieu
éventuellement

Pour exprimer une exception

à l'exception de
excepté

sauf en ce qui a trait à
à l'exclusion de

hormis

Ils se sont retenus de parler.
Nous nous sommes donné un mal fou.
Elle s'est jointe au parti en 2004.

Se complaire,
se nuire,
se parler
Il est donc évident qu'on n'accorde pas le participe passé des verbes pronominaux *se complaire, se nuire, se parler, se plaire, se rendre compte, se succéder, se suffire, s'en vouloir*, puisque *se* est alors complément indirect.

Ils se sont succédé. (ont succédé à qui?)
Ils se sont nui. (ont nui à qui?)

Verbe à sens
passif
Le participe passé des verbes pronominaux **à sens passif** s'accorde avec le sujet.

Ces voitures se sont vendues rapidement. (ont été vendues)
L'entente s'est négociée rapidement. (a été négociée)

Attribut
Lorsque le participe passé est suivi d'un attribut du pronom réfléchi, on l'accorde avec le pronom.

Le crime dont elle s'est rendue coupable.
Ils se sont toujours crus incompétents.

Le participe passé des verbes impersonnels

Le participe passé des verbes impersonnels est toujours invariable.

Les inondations qu'il y a eu.
Les efforts qu'il a fallu ont paru énormes.

Le participe passé de certains verbes intransitifs

Certains verbes intransitifs (*courir, coûter, dormir, marcher, mesurer, peser, régner, valoir* et *vivre*) peuvent être accompagnés d'un complément circonstanciel de temps ou de mesure (ou complément de phrase) qu'il ne faut pas prendre pour un complément direct; le participe passé de ces verbes reste alors invariable.

> Les vingt minutes que j'ai marché… (pendant lesquelles j'ai marché)
>
> Les vingt ans qu'il a régné, qu'il a vécu… (pendant lesquels il a vécu)

Courir, coûter, dormir

Cependant, certains de ces verbes peuvent devenir transitifs et suivent l'accord du participe employé avec *avoir* s'ils ont un complément direct qui les précède.

> Les dangers que nous avons courus...
> Les efforts que ce travail m'a coûtés...
> Les paquets que j'ai pesés...
> Les expériences qu'elle a vécues...

Le participe passé suivi d'un infinitif

Pour que le participe passé suivi d'un infinitif s'accorde, il faut que le complément direct du participe soit en même temps le sujet de l'infinitif.

> Les garçons que j'ai vus entrer étaient en retard.

Le participe passé *vu* s'accorde :
a) parce que le complément direct *que* (mis pour *garçons*) précède le participe passé;

et

b) parce que ce complément fait l'action d'entrer.

mais

Les champs que j'ai vu labourer étaient grands. (*que*, mis pour *champs*, ne labourent pas)

Faire suivi d'un infinitif

Cependant, le participe passé *fait*, placé immédiatement avant un infinitif, est toujours invariable parce qu'il fait corps avec le verbe.

La maison que j'ai fait peindre…
Les documents que j'ai fait imprimer…
Elles se sont fait demander...

Le participe passé suivi d'un adjectif ou d'un autre participe passé

En général, le participe passé suivi d'un adjectif ou d'un autre participe passé s'accorde avec le complément direct si celui-ci précède le participe.

Je les ai vus rongés par la rouille.

Tout le monde l'avait crue engloutie par la mer. (complément direct : *l'* mis pour *la*)

Je les ai longtemps cru sourds.

Le participe passé ayant pour complément direct le pronom *l'* signifiant *cela*

Le participe passé est invariable lorsqu'il a pour complément direct le pronom neutre *l'*, équivalant à *cela*. Ce pronom représente alors une idée ou une proposition.

Cette étude est moins difficile que je l'avais présumé.
(que j'avais présumé cela, c'est-à-dire qu'elle était difficile).

La route est plus belle que vous l'aviez dit.

Le participe passé précédé d'un collectif ou d'un adverbe de quantité

Lorsque le complément direct est un collectif suivi de son complément, on accorde le participe passé :

a) soit avec le collectif,
b) soit avec son complément,

selon le sens ou selon qu'on veut insister sur l'un ou sur l'autre.

La foule d'hommes que j'ai vue... (j'ai vu la foule)
La foule d'hommes que j'ai vus... (j'ai vu les hommes)

La bande de malfaiteurs que la police a cernée…
La bande de malfaiteurs que la police a ligotés…

Le quart de la récolte est perdu.

Le peu de confiance que tu m'as témoignée m'a tout de même aidé.
Le peu de chance qu'il a eu en bourse ne l'a pas favorisé.

C'est l'un des travailleurs les plus acharnés qu'on ait jamais vus.
Un des actionnaires que l'Assemblée générale avait désignés fut choisi comme président du conseil d'administration.

Lorsque le complément direct est un adverbe de quantité suivi de son complément, on accorde le participe passé avec le complément s'il le précède.

Adverbe de quantité

Beaucoup d'estime lui fut témoignée.
Combien de fautes avez-vous faites?

mais

Combien a-t-il fait de fautes?

Le participe passé en rapport avec deux antécédents joints par une conjonction de comparaison

Pronom relatif *que*

Lorsque le participe passé est précédé du pronom relatif *que* représentant deux antécédents unis par *ainsi que, aussi bien que, autant que, comme, de même que, non plus que, pas plus que*, le participe passé s'accorde avec le premier antécédent si c'est sur lui qu'on veut insister. Dans ce cas, on met le groupe comparatif entre virgules.

> C'est son style de rédaction, autant que ses connaissances, que j'ai considéré.
>
> *mais*
>
> C'est son style de rédaction autant que ses connaissances que j'ai considérés.

Le participe passé en rapport avec deux antécédents joints par *ou* ou *ni*

Pronom relatif *que*

Lorsque le participe passé a pour complément direct le pronom relatif *que* représentant deux antécédents joints par *ou* ou par *ni*, on l'accorde avec les deux antécédents s'il y a idée d'addition, mais avec le second antécédent s'il y a idée d'exclusion.

> La violence ou la guerre, que vous avez toujours considérées comme des plaies, ne sont pas des solutions.
>
> Ce n'est ni l'ingénieur ni le directeur des ventes que j'ai rencontrés, mais le comptable.
>
> Est-ce un courriel ou une lettre qu'il a envoyée?

Le participe passé précédé de *en*

Le participe passé précédé du pronom *en* comme complément direct est généralement invariable, parce que *en* signifie *de cela*.

> Des cas comme celui-ci, j'en ai déjà résolu.
> De telles règles, on en a beaucoup appris à l'université !

Dans les phrases où le pronom *en* n'est pas complément direct, on fait évidemment l'accord avec le complément direct s'il est placé devant.

> Il nous en a blâmés.
> Votre soumission? Elles en ont parlé ce matin.

Les règles particulières

Ci-joint, ci-inclus, ci-annexé

Les mots *ci-joint, ci-inclus, ci-annexé* sont variables ou invariables lorsqu'ils sont placés devant un nom précédé lui-même d'un déterminant.

> Vous trouverez ci-inclus(e) la facture.

Ils sont toujours variables lorsqu'ils sont placés après le nom.

> la copie ci-annexée
> Les dépliants que vous trouverez ci-joints...

Ces trois mots sont invariables lorsqu'ils sont en tête de phrase ou qu'ils précèdent un substantif sans déterminant.

> Ci-joint la déclaration...
> Je vous envoie ci-inclus copie de la lettre.

Approuvé, attendu, compris, étant donné, excepté, lu, non compris, ôté, passé, vu

Les participes passés *approuvé, attendu, compris, étant donné, excepté, lu, non compris, ôté, passé* et *vu* restent invariables lorsqu'ils sont placés avant le nom auquel ils se rapportent, puisqu'ils jouent alors le rôle de préposition.

> Tout a été détruit, excepté la grange.
> Vu sa taille, elle a été refusée.
> Passé la semaine prochaine, les livres resteront à la bibliothèque.
>
> *mais*
>
> Les frais de cours exceptés, les résultats de cette poursuite sont positifs.

Fini

Le participe passé *fini* placé en début de phrase s'accorde habituellement avec le mot auquel il se rapporte. Toutefois, il peut rester invariable.

> Finies les folies! Il faut maintenant être sérieux.
> Fini les travaux.

Cru, dit, dû, pensé, permis, prévu, pu, su, voulu

Les participes passés *cru, dit, dû, pensé, permis, prévu, pu, su* et *voulu* restent invariables lorsque leur complément direct est un infinitif ou une proposition (exprimés ou sous-entendus).

> Voici les outils que tu aurais dû utiliser.
> J'ai fait tous les efforts que j'ai pu (faire).
> Il a accompli toutes les tâches que j'avais demandé (qu'il accomplisse).

Exercice

Veuillez faire l'accord des participes passés :

1. (excepté) Tout a été détruit, _____ cette maison.

2. (coûter) Les milliers de dollars que l'affaire m'a _____...

3. (croire) Tout le monde l'a _____ morte.

4. (prêter) Je vous rapporte un des livres que vous m'avez _____.

5. (témoigner) Beaucoup d'amitié lui fut _____.

6. (nuire) Ils se sont _____.

7. (passé, fermer) _____ cette heure, nos bureaux seront _____.

8. (vendre, coûter) La terre que vous avez _____ ne valait pas les cinq mille dollars qu'elle vous avait _____.

9. (croire) Des choses qu'on n'aurait pas _____ possibles.

10. (consacrer) Une partie du livre est _____ à la morphologie.

11. (laisser) Elles se sont _____ persuader.

12. (voir) Les employés que j'ai _____ travailler sont compétents.

13. (imaginer) Les choses qu'ils se sont _____...

14. (écrire) J'ai reçu beaucoup de lettres; combien m'en avez-vous _____ _____?

15. (plaire) Ils se sont _____.

16. (faire) Voici les textes que vous nous avez _____ copier.

17. (valoir) Que de faveurs lui ont _____ sa bonne conduite et son application!

18. (vu) _____ les fautes, il faut recommencer cette lettre.

19. (coûter) Que de recherches cette lettre m'a _____!

20. (souhaiter) Ma soirée fut aussi agréable que je l'avais _____.

21. (présumer) Cette étude est moins difficile que je ne l'avais _____ _____.

22. (témoigner, décevoir) Le peu de confiance que vous avez _____ _____ à Marie l'a _____.

23. (interroger) Il y avait là une bande de manifestants que la police eut bientôt _____.

24. (rechercher) Ce n'est pas la gloire, non plus que les honneurs, qu'il a _____.

25. (acharné, voir) L'un des plus _____ travailleurs qu'on ait jamais _____...

26. (laisser) Elle s'est _____ mourir.

27. (assurer) Nous nous sommes _____ de cette nouvelle.

28. (dégager) Nous nous sommes _____ de toute responsabilité.

29. (vendre) Ces livres se sont bien _____.

30. (périr, excepté) Les passagers ont tous _____, cinq ou six _____.

31. (faire) Les chaleurs qu'il a _____...

32. (marcher) Les vingt minutes que j'ai _____...

33. (pouvoir) J'ai fait tous les efforts que j'ai _____.

34. (espérer) C'est une faveur qu'il a _____ se voir accorder.

35. (valoir) La centaine de dollars que ce geste a _____...

36. (supposer) L'explication du problème est plus difficile que nous ne l'avions _____.

37. (admirer) C'est sa compétence, autant que son savoir, que nous avons _____.

38. (fracturer) La moitié des côtes _____...

39. (avoir) Que de craintes nous avons _____ !

40. (cerner) Il y avait là une bande de malfaiteurs que la police eut bientôt _____ .

41. (envoyer, fourvoyer) Les personnes que j'ai _____ régler cette affaire se sont _____ .

42. (faire) Combien de fautes a-t-elle _____ ?

43. (faire) C'est une des plus belles actions qu'il a _____ .

44. (avoir) Les difficultés qu'il a _____ à surmonter...

45. (faire) Je les ai _____ chercher partout.

46. (suffir) Ils se sont _____ à eux-mêmes.

47. (recevoir) Ce sont de vrais amis. Je n'oublierai pas les services que j'en ai _____ .

48. (donner, parvenir) Ses ordres, s'il en a _____ , ne me sont pas _____ .

49. (vivre) Ces deux semaines que nous avons _____ dans une joie indescriptible...

50. (écrire) J'ai relu la lettre de remerciements que m'avait _____ le directeur.

51. (succéder) Les directeurs se sont _____ .

52. (mettre) Elle s'est _____ à faire la cuisine.

53. (grêler) Les années qu'il a _____ , il y a eu des pannes d'électricité.

54. (croire) Sa douleur est plus vive que je ne l'aurais _____ .

55. (faire, retrouver) La lettre que vous m'avez _____ relire s'est _____ au comité de direction.

56. (faire) Elle les a _____ périr.

57. (voir) La maison que j'ai _____ construire...

58. (rire) Elles se sont _____ de mes faiblesses.

59. (prévoir, devoir) Nous avons les difficultés que nous avions _____ _____; c'est pourquoi nous ne pourrons livrer les esquisses comme nous l'aurions _____.

60. (tomber) De la neige, il en est _____ même en mai.

61. (prêter) Ce sont pourtant les livres que je vous ai _____.

62. (penser) La question était plus grave que je ne l'avais _____.

63. (voir condamner) Ils se sont _____ à rester en prison pour la vie.

64. (abandonner) Ces filles et ces garçons ont été _____ par leurs parents.

65. (motiver) Des étudiants _____ ont fait ce travail exceptionnel.

66. (émouvoir) Les personnes ont semblé _____ en apprenant cette nouvelle.

67. (arriver, savoir) Les gens sont _____ dès qu'ils ont _____ la nouvelle.

68. (compris) Tout le personnel sera là, y _____ les vice-présidentes.

69. (donné) Étant _____ les dernières nouvelles, nous ne pourrons partir demain.

70. (traduire) Des textes, j'en ai _____ des centaines.

71. (rédiger) J'ai reçu plusieurs textes; combien en avez-vous _____ _____?

72. (engager) La guerre s'est _____ entre l'armée et les citoyens.

73. (attribuer) Le courage qu'elle s'était _____ n'était pas tout à fait réel.

74. (prédire) Les sociétés dont l'expansion nous avait été _____ n'existent plus.

75. (ci-inclus, demander) _____, veuillez trouver la photocopie _____.

76. (ci-annexé) Vous trouverez _____ la note de M. Dubois.

77. (ci-joint) J'espère que vous aimerez les dépliants que vous trouverez _____.

78. (ci-annexé, préparer) Les documents que vous trouverez _____ _____ ont été _____ par le comité.

79. (ci-joint) Je vous envoie _____ copie de la déclaration.

(Pour le corrigé, voir p. 443 à 447.)

LES COUPURES DE MOTS EN FIN DE LIGNE

Les règles générales

Il est préférable d'éviter de couper les mots en fin de ligne. Si on doit le faire, il faut respecter les grands principes suivants :

Paragraphe

1 Éviter de couper des mots à la fin de deux lignes consécutives et plus de trois mots dans un paragraphe.

Fin de paragraphe

2 Éviter, dans la mesure du possible, de couper un mot à la fin d'un paragraphe.

Fin de page

3 Ne jamais couper un mot à la fin d'une page.

Titre

4 Ne pas couper un mot dans un titre.

Prénom, nom de famille

5 Ne pas couper les prénoms ni les noms de famille, quelle qu'en soit la longueur.

> Frédéric
> Micheline
> Archambault

Prénom composé, nom de famille composé

Si ceux-ci sont composés, on peut, cependant, les couper au trait d'union.

> Pierre-/François/Beaudry-/Gauvin

Mot en langue étrangère

6 Séparer les mots provenant d'une autre langue selon les règles de division de cette langue. Ces mots sont généralement écrits en italiques ou entre guillemets.

> *brief/ing*
> *con/trib/u/tor*

Les règles particulières

(Coupures permises [/], coupures interdites [//])

On ne peut faire une coupure :

1 Entre deux voyelles, sauf après un préfixe.

Préfixe

rou//age
monsi//eur

mais

pré/avis
co/opérative

2 Avant ou après *x* et *y* entre deux voyelles.

Avant ou après
x et *y*

e//x//amen
mo//y//ennant

3 Après une apostrophe.

Apostrophe

lorsqu'//il
aujourd'//hui

4 Après une syllabe ne comptant qu'une seule lettre.

é//tudiant
a//compte

5 Avant une finale muette de deux ou de trois lettres.

Syllabe muette
finale

ven//te
insolva//ble
publi//que

6 Entre l'impératif et les pronoms *y* et *en*.

Impératif, *y, en*

vas-//y
changes-//en

T euphonique **7** Après le *t* euphonique à la forme interrogative; on peut cependant diviser avant le *t*.

> Aime-/t-//il?
> Viendra-/t-//on?
> Pense-/t-//elle?

C'est-à-dire Pour la même raison d'euphonie, il n'y a qu'une façon correcte de séparer *c'est-//à-/dire.*

Sigle, abréviation **8** Entre les lettres d'un sigle ou d'une abréviation.

> UNI//CEF
> c.-//à-//d.

Nom propre, titre de civilité **9** Entre un prénom abrégé ou un titre de civilité abrégé et le nom propre.

> M.//A.//Renaud
> le D^r//J.-//P.//Deschamps
>
> *mais*
>
> M.//Pierre/Duval

Nombre **10** À l'intérieur des nombres écrits en chiffres.

> 123//789//456
> 32,//54
> 666-//6666

Nombre **11** Entre un nombre et le mot s'y rapportant.

> XXe//siècle
> page//36
> 2//janvier//2007
> 15//kg
> 28,97//$

Exercice

Coupez ces mots à l'endroit le plus approprié :

académicien – voyage – civique – incroyable – agent – hier – UNESCO – 14 janvier 2007 – va-t-il – axer – s'agir – Antoinette – Pierre-Luc Provencher – étoile – golfe – weekend – employant

(Pour le corrigé, voir p. 447.)

LA MISE EN RELIEF

Pour faciliter la lecture et pour produire un document se démarquant par sa qualité graphique, vous pouvez recourir aux caractères gras, à l'italique ainsi qu'aux caractères décoratifs et script. Les titres, les sous-titres et les interlignes ajoutent aussi à la mise en valeur du document. Cependant, utilisez ces moyens graphiques avec uniformité et modération.

Les caractères gras

Titre, sous-titre

Les caractères gras s'utilisent pour faire ressortir un titre ou un sous-titre. Ils peuvent servir à mettre en relief un mot ou une phrase. Cependant, l'abus de caractères gras diminue l'effet attendu, nuit à la lisibilité et peut même avoir l'air agressif.

Les caractères italiques

Titre d'œuvre, de journal, mot en langue étrangère, enseigne commerciale

Les caractères italiques sont utilisés pour mettre un mot, une expression ou une phrase en évidence. Ils servent également pour les titres d'œuvres littéraires et artistiques, de journaux, de revues et d'émissions, pour les mots d'origine étrangère non francisés ainsi que pour les indications au lecteur. De plus, ils sont utilisés pour les marques de commerce, pour les enseignes commerciales et pour les noms propres de véhicules.

Cette semaine, nous avons vendu 500 exemplaires du guide *Comment rédiger son plan d'affaires.*

Voici comment vous abonner au *SVM Mac*.

Je passerai à l'émission *Enjeux*.

Nil est un mot appartenant à la langue anglaise.

(*Suite à la page 9*)

(*Note du traducteur*)

Les 30 imprimantes *DeskJet* vous seront livrées dans 10 jours.

Le directeur vous invite au *Restaurant La Crémaillère*.

Nos nouveaux modèles *Chevrolet* sortiront le mois prochain.

Les mots en italique ne doivent pas être entre guillemets, puisque l'italique remplace les guillemets. En outre, le recours à l'italique évite l'utilisation du soulignement qui rend plus difficile la lecture des mots en coupant le bas de certaines lettres.

Guillemet, soulignement

Les caractères italiques s'utilisent également pour les lettres d'ordre dans une énumération. Remarquez que la parenthèse fermante reste en romain.

Énumération verticale

a) gras
b) italique
c) romain

De surcroît, l'italique peut être utilisé pour présenter une citation. Si cette dernière est longue, le texte peut être placé en retrait par rapport aux marges et en caractères plus petits. Cette mise en relief remplace alors l'italique et les guillemets.

Citation

Si le texte est écrit tout en italique, il faut utiliser les caractères romains pour la mise en relief.

Les caractères décoratifs et script

Les caractères décoratifs (comme HERCULANUM, *Apple Chancery*) et les caractères script (comme *Edwardian Script*) conviennent pour les annonces, les invitations et les affiches. Utilisés à l'occasion à l'intérieur d'un texte, ils peuvent attirer l'attention sur un élément particulier.

Les titres et les sous-titres

Titre   Les titres servent à structurer un texte. Pour être efficaces, ils doivent contraster avec le texte. On peut les écrire en gras, en capitales, dans un caractère plus gros que celui du texte ou en combinant ces mises en relief. Il faut éviter les longs titres; s'ils sont longs (mais pas plus de trois lignes), ils ne doivent pas s'écrire tout en capitales, et les mots courts (*à, car, de, en, et, il, la, le, ni, or, ou, par, si, sur, un, une, des*...) sont placés de préférence au début d'une ligne.

Sous-titre   Les sous-titres permettent de se retrouver rapidement dans un texte. Ils doivent être placés plus près du texte qu'ils présentent que du texte qui les précède. On peut les écrire en gras ou dans une grosseur de caractère intermédiaire entre le titre et le texte.

Les titres, par leur différence de taille, marquent la hiérarchie des éléments dans un document. Les indications suivantes pourront être utiles :

1 La grosseur des caractères combinée à l'emploi des majuscules indique le niveau d'importance du titre.

2 Un titre en capitales est plus important qu'un titre en petites capitales qui, lui, surpasse un titre en minuscules.

3 Les caractères gras ressortent également davantage que les caractères maigres.

4 Un titre centré est plus important qu'un titre aligné à gauche.

Dans un même document, soyez constant dans le choix de présentation de vos titres afin de faciliter la compréhension du texte.

Uniformité

Les interlignes

Les interlignes aèrent le texte et améliorent la présentation. Pour les interlignes à l'intérieur de la lettre, consultez les pages 66 à 68.

L'ÉNUMÉRATION VERTICALE

Deux-points

Lorsque l'idée à exprimer est longue et complexe ou qu'une phrase contient plusieurs éléments, on peut avoir recours à l'énumération verticale pour faire ressortir plus clairement le message. Dans ce cas, on introduit l'énumération par un deux-points et on fait précéder chaque élément :

- d'un chiffre suivi d'un point, d'une parenthèse fermante ou d'un tiret;
- d'un chiffre romain suivi d'un tiret;
- d'une lettre minuscule en italique suivie d'une parenthèse fermante en romain;
- d'une lettre majuscule suivie d'un point;
- d'un tiret;
- d'une puce;
- d'une flèche, etc.

Majuscule

On met une majuscule au premier mot de chaque élément. Toutefois, si les éléments de l'énumération constituent la continuation de la phrase introductive ou que les éléments de l'énumération sont très courts, on peut utiliser des minuscules.

Ponctuation

Si les éléments énumérés sont courts, ils se terminent généralement sans signe de ponctuation (voir exemple en page 172). S'ils sont plus longs, on utilise le point-virgule. Si les éléments constituent des phrases ou des segments importants de phrase, on met un point à la fin de chacun des éléments. Cependant, lorsque les éléments sont reliés par une conjonction de coordination, on peut, selon le cas, placer une virgule ou un point-virgule après chacun.

Il faut conserver une uniformité dans la présentation des éléments. Ainsi, si on utilise un déterminant devant le nom, il faut être constant tout au long de l'énumération. Si on se sert de l'infinitif, on le fait pour chaque élément.

Uniformité

Pour s'assurer que la relation client/fournisseur soit des meilleures, il faut que :
1. La relation soit axée sur la confiance et le respect mutuel.
2. Les deux parties soient fières de la qualité des produits qu'elles offrent à leur clientèle.
3. Toute mésentente soit réglée dans les plus brefs délais, évitant ainsi de nuire à la satisfaction de la clientèle.

Une description d'emploi doit comprendre :
⇒ les qualités et l'expérience exigées;
⇒ le niveau de formation requis; et
⇒ une description des tâches à accomplir.

Les meilleurs conseils à donner à un employé affecté à l'accueil des clients sont les suivants :
1) Toujours garder son sang-froid, même s'il doit faire face à un client en colère.
2) Donner au client le temps de s'exprimer : ne pas l'interrompre.
3) Ne pas lever le ton.

Lorsqu'un complément direct est un groupe de mots ou un nom de fraction, vous accordez le participe passé :
– soit avec le groupe de mots,
– soit avec le nom de fraction,
selon le sens ou selon que vous voulez insister sur l'un ou sur l'autre.

Les moyens d'action privilégiés sont les suivants :
– La promotion des carrières, qui comprend :
  a) le programme *Aide à la relève*
  b) les actions régionales
– La concertation, soit :
  a) la concertation interministérielle
  b) l'animation du milieu

Dans les textes promotionnels, la présentation est plus libre, et la ponctuation est souvent omise.

Nos avantages
    10 % de rabais
    Garantie de 5 ans
    Service rapide

Vous arrive-t-il :
    √ de chercher vos mots?
    √ de bégayer?
    √ de parler trop vite?
Nous avons la solution : le cours Bridami.

PARTIE III

LETTRES MODÈLES

Les 280 lettres et documents qui suivent ou qui sont sur le cédérom ont été rédigés avec l'objectif de couvrir le mieux possible les réalités des affaires qui nécessitent une communication. Vous pouvez vous en inspirer pour rédiger une lettre ou pour vous préparer à un échange téléphonique ou encore à une réunion d'affaires.

Dans les transactions d'affaires, il faut également tenir compte des réalités juridiques sur son propre territoire ou sur le plan international. Voilà pourquoi la première section de cette partie porte sur les effets juridiques des documents.

Par ailleurs, compte tenu des effets juridiques que peuvent avoir les écrits d'affaires, le cabinet Desjardins Ducharme, S.E.N.C.R.L. a aimablement accepté de résumer dans les pages qui suivent les éléments les plus importants concernant l'application des lois et des règlements en matière de correspondance d'affaires.

Enfin, dans le but de bien répondre aux besoins des travailleurs autonomes et de prendre en compte les très larges possibilités de mise en pages qu'offrent les nouveaux logiciels, ce guide comprend aussi divers formulaires ou modèles de documents, par exemple des contrats.

Les pages qui suivent regroupent les lettres sous sept thèmes :

- les communications avec le personnel;

- l'accroissement des ventes;

- les relations avec le client;

- les transactions avec les fournisseurs;

- le crédit et le recouvrement;

- la gestion de la carrière;

- les lettres diverses comprenant les lettres personnelles et quelques documents sur la protection de la propriété intellectuelle.

Les cinq premières sections sont précédées d'un court texte donnant les principes généraux de rédaction à observer pour le thème abordé.

Bonne consultation!

LES EFFETS JURIDIQUES DES DOCUMENTS

Par Mᵉ Marc Beauchemin, associé
Desjardins Ducharme, S.E.N.C.R.L.

Avec la précieuse collaboration
de Mᵐᵉ Alexandra Ferland-Dorval, stagiaire

L'écrit occupe une place prépondérante dans le milieu des affaires, entre autres, parce qu'il sert de véhicule privilégié pour confirmer la teneur d'échanges préalables. La firme Desjardins Ducharme, S.E.N.C.R.L. a été sollicitée afin de souligner certains grands principes de droit qui pourraient s'appliquer à ces écrits.

Bien que nous ne nous prononcions aucunement sur le contenu juridique des lettres paraissant dans le présent livre, nous avons constaté que certaines de celles-ci ont effectivement un contenu à caractère juridique. Elles peuvent, par exemple, donner naissance à une entente, à une offre de contrat ou à des droits et obligations.

Tout comme les auteures l'ont déjà fait dans l'introduction, nous souhaitons vous mettre en garde contre une application trop systématique de ces lettres à certaines situations. En effet, sur le plan juridique, il faut porter une attention particulière aux circonstances dans lesquelles on rédige une lettre. À cet égard, nous vous suggérons de toujours garder à l'esprit les quelques grands principes qui suivent afin d'éviter certains pièges.

De plus, puisque la majorité des documents transitent à présent par des moyens électroniques, nous vous invitons à consulter la section réservée aux aspects juridiques de cette nouvelle réalité en pages 116 à 123.

C'est l'intention qui compte

Dans le doute quant à la compréhension d'un document, le premier principe d'interprétation est la recherche de l'intention de l'auteur. Parmi les règles de la rédaction permettant de dégager cette intention se trouvent la concision, l'adoption d'un style direct et l'utilisation de la forme active, car rien ne sert de se perdre dans moult détails ou formules littéraires susceptibles de confondre le destinataire. Toutefois, puisque les écrits doivent souvent être interprétés, l'intention de l'auteur de la correspondance doit transparaître clairement à la lecture du document. Dans le doute, il vaut mieux préciser davantage que se limiter à des considérations générales susceptibles de semer la confusion.

Le choix des termes et de la ponctuation doit également être précis et judicieux. À cet égard, il est préférable d'utiliser le même terme de façon répétée plutôt que d'utiliser des synonymes qui n'ont pas exactement la même signification et qui risquent de confondre le lecteur. Le vocabulaire doit ainsi être utilisé dans son sens usuel, et il convient d'être attentif à utiliser des termes et modes d'expressions que le destinataire peut comprendre, principalement dans le cadre d'un domaine technique. Finalement, le document doit être clair et cohérent dans la présentation des idées afin de dissiper toute ambiguïté d'interprétation et de faire rejaillir l'intention de l'auteur.

Prenons l'exemple du fabricant d'un nouveau produit qui rédige une lettre présentant sa dernière trouvaille et suggérant un prix. Une telle lettre pourrait revêtir les attributs d'une offre de contrat. Si le destinataire y répond positivement, même verbalement, il y a échange de consentement et donc, possiblement, un contrat valide et exécutoire. Si le fabricant n'avait pas l'intention d'offrir ce nouveau produit à tous les destinataires de la lettre, mais désirait seulement le présenter afin de recevoir éventuellement une offre de leur part, il aurait dû l'indiquer clairement pour ne laisser planer aucun doute sur son véritable objectif.

Ainsi, avant de rédiger un document, demandez-vous ce que vous visez et assurez-vous que votre intention y est bien exprimée.

Attention, tout ce que vous écrivez peut être retenu contre vous

Un écrit fait généralement preuve contre son auteur. En conséquence, ce que vous écrivez pourrait être repris contre vous. De plus, la loi nous enseigne qu'en cas de doute sur l'intention, un écrit créant une obligation, un contrat par exemple, sera interprété contre celui qui l'a stipulé et en faveur de celui qui contracte cette obligation.

Reprenons notre exemple : le fabricant annonce dans une lettre son nouveau produit à des clients potentiels. Ceux-ci se montrent intéressés et considèrent cette lettre comme une offre de contrat. Or, le fabricant refuse d'y donner suite, prétextant qu'il ne s'agit que d'une description de son produit. Ainsi, en présence d'une lettre qui revêt les caractéristiques d'une offre, un tribunal pourrait interpréter cet écrit contre l'auteur et favoriser la version des destinataires.

Vous devez donc vous assurer que tout ce que vous écrivez mène à une seule et même conclusion, car une correspondance ambiguë pourrait être interprétée contre vous.

Les paroles s'envolent, mais les écrits restent

Puisque la règle générale, dans une instance civile, est celle de la prépondérance de preuve, il faut donc se ménager la meilleure preuve possible. Le *Code civil du Québec* prévoit que l'original d'un écrit demeure généralement le meilleur moyen de prouver un acte juridique entre les parties. De plus, bien que l'écrit signé ne soit généralement pas obligatoire pour qu'un acte juridique soit exécutoire, il est toujours plus sécuritaire de procéder par un écrit signé, en matière de preuve de l'existence et du contenu de cet acte.

Dans le monde des affaires, il est donc de bonne pratique de rédiger des lettres de confirmation signées pour valider une entente finale ou des ententes préliminaires entre des parties, puisqu'elles risquent de produire des effets juridiques. Ainsi, si un litige venait à naître entre ces parties, une confrontation pourrait être plus aisément évitée, et la preuve de l'existence d'une telle entente et de l'ensemble de son contenu en serait ainsi facilitée.

En plus de la confirmation écrite, il importe de se garder des copies de toute correspondance échangée. De cette façon, l'auteur d'une lettre aura toujours en main les preuves nécessaires pour démontrer clairement l'intention des parties, ce sur quoi elles se sont entendues ainsi que les échanges intervenus entre elles s'il y avait un doute sur l'interprétation du document final.

En raison des avancées technologiques des dernières années, plusieurs se questionnent sur la valeur des documents technologiques. Sachez qu'à moins qu'un support particulier soit requis par la loi, un document technologique a la même valeur juridique en preuve qu'un écrit sur support papier. De la même manière, la signature électronique a le même effet que la signature sur papier comme manifestation du consentement. De plus, il y a interchangeabilité des supports, ce qui signifie qu'un document sur papier peut être numérisé et vice-versa, sans que cela en altère la valeur.

La bonne foi dans vos relations d'affaires

La bonne foi doit gouverner la conduite des parties. Non seulement existe-t-il en droit une présomption à cet effet, mais le législateur en a aussi fait une obligation, que ce soit dans l'exercice des droits d'une personne ou lors de la naissance, de l'exécution ou de l'extinction d'une obligation.

Avant même la conclusion d'une entente, soit lors de négociations, les parties ont une obligation de bonne foi. À quelques occasions, les tribunaux ont eu à se prononcer sur l'effet concret de la bonne foi dans les relations d'affaires. Ceux-ci ont parfois traduit cette notion par le devoir d'agir avec honnêteté et loyauté. La notion de bonne foi est également souvent associée à la notion d'abus de droit. Ainsi, il ne faut pas agir en vue de nuire à autrui ni de manière excessive ou déraisonnable.

Prenons, à titre d'exemple, la lettre d'intention. Ce document est le véhicule privilégié par lequel une personne témoigne son intérêt à entamer un processus de négociation afin de réaliser un objectif précis. S'il s'avère que cette personne, en rédigeant cet écrit, n'était pas vraiment de bonne foi et visait un objectif autre que celui visé par la lettre, des recours civils pourraient être entrepris contre elle.

Au nom de la loi, vous êtes en demeure de vous exécuter!

Un jour ou l'autre, nous pouvons être confrontés à un problème nécessitant la rédaction d'une mise en demeure. Il s'agit d'un document écrit, généralement sous forme de lettre, par lequel un créancier informe un débiteur qu'il est en défaut dans l'exécution de son obligation de faire ou de ne pas faire quelque chose, en énonce les motifs et lui indique qu'il bénéficie d'un délai fixe pour y remédier, sans quoi le créancier aura l'option de poursuivre plus loin ses démarches afin de faire valoir ses droits. Bien que la mise en demeure ne soit généralement pas un préalable aux recours devant les tribunaux, le créancier pourra subir certaines conséquences non souhaitées s'il procède sans mettre d'abord le débiteur en demeure.

Afin de conserver la meilleure chance de succès d'un éventuel recours, la lettre doit s'abstenir de traiter d'éléments susceptibles de contestation, mais plutôt être concise et ne relater que les éléments pertinents. De plus, le ton doit être courtois mais ferme afin que le débiteur prenne cet avertissement au sérieux et agisse selon les attentes du créancier. La mise en demeure peut être précédée de rappels qui, par exemple, mentionnent un oubli possible et un rappel de ses obligations.

À la suite de cette mise en demeure, le débiteur peut exécuter son obligation avec promptitude ou ne pas en tenir compte s'il conteste le bien-fondé des allégations du créancier. Dans ce dernier cas, c'est au créancier de décider de poursuivre ou non les démarches. Les recours possibles à la suite d'une mise en demeure doivent cependant être utilisés avec parcimonie, sans mauvaise foi et avec la volonté d'accomplir toutes les prescriptions de la loi, et ce, afin d'éviter des accusations d'abus de droit.

La confidentialité et la propriété intellectuelle au sein de votre entreprise

Il est de bonne pratique que les employeurs fassent signer une politique de confidentialité lors de l'embauche de leurs employés afin de les sensibiliser à l'interdiction de divulguer les secrets de l'entreprise à des tierces personnes. Toutefois, même en l'absence d'un tel engagement signé par l'employé, celui-ci a une obligation légale de ne pas faire usage de l'information confidentielle acquise dans le cadre de son travail et principalement en ce qui a trait au secret de commerce. Le *Code civil du Québec* prévoit d'ailleurs que cette obligation survit même à la cessation d'emploi pour une période raisonnable.

Ainsi, en cas de divulgation à un tiers d'une telle information protégée, l'employé pourrait être tenu responsable et se voir contraint d'indemniser le préjudice subi par l'employeur suite à cette communication. L'associé est également tenu à une obligation générale d'agir avec prudence, diligence, honnêteté et loyauté envers la société, ce qui proscrit l'utilisation de renseignements confidentiels de la compagnie à l'encontre de son intérêt.

Non seulement les administrateurs et les dirigeants d'une société ou d'une compagnie sont-ils eux aussi assujettis à cette obligation générale de prudence, de diligence, de loyauté et d'honnêteté, mais l'utilisation par un administrateur d'une information confidentielle dans le but d'effectuer ou d'encourager une transaction de valeurs mobilières constitue une transaction d'initié, soit une infraction pénale qui peut également entraîner la responsabilité civile des fautifs, et cela, personnellement.

Que ce soit dans la création ou dans l'utilisation d'une œuvre, d'une invention, d'une marque de commerce, d'un nom de domaine ou d'un dessin industriel, il est nécessaire que les hommes et femmes d'affaires soient au fait des règles pertinentes afin de protéger leurs droits ou de ne pas contrevenir à ceux d'autrui. À l'exception du droit d'auteur, la propriété intellectuelle doit être enregistrée afin de produire ses effets et d'octroyer au titulaire un droit exclusif de propriété ou d'utilisation. L'employeur est propriétaire de tout ce qui est produit par l'employé dans le cadre de sa prestation de travail et, entre autres, de ses droits dans les propriétés intellectuelles et industrielles.

Ces lois qui nous guident...

La vie en société est gouvernée par une multitude de règles de droit et, lorsque l'on rédige un document d'affaires, ces règles diverses doivent être prises en considération.

Ainsi le *Code civil du Québec* prévoit plusieurs règles, notamment en ce qui concerne l'exercice de ses droits, les contrats et autres accords, les règles particulières relatives aux entreprises et les règles de preuve. À titre d'exemple, il importe de savoir qu'un contrat est présumé avoir été conclu au lieu où l'offre a été acceptée (c'est-à-dire où la dernière partie a donné son accord), et ce, quel que soit le moyen utilisé pour communiquer (lettre, téléphone, télécopie, courrier électronique). Ce sont les lois de ce lieu qui régiront ce contrat. Pour éviter tout malentendu sur les lois devant régir le contrat, il est donc souvent utile que les parties à un contrat déterminent dans une clause spécifique quel droit est applicable au contrat.

On retrouve aussi des règles importantes dans la *Charte des droits et libertés de la personne* qui s'est érigée au rang des lois dites fondamentales. Celle-ci prévoit que tous les êtres humains sont égaux et qu'ils ont droit aux mêmes protections et garanties juridiques. Ainsi, la discrimination fondée sur un des motifs invoqués dans la *Charte* est strictement interdite. Par exemple, la *Charte* interdit qu'une clause comportant discrimination soit stipulée dans un contrat. Le même comportement « antidiscriminatoire » est également de rigueur lors de la publication ou de la diffusion d'information dans des documents adressés au public en général.

La *Loi sur la protection du consommateur* peut, elle aussi, avoir des incidences sur le contenu et la forme des écrits. Cette loi reprend plusieurs éléments couverts par le *Code civil du Québec*, tout en octroyant une protection accrue ou en édictant une règle différente lorsqu'il y a relation ou contrat entre un consommateur et un commerçant. Contrairement à la plupart des articles du *Code civil du Québec*, cette loi est d'ordre public, et il est donc impératif de s'y conformer, ce qui vient moduler la liberté contractuelle. À titre d'exemple, en vertu de cette loi, certains contrats (comme le contrat de louage avec option d'achat, le contrat de crédit ou encore le contrat de vente d'automobiles) doivent être constatés par écrit et signés pour être valides et exécutoires.

Par ailleurs, la *Loi sur la concurrence* prévoit des règles à respecter lors de la rédaction de différents documents d'affaires. On connaît tous cette règle prohibant la publicité trompeuse. Ainsi, vaut-il toujours mieux s'assurer que les renseignements fournis dans la description d'un produit ou d'un service sont exacts, puisque cette loi prévoit une série d'infractions concernant les pratiques de commerce trompeuses et les sanctions y étant associées.

La *Loi sur la protection des renseignements personnels dans le secteur privé* prévoit des règles relatives à la cueillette, à la conservation et à la transmission de renseignements. Par exemple, toute personne qui exploite une entreprise et qui communique des renseignements personnels sur autrui doit prendre des mesures de sécurité afin d'en assurer le caractère confidentiel. De plus, cette loi prévoit que nul ne peut communiquer à un tiers les renseignements personnels qu'il détient sur une autre personne, à moins que la personne concernée n'y ait consenti.

Quant à elle, la *Loi concernant le cadre juridique des technologies de l'information* est venue récemment édicter les règles concernant les documents technologiques afin de consacrer notamment l'intégrité, la valeur juridique, les modes de transmission de documents et la signature électronique. En effet, la loi prévoit entre autres que, comme l'écrit papier, le document technologique fera preuve de ce qu'il rapporte sous réserve de la preuve de l'intégrité du document. À ce sujet, il convient de se référer au texte « La confidentialité dans les échanges par courrier électronique » en pages 116 à 123.

La *Loi sur les compagnies*, la *Loi canadienne sur les sociétés par actions* et la *Loi sur les valeurs mobilières* prévoient diverses règles relatives aux obligations des intervenants de ces entreprises, dont les obligations de confidentialité et de bonne foi. Elles étudient également les nombreux documents requis tant sur le plan de la création, du fonctionnement que de la cession des activités de ces entreprises ainsi que leurs effets juridiques. À titre d'exemple, la *Loi canadienne sur les sociétés par actions* prévoit que les avis de convocation ainsi que les votes peuvent être transmis par un moyen électronique si les statuts de la société le permettent.

Finalement, les lois concernant la propriété intellectuelle auxquelles il convient de porter attention dans l'exercice des affaires sont les suivantes : la *Loi sur les brevets*, la *Loi sur les inventions des fonctionnaires*, la *Loi sur les marques de commerce*, la *Loi sur le droit d'auteur*, la *Loi sur les dessins industriels* et la *Loi sur les topographies de circuits intégrés*.

Ces quelques lois ne constituent qu'une petite partie de la législation applicable à la rédaction de la correspondance d'affaires. En cas de doute quant aux implications de certains écrits, il vaut mieux consulter un conseiller juridique qui vous précisera les conséquences pouvant résulter de la rédaction d'un écrit et vous conseillera de façon à assurer la protection de vos droits.

*   *   *

Quelques réserves s'imposent quant à la portée de nos commentaires. Tout d'abord, c'est consciemment que nous ne nous prononçons pas sur la portée juridique des exemples de la correspondance d'affaires qui suivent. Le présent texte ne constitue pas un avis juridique et ne peut d'aucune façon être interprété comme tel.

Ensuite, comme le droit et ses règles évoluent au fil des ans, un document qui est conforme au droit applicable aujourd'hui ne le sera pas nécessairement demain. Par exemple, le droit civil québécois a subi de profondes transformations lorsque nous sommes passés, le 1er janvier 1994, au nouveau *Code civil du Québec*, qui constitue maintenant une grande partie du droit en vigueur au Québec. Cette réforme n'a pas été sans modifier quelque peu les règles applicables aux écrits.

Finalement, le résumé qui précède ne s'applique qu'à l'intérieur des limites géographiques du Québec. Toute correspondance avec un destinataire hors Québec peut répondre à des normes différentes.

En terminant, nous tenons à souligner que nous sommes fiers d'être associés à *Correspondance d'affaires*, un guide très utile pour les gens d'affaires qui doivent communiquer au quotidien. En effet, les modèles de lettres peuvent être utiles pour trouver l'inspiration nécessaire. Toutefois, chacune des situations doit être évaluée à son mérite. Il faut bien connaître les lois applicables et, dans le doute, il est préférable de consulter un conseiller juridique qui saura guider l'auteur quant aux règles à observer ou aux pièges à éviter dans sa rédaction.

LES COMMUNICATIONS AVEC LE PERSONNEL

Les principes généraux de rédaction

Ce n'est pas par hasard que la première section des lettres modèles est consacrée aux relations avec le personnel. En effet :

**Les ressources humaines constituent à présent
l'actif principal d'une entreprise.**

Que l'on parle de gestion efficace, de qualité totale, de service à la clientèle, d'amélioration continue ou d'innovation, tout dépend de la capacité qu'a le dirigeant de faire participer le personnel à la mission et au succès de l'entreprise.

Pour ce faire, il importe d'abord de sensibiliser tous les employés à la mission et aux principes directeurs de l'entreprise afin que, les connaissant, ils puissent y adhérer.

Ensuite, il faut garder présent à l'esprit que le personnel aime être le premier informé de tout ce qui le concerne et que la diffusion régulière d'information est un moyen facile et très efficace de l'amener à être partie prenante à la réussite de l'entreprise.

L'information transmise aux membres du personnel doit avoir les deux caractéristiques suivantes :

• **Être claire et refléter la réalité**

Ne tournez pas autour du pot : dites ce que vous avez à dire avec, cependant, la retenue qui s'impose. Ainsi, félicitez s'il y a matière à compliments et n'hésitez pas à réprimander si des critiques sont de mise.

Par ailleurs, si vous êtes préoccupé de protéger la propriété intellectuelle des idées ou des produits de votre entreprise, donnez-vous des moyens pour le faire.

- **Susciter la collaboration**

Après avoir transmis l'information prévue, mentionnez le plus précisément possible aux membres du personnel ce que vous attendez d'eux. Ne présumez pas qu'ils déduiront ce que vous voulez qu'ils comprennent.

Par ailleurs, faites ressortir l'importance de leur apport et de leur rôle.

RAPPEL DE LA MISSION DE L'ENTREPRISE

3

NOTE

Destinataires :   Tous les employés

Date :   Le 15 décembre 2006

Objet :   Notre énoncé de mission

L'année 2007 arrivant à grands pas, je saisis l'occasion pour vous remercier de votre collaboration au cours des 12 derniers mois. En effet, une grande partie du succès et de la croissance qu'a récemment connus notre entreprise résulte de vos efforts, de vos nombreuses suggestions d'amélioration ainsi que de votre constant appui aux grands principes de notre mission.

Comme nous sommes à l'aube d'une nouvelle année et que je sais pouvoir compter sur votre soutien continu, je vous transmets notre énoncé de mission mis à jour pour tenir compte des défis qui nous mobiliseront. J'espère que la philosophie et les objectifs de l'entreprise vous serviront une fois de plus de guides et que, l'an prochain, nous pourrons tous nous féliciter d'une autre année heureuse et prospère.

Le président,

Éric Jacques

Éric Jacques

/ge

p. j.

4

ÉNONCÉ DE MISSION

ÉNONCÉ DE MISSION

Mibar Plastiques inc. est un sous-traitant spécialisé dans la conception et dans la fabrication de composantes et de produits finis complexes en plastique selon la technologie de moulage par extrusion-soufflage.

Mibar Plastiques inc. vise à être reconnue pour sa complicité avec ses clients dans l'innovation et dans la gestion des coûts, en misant sur la rigueur de ses procédés, sur ses compétences et sur l'engagement de ses employés.

PROTOCOLE DE RÉDACTION ÉPISTOLAIRE

6

À :	Tous les employés
Cc :	
Objet :	Guide de correspondance d'affaires

Mesdames,
Messieurs,

Pour faire suite à vos nombreuses questions sur les règles de rédaction épistolaire, nous avons rédigé un petit guide de correspondance d'affaires que je joins à la présente. Ce court document vise à faciliter votre travail et à rehausser l'image de notre entreprise en améliorant la qualité des échanges écrits.

Le Guide, qui contient les principales règles de rédaction ainsi que 15 lettres modèles répondant aux principaux besoins de communication de notre entreprise, est également disponible sur l'intranet ainsi que sur un cédérom que vous pouvez obtenir auprès de Ginette Arsenault (877-1201).

Merci pour vos suggestions dont beaucoup ont été incorporées au guide. Afin que nous puissions encore améliorer le contenu de ce document, n'hésitez pas à soumettre vos commentaires ou vos propositions d'ajout à France Lapointe (lapof@until.ca ou 823-1234).

Nous avons besoin de votre collaboration continue pour peaufiner cet outil indispensable au quotidien.

Louis Gauthier

CorrAff

DIRECTIVES SUR LA PLANIFICATION DES VACANCES

11

NOTE AUX CHEFS DE SERVICE

Date :   Le 3 avril 2006

Objet : Planification des vacances

Comme chaque année au mois d'avril, les membres du personnel sont invités à indiquer leurs dates de vacances, qu'il s'agisse de périodes prolongées ou de journées prises isolément.

Le principe directeur pour la planification des vacances est que chaque unité doit en tout temps disposer du personnel suffisant pour répondre aux besoins des clients et de l'organisation. Nous demandons donc à chacun de prendre les mesures pour que ce principe soit respecté.

À cette fin, nous vous faisons parvenir un formulaire de planification des vacances à faire remplir d'ici la fin d'avril. Nous vous conseillons de l'afficher ensuite à la vue de tous les employés de votre unité.

Nous désirons recevoir une copie du calendrier de vacances de votre service avant le 15 mai.

Le président,

Louis Potvin

Louis Potvin

OFFRE D'UNE SÉANCE D'INFORMATION
(avantages sociaux)

14

À :	Tous les employés
Cc :	
Objet :	Protection accrue régime retraite

Mesdames,
Messieurs,

Compte tenu des excellents résultats financiers de notre régime de retraite et d'avantages sociaux, nous avons le plaisir de vous annoncer une bonification importante des produits offerts : le montant de l'assurance vie pourra atteindre trois fois le salaire annuel, les prestations d'invalidité seront accrues, tout comme le sera la couverture des frais médicaux et des frais d'hospitalisation.

Des séances d'information concernant ces ajouts et les modalités d'obtention auront lieu à la salle de réunion au premier étage les 24, 25 et 26 avril, de 9 h à 11 h.

Pour permettre à votre supérieur d'assurer la permanence du service, veuillez obtenir son approbation quant à la session à laquelle vous désirez assister.

Si vous n'êtes pas en mesure d'assister à l'une des rencontres ou que vous désirez obtenir des conseils personnels sur ces nouvelles protections, n'hésitez pas à communiquer avec Diane Guillemette au 418 656-6552.

Audrey Laplante
Agente de gestion du personnel

15

OFFRE DE DÉMONSTRATION
DE LA NOUVELLE MACHINERIE

À :   Tous les employés

Cc :

Objet :   Journée portes ouvertes

Mesdames,
Messieurs,

Nous venons tout juste de finir d'installer l'équipement de production acquis récemment en vue d'améliorer notre flexibilité et notre efficacité. Et les membres de l'équipe de production ont hâte de vous présenter les nombreux avantages ainsi que la capacité accrue de ce nouvel équipement.

Nous vous invitons donc, ainsi que les membres de votre famille, à une journée portes ouvertes de l'usine le samedi 30 septembre, de 13 h à 17 h. Un léger goûter sera servi, et un service de garde sera disponible.

Nous avons hâte de vous montrer notre nouvel équipement le 30 septembre!

RSVP avant le 20 septembre
Tél. : 691-2365

Paul Troyat
Directeur de la production

CONVOCATION À UNE ASSEMBLÉE GÉNÉRALE

16

Le 18 août 2006

Monsieur Armand Théberge, président
Provalon
4900, rue Rideau
Sainte-Foy (Québec) G1P 4P4

Cher membre,

Conformément aux règlements de la Chambre de commerce, vous êtes convoqué par la présente à l'assemblée générale annuelle pour l'année 2006 le 6 septembre prochain à 17 h au Salon B de l'hôtel Maritime.

Voici l'ordre du jour de cette assemblée annuelle :

1. Ouverture de l'assemblée
2. Lecture et adoption de l'ordre du jour
3. Adoption du compte rendu de la réunion du 7 septembre 2005 (ci-joint)
4. Présentation et adoption des résultats financiers vérifiés pour l'année se terminant le 30 juin 2006 (ci-joints)
5. Nomination de nouveaux administrateurs
6. Programme de sessions d'information pour la prochaine année
7. Amendements proposés aux règlements
8. Affaires diverses

Si vous ne pouvez être présent, veuillez remplir et nous retourner la procuration ci-jointe.

Un cocktail suivra la réunion.

Au plaisir de vous y voir.

Le président,

Michel Clark

/gd

RSVP à Gabrielle Drolet au 514 833-9832 ou à gabdr@chambc.ca avant le 31 août.

Pièces jointes : 3

CONVOCATION À UNE ASSEMBLÉE GÉNÉRALE

17

ASSOCIATION DES ENTREPRENEURS
EN TECHNOLOGIES NOUVELLES

AVIS DE CONVOCATION

Chère collègue,
Cher collègue,

Conformément à l'article 23 du Règlement général, vous êtes convoqué(e) à une assemblée générale extraordinaire :

DATE : Le mercredi 17 mai 2006
HEURE : 17 h
ENDROIT : Salle 301-A
Centre des congrès de Québec
1000, boul. René-Lévesque Est

Cette rencontre a pour objet la ratification par l'assemblée du Règlement général de l'Association.

Toute proposition portant exclusivement sur le contenu du Règlement général doit être reçue, par écrit, au Secrétariat de l'Association, au plus tard le jeudi 11 mai.

Seules les propositions reçues au Secrétariat à cette date pourront être débattues lors de l'assemblée générale extraordinaire.

Nous vous invitons à confirmer votre présence en communiquant avec le secrétariat de l'Association dont les coordonnées sont les suivantes :

Téléphone : 418 871-2222
Télécopieur : 418 871-2223
Courriel : aetn@aetn.qc.ca

Louise Noël
Secrétaire

2006-04-24

18

ENGAGEMENT DE CONFIDENTIALITÉ

ENGAGEMENT DE CONFIDENTIALITÉ

Je soussignée, Louise Desgagnés, membre observateur du conseil d'administration de l'Institut de technologie Pastour, m'engage à ne pas utiliser à mon profit ou à toute autre fin non autorisée au préalable par le conseil d'administration, à ne pas révéler, publier, ni autrement diffuser les renseignements de nature confidentielle relatifs aux clients et aux projets ainsi qu'aux autres membres de l'Institut de technologie Pastour que j'obtiendrai au cours de mon mandat.

Cet engagement exclut les renseignements qui sont déjà du domaine public ou qui le deviendront et ceux qui deviennent connus de moi autrement que par la divulgation de la part du conseil d'administration.

_____   _____

Membre du conseil d'administration   Date

TRANSMISSION D'UN CALENDRIER D'IMPLANTATION

32

DESTINATAIRE : Comité exécutif
EXPÉDITEUR : Allan Buick, directeur du marketing
DATE : Le 23 janvier 2006
OBJET : Projet de calendrier d'implantation de la stratégie de marketing

Résultat mesurable visé	Respon-sabilité	Budget requis	Début	Fin	Révision et date
1. Présentation de la stratégie de marketing et du budget requis	A. Buick	–	06-02	06-06	Approuvé par le Comité 06-06
2. Engagement de la firme	A. Buick L. Audet	42 000 $	06-07	06-09	Approbation le 06-09-15
3. Embauche des représentants de commerce et des agents de distribution pour les marchés cibles	J. Fortin A. Buick	10 000 $	06-07	06-09	Recrutement terminé le 06-09-08
4. Formation des représentants	J. Fortin L. Fortin	2 000 $	06-10	06-11	Démonstration des compé-tences par les représentants le 06-12-01
5. Information au personnel	L. Audet J. Gagnon	500 $	06-12	07-01	Sessions les 06-12-11 et 06-12-15

Pour tout commentaire ou toute suggestion, veuillez communiquer avec moi.

34

DÉPART À LA RETRAITE

Le 22 juin 2006

Monsieur Jean-Guy Talbot
3590 Birds Hill Road
Winnipeg (Manitoba) R2E 1C2

Cher Jean-Guy,

Je sais, d'après certaines conversations antérieures, que vous avez des sentiments partagés au sujet de votre départ à la retraite au jeune âge de 69 ans... Je ne m'attarderai donc pas sur les félicitations.

Toutefois, je ne peux rater l'occasion de vous souligner à nouveau à quel point vous nous manquez. Nous avons toujours apprécié votre sens de l'humour, votre débrouillardise et votre gros bon sens lors de l'analyse de problèmes. Combien de fois vous nous avez ainsi évité des embûches et ramenés sur la bonne voie!

Bien que cela ne fasse qu'un mois que vous avez pris votre retraite, nous nous ennuyons déjà du proverbial : « D'autre part, Louis... », le signal qu'une réflexion stratégique s'imposait.

Je n'ose espérer que vous veniez nous voir régulièrement – ce serait difficile à présent que vous vivez au Manitoba. Envoyez-nous cependant de temps à autre vos bons conseils. Nous serons rassurés de savoir « que vous continuez à veiller au grain »!

Affectueusement,

Louis et vos collègues

INFORMATION SUR LE RÉSULTAT DES FOIRES ET DES EXPOSITIONS

35

Note à tous les membres du personnel

Date :   Le 25 août 2006

Objet :   Participation aux foires et aux expositions

J'ai eu vent de questionnements au sujet de l'efficacité de notre participation aux foires et aux expositions et je pense nécessaire de préciser pourquoi ces événements revêtent de l'importance pour nous.

Si nous participons à ces activités promotionnelles, c'est parce qu'elles constituent d'excellents moyens :

– de rester en contact avec nos clients actuels;
– de recruter de nouveaux clients;
– d'examiner les produits des concurrents;
– d'entrer en contact avec des partenaires éventuels en vue de conclure des alliances commerciales ou technologiques;
– de nous familiariser avec de nouveaux types d'équipements et de procédés;
– de découvrir de nouvelles technologies prometteuses qui peuvent accroître notre compétitivité. (Souvenez-vous que la foire d'Atlanta, l'an dernier, nous a fait découvrir une nouvelle technologie qui a fortement amélioré notre mode de production.)

Ces activités promotionnelles prennent certes beaucoup de notre temps; toutefois, je vous invite à les appuyer, car elles sont essentielles à notre entreprise. À ce sujet, notre équipe de marketing sollicite vos suggestions pour améliorer la présentation de nos produits et pour augmenter notre efficacité pendant ces foires.

Je sais que je peux compter sur vos bonnes idées!

Le directeur,

Germain Houde

/cclc

38

RECOMMANDATION POSITIVE D'UN EMPLOYÉ

Montréal, le 6 septembre 2006

Madame Elizabeth Mackenzie
Directrice du personnel
Caron, Boulanger & Young
125, rue D'Auteuil, bureau 18
Québec (Québec) G1R 4C5

Madame,

C'est avec plaisir que je peux témoigner du travail de M. Louis Casault, qui a fait partie de notre personnel pendant six mois en 2005.

Même s'il s'agissait de son premier emploi à titre de comptable, Louis a rapidement prouvé sa capacité de traiter avec succès un bon nombre de dossiers. Jeune homme agréable et intelligent, il était aussi fort dévoué et il a toujours respecté les délais fixés.

Très prometteur et travaillant fort afin d'être reconnu dans son domaine, Louis constituera, selon moi, un atout partout où il ira.

Il nous a quittés pour se spécialiser. Je regrette que son séjour dans notre entreprise ait été aussi bref et je n'hésiterais pas à le recommander pour un emploi en lien avec celui qu'il occupait chez nous.

N'hésitez pas à m'appeler si vous désirez de plus amples renseignements.

Le secrétaire général,

Louis Lacombe

Louis Lacombe, Ph. D.

/opc

AVIS NÉGATIF SUR UN EMPLOYÉ

40

Attention : Tout document portant un jugement négatif sur une personne peut être invoqué contre le signataire aux termes de la *Charte des droits et libertés de la personne*.

Conseil : Répondre par téléphone.

Le 16 août 2006

Madame Marie Dumas
Division de la recherche
Bellanorte Equipment Inc.
4832, rue Principale
Saint-Antoine (Nouveau-Brunswick)
E4V 1R5

Objet : Références au sujet de James Smith

Madame,

M. Smith a travaillé à titre de traducteur sous ma supervision pendant six mois en 2004.

Il a été embauché en raison de son entregent et de sa maîtrise parfaite de l'anglais. Toutefois, dès son arrivée, il a manifesté plus d'intérêt à établir et à maintenir des relations avec ses collègues qu'à fournir sa prestation de travail.

En dépit de plusieurs mises au point et réprimandes, il n'a pas respecté les échéances et a continué à prendre plus de temps à distraire ses collègues qu'à effectuer les tâches pour lesquelles il était rémunéré.

Lorsqu'il est devenu évident que M. Smith ne modifierait pas ses habitudes de travail, nous n'avons eu d'autre choix que de mettre fin à son contrat.

Veuillez agréer, Madame, l'expression de mes bons sentiments.

La directrice des Services de traduction,

May Stroobandt

/nq

ACCUSÉ DE RÉCEPTION DE CANDIDATURE
(candidature retenue)

42

Le 18 septembre 2006

Monsieur Édouard Girard
1545, avenue de Louisbourg
Bécancour (Québec) G9H 1T3

Monsieur,

Nous avons reçu votre demande d'emploi pour le poste de préposé aux avantages sociaux. Étant intéressés par vos compétences et par votre expérience, nous avons retenu votre demande d'emploi pour un examen plus détaillé.

Nous espérons réduire le choix à cinq candidats d'ici le 25 septembre; nous vous informerons à ce moment des résultats de notre examen.

Entre-temps, nous vous remercions de l'intérêt que vous avez manifesté à l'égard de Roynet.

Veuillez agréer, Monsieur, l'expression de nos sentiments les meilleurs.

Guy Caron
Division de la dotation

43

DEMANDE DE RÉFÉRENCES SUR UN EMPLOYÉ

Le 9 février 2006

Madame Béatrice Charlevoix
Directrice des communications
Bureau de la main-d'œuvre
1010, rue Borne
Québec (Québec) G1N 1L9

Madame,

Nous avons reçu une demande d'emploi de Victor Cafago pour un poste d'agent d'information dans notre entreprise. Il donne votre nom à titre de référence et il a indiqué qu'il avait travaillé au sein de votre entreprise dans un poste semblable de juin 2002 à janvier 2006.

Nous aimerions recevoir des commentaires au sujet des habitudes de travail de M. Cafago, de ses performances en relations publiques et en rédaction de textes de communication, de son caractère ainsi que de ses relations avec la clientèle. Auriez-vous aussi l'obligeance de nous faire savoir la raison pour laquelle M. Cafago a quitté le Bureau de la main-d'œuvre.

Vous pouvez être assurée que tous ces renseignements seront traités de façon strictement confidentielle.

Vous comprendrez que notre demande est urgente. Pourriez-vous m'appeler au 514 564-0906.

Je vous remercie de votre aide et vous prie d'agréer, Madame, l'expression de mes sentiments distingués.

La directrice des communications,

Johanne Bouchard

Johanne Bouchard

/jm

REFUS D'UNE CANDIDATURE SUR DOSSIER
(candidature non retenue)

45

Le 25 avril 2006

Mr. Harry Lennon
62 Aston Road
Birmingham B2 4JT
ANGLETERRE

Monsieur,

Nous accusons réception de votre offre de service à titre d'agent de relations publiques pour Biro International Seminars.

Notre annonce dans le *Globe and Mail* a attiré un grand nombre de candidats qui, comme vous, ont une vaste expérience et de grandes qualités.

Nous avons choisi un candidat dont la compétence respectait le plus nos exigences. Nous regrettons donc de ne pas pouvoir vous offrir un poste.

Nous vous remercions de l'intérêt que vous avez manifesté à l'égard de Biro International Seminars et nous vous souhaitons du succès dans votre recherche d'emploi.

Le président,

Brian Cooper

AA/mr

46

CONVOCATION À UNE ENTREVUE

Le 10 mars 2006

Monsieur Jean-Félix Lavoie
Appartement 6
290, rang de la Deuxième-Chaloupe
Notre-Dame-des-Prairies (Québec)
J6E 7Y8

Monsieur,

Tel que je vous l'ai mentionné au téléphone hier, je vous confirme que vous êtes l'un des candidats encore en lice pour le poste d'agent interprovincial de communications.

Le processus final de sélection consistera en une entrevue et en un test de personnalité. Ces activités auront lieu le 17 mars de 9 h à midi à nos bureaux.

Si vous ne pouvez vous présenter au rendez-vous, veuillez communiquer immédiatement avec moi au 514 381-8631 ou à l'adresse électronique suivante : roussr@sympatico.com.

Au plaisir de vous rencontrer le 17 mars.

Le directeur des ressources humaines,

Richard Roussel

/pt

REFUS D'UNE CANDIDATURE PAR L'ENTREPRISE
(après entrevue)

47

Le 2 mai 2006

Madame Antoinette Milot
5943, place Saint-Donat
Anjou (Québec) H1K 3R1

Madame,

J'ai le regret de vous informer que vous n'avez pas été choisie pour le poste de secrétaire principale au Service de la recherche et du développement.

Compte tenu du calibre exceptionnel des candidats, notre décision a été des plus difficiles à prendre. La sélection finale a surtout reposé sur l'expérience pertinente de travail.

Bien que nous ne puissions vous offrir un poste en ce moment, nous conservons votre demande dans nos dossiers au cas où un poste semblable s'ouvrirait.

Notre rencontre a été très agréable, et je vous souhaite tout le succès possible dans votre recherche d'emploi.

Le directeur,

Serge Bastien

Serge Bastien, CGA

/kl

ENGAGEMENT DE CONFIDENTIALITÉ

CONTRAT D'EMPLOI

B – Confidentialité, transfert des droits, clause de non-concurrence

En considération de mon emploi chez Christor Moderne inc. (ci-après désignée la « Compagnie ») et de la continuité de celui-ci, par les présentes, je reconnais que :

1. Toutes les technologies et tous les documents reliés aux affaires de la Compagnie, y compris celles ou ceux que je pourrais développer, sont la propriété de la Compagnie et que, sauf si cela est requis par mon travail, je ne révélerai pas lesdits renseignements à des tiers non autorisés, pas plus que je ne révélerai quelconque renseignement concernant les affaires de la Compagnie, ses inventions, ses technologies, son savoir-faire, ses pratiques et ses méthodes.

2. Je divulguerai rapidement à la Compagnie toutes les inventions qui sont reliées de quelque façon que ce soit à la Compagnie et que j'aurai conçues, individuellement ou conjointement avec d'autres, dans le cadre de mon emploi à la Compagnie. Je transférerai à la Compagnie tous mes titres, intérêts et droits dans ces inventions qui pourraient être utilisées par la Compagnie, je signerai tous les documents et je ferai tout ce qui est nécessaire pour permettre à la Compagnie de devenir propriétaire unique et exclusif enregistré dans tous les pays, le tout sans frais pour moi.

3. Je divulguerai rapidement à la Compagnie tout le matériel assujetti à un droit d'auteur et relatif à l'entreprise, que je pourrais produire, individuellement ou en collaboration avec d'autres, dans le cadre de mon emploi avec la Compagnie. Je ferai ces actes, renoncerai à tous mes droits, y compris les droits moraux, et remplirai tous les documents nécessaires ou indiqués pour permettre à la Compagnie de se désigner propriétaire unique et exclusif enregistré du droit d'auteur sur ce matériel, dans quelconque ou dans tous les pays, le tout sans frais pour moi.

4. Pour la durée de mon emploi avec la Compagnie, je consacrerai mes connaissances, mes talents et mes habiletés au service exclusif de la Compagnie et j'utiliserai tous les renseignements qui seront mis à ma disposition au service exclusif de la Compagnie; de plus, pour les 18 mois suivant la fin de mon emploi, je m'engage à ne pas fournir mes services, directement ou indirectement, à une autre personne, société ou autre entité juridique, à l'intérieur de la ville de Montréal ou dans un rayon de 100 kilomètres de cette ville, qui serait dans un domaine semblable ou dans le même que la Compagnie, et tout particulièrement, je ne solliciterai pas les clients de la Compagnie.

5. Les dispositions mentionnées ci-dessus lieront mes héritiers et pourront être transférées et cédées par la Compagnie à ses successeurs.

_____   _____
    Signature de l'employé   Témoin

                                   _____
                                                    Date

52

ACCUEIL D'UN EMPLOYÉ
(agent de distribution)

Le 3 avril 2006

Mr. Kamura Sokono, MBA
1-11-2 Kyobashi
Chuo-ku
Tokyo 104-0062
JAPON

Monsieur,

Je suis très heureux de vous souhaiter la bienvenue dans notre équipe de vente, dont les efforts et l'efficacité ont été primordiaux pour l'expansion soutenue de notre entreprise.

Avec votre expérience et vos connaissances considérables du marché de la chaussure de sécurité au Japon, je suis assuré que nous nous positionnerons mieux face à la concurrence et que nous réussirons à accroître notre part du marché de 3 à 5 pour cent.

J'attends avec impatience votre proposition en ce sens. Pour vous aider dans l'élaboration de ce plan, je vous envoie, sous pli séparé, un exemplaire de notre stratégie de marketing ainsi que notre plan de développement pour les trois prochaines années. Je suggère que vous soumettiez la version préliminaire de votre texte pour commentaires à John Goodwin, notre directeur de la commercialisation.

J'aimerais discuter de votre stratégie de vente avant la fin du mois. Je devrai donc en recevoir une copie avant le 24 avril. Veuillez m'informer si vous ne pouvez respecter cette échéance.

Bienvenue parmi nous! Je nous souhaite de longues et fructueuses relations de travail.

Le directeur général,

Yves Royer

/bm

ANNONCE D'UNE NOMINATION

55

Le 3 juillet 2006
Nomination du directeur des communications

J'ai le plaisir d'annoncer la nomination de Luc Ferrandez au poste nouvellement créé de directeur des communications.

Luc sera responsable de la formulation et de l'implantation des stratégies et des programmes de communication, agira à titre de porte-parole de DBF Électrique auprès des médias québécois et conseillera les cadres supérieurs sur des questions touchant leurs interventions en communications.

Avant d'accepter son emploi chez DBF Électrique, Luc travaillait à Hydro-Québec à titre de conseiller principal en communications pour le Groupe du service à la clientèle. Avant son arrivée à Hydro-Québec en 1999, il était analyste à la gestion de la recherche et du développement de l'Agence française pour la maîtrise de l'énergie, en France.

Luc a un baccalauréat et une maîtrise en sciences politiques de l'Université du Québec à Montréal. Il détient aussi un diplôme de l'École des hautes études en sciences sociales à Paris. Il termine actuellement un doctorat en développement socio-économique.

Je vous invite à l'accueillir cordialement chez DBF Électrique. De plus, lorsque vous le rencontrerez, je vous encourage à discuter avec lui des moyens concrets d'améliorer les communications chez DBF. (Et si vous voyagez en Europe cet été, n'hésitez pas à lui demander des adresses de bons restaurants à Paris!)

Le vice-président aux affaires
gouvernementales et aux communications,

Robert Waite

Robert Waite

/tc

58

ANNONCE D'UN DÉPART

À :	Tous les employés de la Division des rentes
Cc :	
Objet :	Départ de Julie Desrochers

Mesdames,
Messieurs,

C'est avec grand regret que je dois vous annoncer le départ de Julie Desrochers. En effet, après un peu plus de trois ans chez Kanata inc., Julie a décidé de retourner à Québec. Tous ceux qui ont travaillé avec Julie seront d'accord avec moi pour dire que sa bonne humeur et sa gentillesse nous manqueront beaucoup. Je tiens à remercier Julie pour l'excellent travail qu'elle a accompli chez Kanata et je lui souhaite bonne chance dans sa nouvelle carrière chez Grandbois ltée. Eh oui, ce sont eux les chanceux qui auront le plaisir de travailler avec elle bientôt.

Julie continuera à nous prêter main-forte jusqu'au 22 avril. Je vous invite donc à passer la voir d'ici là et à lui souhaiter bonne chance dans ses nouveaux projets.

Cecyle Grenon

MOTIVATION DES EMPLOYÉS

59

À :	Tous les chargés de compte
Cc :	
Objet :	Remerciements

Mesdames,
Messieurs,

Nous savons que, chez Gaspard International, nous pouvons compter sur une excellente équipe de chargés de compte, caractérisée par son dynamisme, par sa bonne connaissance des produits et de la clientèle ainsi que par sa capacité d'apprentissage rapide.

Cette dernière qualité est un atout majeur dans la conjoncture actuelle, car les tendances changent et de nouveaux produits voient continuellement le jour. Ceci nécessite que vous en connaissiez les caractéristiques afin de démontrer aux exposants éventuels comment nos salons peuvent les aider à vendre mieux, plus rapidement et à meilleur coût.

Par ailleurs, rappelez-vous que vous êtes les mieux placés pour recueillir les commentaires et les suggestions des clients quant à l'amélioration de nos salons et que cette information de rétroaction est essentielle pour que notre entreprise continue à bien les servir.

À ce sujet, les modifications que vous avez proposées l'an passé nous ont permis d'adapter le contenu de nos expositions aux préoccupations des visiteurs, ce qui a eu pour effet de consolider notre position sur le marché.

Continuez votre excellent travail, car nous comptons sur vous.

Marie Marcoux, présidente

61

FÉLICITATIONS À UN MEMBRE DU PERSONNEL
(travail bien fait)

Le 4 décembre 2006

Monsieur Herbert Lavigne
Chef de la Division de la planification
 des politiques
Bartcom inc.
60, chemin des Neiges
Lac-Beauport (Québec) G0A 2C0

Cher Herbert,

Félicitations pour le travail très bien exécuté que tu as réalisé dans des délais très serrés, malgré le degré de difficulté. Et plus particulièrement pour ton leadership efficace qui a permis que les membres de ton groupe produisent une stratégie de marketing aussi créative.

De plus, j'ai reçu des commentaires élogieux sur ta performance de la part de plusieurs directeurs. Il semble que, en dépit du rythme trépidant que tu as imposé aux membres du groupe, ils n'hésiteraient pas à renouveler l'expérience pourvu que tu sois à la barre.

Merci pour ton travail acharné, Herbert. Tu as fait un boulot formidable, et c'est tout à ton honneur.

Mes meilleures salutations,

Le secrétaire et directeur exécutif,

Henri Auger, ing.

/vb

c. c. Reid Becker, directeur de la planification générale
       Bill Cavers, directeur du personnel

RÉPRIMANDE À UN EMPLOYÉ

Voir sur le cédérom la lettre d'avertissement qui précéderait cette lettre.
Conseil : Faire vérifier cette lettre par un avocat ou par un spécialiste en relations industrielles.

64

Le 6 novembre 2006

Monsieur Alain What
840, avenue de Venise Ouest
Venise-en-Québec (Québec)
J0J 2K0

Objet : Dernier avertissement

Monsieur,

En dépit des réprimandes verbales et écrites que vous avez reçues au cours des derniers mois, le volume des ventes que vous avez conclues n'a cessé de décliner, alors que rien sur le marché ne justifie une telle diminution.

Par ailleurs, plusieurs de nos clients – dont deux très importants – se sont plaints de votre conduite cavalière et peu attentive.

Enfin, le responsable de la production m'a rapporté que vous entretenez des rapports tendus avec certains membres de son équipe et que les employés commencent à vous éviter.

Une telle conduite ne cadre pas avec la philosophie de gestion et les valeurs de notre entreprise et, par conséquent, ne peut durer.

Ressaisissez-vous et redevenez l'excellent représentant commercial que vous étiez et que nous avons tant apprécié.

Sachez que la présente n'est certainement pas le genre de lettre que j'aime écrire. Par conséquent, ce sera la dernière.

La directrice des ventes,

Carmelle Grondin

/ac

Copie conforme : Directeur du personnel

MISE À PIED D'UN EMPLOYÉ

66

Le 15 novembre 2006

Madame Annie Geoffroy
2785, rue de Brôme
Sainte-Foy (Québec) G1V 4X9

Madame,

Nous n'avons pas réussi à conclure un nouveau contrat de production. Comme vous le savez, sans ce contrat, nous ne pouvons maintenir en poste tous les employés.

Je regrette sincèrement de vous informer que nous devons, en conséquence, mettre immédiatement fin à votre emploi. Votre indemnité de licenciement équivalant à quatre semaines de salaire ainsi que votre Relevé d'emploi vous seront envoyés le 20 novembre.

Sachez que, compte tenu de votre apport chez Les Ateliers Micron, la décision dont je vous fais part aujourd'hui a été difficile à prendre. Je vous assure que, dès que nous serons de nouveau en mesure de fonctionner à plein rendement, vous serez en tête de notre liste d'embauche.

Veuillez agréer, Madame, l'expression de nos regrets sincères.

Le directeur du personnel,

Mike Downs

HG/CAC/dl

L'ACCROISSEMENT DES VENTES

Les principes généraux de rédaction

Que vous vouliez vendre un système d'alarme, des meubles ou un système de plus d'un million de dollars, le principe est le même :

On vend d'abord à une personne.

C'est donc la rencontre de deux personnalités – le client éventuel et vous – dont le succès, en termes de ventes, est essentiellement fonction de la qualité de leurs interactions. N'hésitez pas à être vous-même : vous accroissez ainsi vos chances de retenir l'intérêt et la confiance de votre client. Un style personnalisé et promotionnel a donc pleinement sa place dans une lettre de ventes, dans la limite, évidemment, du respect des règles linguistiques courantes.

Quant à la démarche à retenir pour une telle lettre, c'est essentiellement la même que pour une communication téléphonique ou une entrevue d'embauche visant à intéresser un client éventuel, soit :

1. Retenir l'**a**ttention
2. Susciter l'**i**ntérêt
3. Renforcer le **d**ésir
4. Proposer une suite à la communication ou une **a**ction

En marketing, on utilise le vocable A.I.D.A. pour désigner cette démarche.

•   **Retenir l'attention**

C'est au premier coup d'œil que le client prend la décision de poursuivre ou non la lecture de votre lettre. Ainsi, afin de capter son attention et de lui donner le désir d'aller plus loin, la lettre doit avoir les deux caractéristiques suivantes :

a) *Une présentation attrayante*

Le présent ouvrage contient une variété de modèles de présentation qui, par la disposition et l'usage de caractères typographiques, sont de nature à attirer le regard.

b) *Les premières lignes doivent être accrocheuses*

Si elles ne le sont pas, le client risque de déposer votre lettre sur la pile des choses à faire plus tard. Et vous connaissez fort bien le sort réservé aux documents contenus dans cette pile!

Voici quelques suggestions pour la rédaction de ces premières lignes, qui interpellent toutes directement le client :
– Posez-lui des questions.
– Réveillez le besoin prioritaire que vous pressentez chez lui.
– Faites ressortir le rôle important qu'il exerce.
– Félicitez-le.

- **Susciter l'intérêt**

À présent que l'attention du client est retenue, éveillez son intérêt en soulignant les avantages et les caractéristiques du produit ou du service que vous voulez vendre. Veillez surtout à mettre en lumière ce que vous avez de concret et de nouveau à offrir, ce petit plus qui fait toute la différence.

Rappelez-vous qu'il ne suffit pas de fournir un produit ou un service supérieurs, mais qu'il faut rendre visibles la qualité et le service additionnel que vous offrez.

- **Renforcer le désir**

  Pour cette troisième étape, maintenant que vous avez suscité l'intérêt du client, incitez-le à conclure que votre offre lui permettra de satisfaire un besoin prioritaire. Et ce besoin prioritaire est souvent d'être le premier, le meilleur.

- **Proposer une suite à la communication ou une action**

  Le contenu de la lettre ne saurait être complet sans une proposition quant aux suites à donner, puisque c'est là l'objectif ultime de la lettre.

  Les suggestions de suivi les plus courantes sont :
  - *Nous communiquerons avec vous d'ici une semaine pour prendre rendez-vous.*
  - *Nous vous téléphonerons d'ici quelques jours pour discuter de notre proposition.*
  - *Appelez-nous sans tarder si vous désirez profiter de notre offre.*

Post-scriptum

Comme le post-scriptum est un moyen de faire ressortir un aspect sur lequel vous voulez attirer l'attention, il peut s'avérer fort utile dans vos lettres de ventes. Évitez cependant d'en abuser.

67

OFFRE DE SERVICE
(en matière de commerce électronique)

Montréal, le 20 septembre 2006

Faites-vous un usage maximal d'Internet pour accroître vos ventes?

Savez-vous que les activités B2B (ventes interentreprises par Internet) ont augmenté de 72 % de 2000 à 2002 au Canada, pour atteindre 10 milliards de dollars? Et que les B2C (ventes entreprise-consommateur) ont, quant à elles, progressé de 136 % durant la même période?

Savez-vous également que, en 2004, 81,6 % des entreprises canadiennes avaient accès à Internet, mais que seulement 36,8 % possédaient un site Web et que 42,5 % effectuaient des achats en ligne?

Vous vous dites que ce serait probablement le moment de voir comment mieux utiliser ce moyen pour accroître vos ventes.

Si oui, vous avez mis le doigt sur une occasion trop peu exploitée. Puisque à peine 7 % des entreprises canadiennes réalisaient des ventes en ligne en 2004, vous pourriez vous donner un avantage concurrentiel en faisant davantage appel à Internet dans votre stratégie de mise en marché.

Comme notre raison d'être est le service aux entreprises en matière de commerce électronique, nous sommes bien placés pour vous aider à vous orienter efficacement et rapidement. En effet, nous pouvons vous faire bénéficier de notre large expérience auprès de clients nombreux et fort variés pour vous éviter pièges ainsi que gaspillage de temps et de ressources. À ce sujet, je vous invite à visiter notre site (www.commel.com) qui détaille nos services et donne la liste de nos principaux clients.

André Duhaime, directeur des ventes pour le marché de l'Est (tél. : 418 726-5530, aduhaime@commel.com), communiquera avec vous la semaine prochaine pour voir comment nous pouvons vous aider à accroître vos ventes grâce au commerce électronique.

Le président,

Vincent Trépanier

/cac

70

OFFRE À UN CLIENT
(en se recommandant d'un tiers)

Le 25 septembre 2006

Monsieur Patrick Gobeil
Les Hôtels du Québec
4020, rue Robitaille
Cap-Rouge (Québec) G1Y 1L2

J'ai probablement ce que vous cherchez!

Lorsque j'ai rencontré M. Armand Craig hier aux Mercuriades, il m'a laissé entendre que vous étiez à la recherche d'ameublement classique de chambre à coucher en érable pour un de vos nouveaux hôtels. Il a aussi mentionné que vous seriez intéressé à en savoir plus sur les meubles que nous fabriquons.

Comme vous le constaterez en lisant le dépliant ci-joint ou en visitant notre site Web, nous comptons déjà plusieurs entreprises bien établies parmi nos clients. Pourquoi? Entre autres, parce que nous avons une équipe de vente très dynamique et parce que nos clients apprécient la qualité supérieure de nos produits, notre service à la clientèle irréprochable ainsi que notre rapidité à livrer la marchandise, qu'il s'agisse de produits courants ou sur mesure.

Afin de répondre à vos questions éventuelles sur nos produits, je vous télé-phonerai le 2 octobre et, si nos intérêts convergent, nous conviendrons d'une rencontre.

Je vous prie d'agréer, Monsieur, l'expression de mes sentiments les meilleurs.

Le directeur général,

Bernard Paquet

/cd

Pièce jointe

OFFRE D'UN NOUVEAU PRODUIT
(service d'entretien en plus de la vente)

74

Le 9 août 2006

Monsieur Édouard Côté
32, rue des Cèdres
Victoriaville (Québec) G6P 2H2

Nous offrons maintenant des services d'entretien et de réparation.

Au cours des dernières années, plusieurs de nos clients ont déploré l'absence d'un atelier d'entretien et de réparation de bateaux dans le voisinage. Ils ont du même souffle suggéré que nous offrions ce service. Dès que nous avons reconnu la justesse de ces suggestions de nature à mieux satisfaire nos clients, nous sommes passés à l'action.

J'ai donc le plaisir de vous annoncer que nous avons donné suite à cette demande. Nous avons acquis de nouveaux équipements et avons engagé des mécaniciens spécialisés et très bien formés; nous avons également réaménagé nos locaux et notre service à la clientèle en conséquence.

Notre atelier d'entretien et de réparation est pleinement fonctionnel et n'attend plus que vous!

Pour le reste, rien n'a changé.

Même endroit :	20, 1re Avenue, Victoriaville
Même numéro de téléphone :	819 758-5445
Même service à la clientèle :	Courtoisie assurée, évaluation gratuite, qualité garantie, service complet, respect des délais.

Notre raison d'être est toujours la même : bien vous servir!

Le président,

Martin Bédard

Martin Bédard

/gh

75

OFFRE D'UN NOUVEAU PRODUIT
(communiqué)

Communiqué de presse

Pour diffusion immédiate

CYCLERIE CÉLÈBRE SON 20ᵉ ANNIVERSAIRE
AVEC LE LANCEMENT D'UN NOUVEAU PRODUIT

Chicoutimi, Québec – Ce 10 mars 2006, Cyclerie a souligné son 20ᵉ anniversaire en lançant l'ÉLECTRICYCLE, une nouvelle bicyclette électrique à prix compétitif, de conception et de performance supérieures.

Lors de la conférence de presse au siège social de l'entreprise à Chicoutimi, Raymond Tremblay, président de Cyclerie, a fait valoir que l'ÉLECTRICYCLE atteste du ferme engagement de l'entreprise à toujours mieux satisfaire les besoins de sa clientèle. « En affaires depuis 20 ans, nous avons toujours cherché à être à l'avant-garde, a mentionné M. Tremblay. Que ce soit par le développement de nouveaux produits, l'amélioration du service à la clientèle, la gestion participative ou l'implantation de la qualité totale, nous avons toujours innové. L'ÉLECTRICYCLE n'est qu'une autre manifestation de notre créativité. »

Cyclerie est née il y a vingt ans au domicile de Raymond Tremblay. Après seulement 18 mois d'opération, l'entreprise a déménagé au parc industriel de Chicoutimi, où elle a continué à croître; elle emploie à présent 450 personnes.

Au cours des années, Cyclerie est passée graduellement de la production de masse à celle de courtes séries, répondant ainsi à la demande de produits de plus en plus diversifiés. Cyclerie fait maintenant aussi affaire aux États-Unis et en Europe.

- 30 -

Source et renseignements :
Daniel Bégin
Agent de relations publiques
418 698-8934
danb@sympatico.ca
www.cyclerie.ca

OFFRE DE CONDITIONS PARTICULIÈRES
(livraison rapide)

77

Le 5 mai 2006

Madame Diane Parmentier
Boutique Pierrot
3672, avenue des Compagnons
Sainte-Foy (Québec) G1X 4V8

Madame,

Comme chaque année à cette période, nous vous transmettons notre catalogue. Vous remarquerez que, en réponse aux besoins que vous avez exprimés, nous avons ajouté une toute nouvelle gamme de papeterie et d'équipement de bureau.

Autres bonnes nouvelles! Nous continuons d'avoir les meilleurs prix sur le marché. De plus, si vous utilisez le bon de commande accessible sur notre site Web sous l'onglet « Commandes », nous garantissons la livraison dans les 48 heures. (Voir page 26 du catalogue pour de plus amples renseignements.)

Nous avons toujours eu grand plaisir à vous servir et espérons continuer à vous compter parmi nos bons clients.

Veuillez agréer, Madame, l'expression de nos sentiments les meilleurs.

Le directeur des ventes,

Serge Dufour

/ij

p. j. Catalogue

81

INVITATION À UNE PRÉSENTATION

Le 18 septembre 2006

Mr. William Hillary
Director of Engineering Services
Apperlex Co. Inc.
1202 Lesieur Street
Thornoway RH1 1PS
ANGLETERRE

Objet : Démonstration d'un nouveau produit

Monsieur,

Lors de notre dernière rencontre, je vous ai mentionné être en train de mettre au point un produit qui, en raison de ses caractéristiques innovatrices et de son prix raisonnable, pourrait intéresser votre entreprise. J'ai aussi promis de vous informer dès qu'il serait mis en marché.

Chose promise, chose due! J'ai le grand plaisir de vous inviter le 3 octobre prochain à 16 h 30 au lancement de la baignoire en acrylique Maya de Lanterna, qui aura lieu au Salon des affaires de Place-Bonaventure à Montréal. La présentation portera, entre autres, sur la compatibilité de notre produit avec les systèmes existants. Comme ce lancement est réservé à nos meilleurs clients, nous disposerons de tout le temps nécessaire pour discuter en détail des caractéristiques particulières de la Maya.

Un léger goûter sera servi à notre stand et sera suivi, à 18 heures, d'un cocktail à notre suite à l'hôtel Bonaventure. Pour être admis au Salon, vous n'aurez qu'à présenter le billet d'entrée ci-joint.

J'espère vous voir le 3 octobre.

Le président-directeur général,

Lucien Jolicœur

/ag

p. j. Billet d'entrée
       Carte d'invitation

82

INVITATION À UNE PRÉSENTATION
(carte)

Lanterna

est heureuse de vous inviter à visiter son stand

au Carrefour de l'Innovation du SALON DES AFFAIRES

PLACE-BONAVENTURE

MONTRÉAL

le 3 octobre 2006
à 16 h 30

À cette occasion aura lieu le lancement
de notre nouveau produit, la baignoire Maya;
sa compatibilité avec d'autres produits
fera l'objet d'une démonstration.

Un léger goûter sera servi au stand.
À 18 heures, vous êtes invité à un cocktail
à la suite 1234 de l'hôtel Bonaventure.

RSVP
Angela Grandbury
1980, avenue Brookdale
Dorval (Québec) H9P 2T9
Tél. : 514 633-3840
Courriel : grandang@lanterna.ca

FÉLICITATIONS À UN CLIENT POTENTIEL
(à la suite d'une promotion)

84

Le 17 novembre 2006

Monsieur Denis Gauthier
Directeur des banquets
Hôtel Beauséjour
186, avenue Strathyre
LaSalle (Québec) H8R 3R4

Monsieur,

Félicitations pour votre nomination comme directeur des banquets
à l'hôtel Beauséjour, un établissement reconnu tant pour la qualité de sa
cuisine et des séjours offerts que pour son excellence dans l'organisation
de congrès et de banquets.

À titre de directeur des banquets, vous savez à quel point une
animation originale et des décors spécialisés peuvent contribuer au succès d'un événement. Maxi Fêtes inc., qui compte plus de dix années
d'expérience auprès d'une clientèle diversifiée, est le chef de file dans ce
domaine.

Notre firme se spécialise non seulement dans les services d'animation de fêtes, incluant clowns et autres, mais aussi dans la décoration de
salles avec agencements personnalisés de ballons. Et ce, quel que soit le
nombre de participants, car nous avons organisé des activités d'animation
pour des groupes allant de 10 à 10 000 personnes! Notre site Web présente diverses décorations que nous avons réalisées au cours des derniers
mois.

Comme je suis certaine que vous auriez avantage à mieux connaître nos produits et services, je communiquerai avec vous d'ici quinze jours pour prendre rendez-vous. Je joins à cette lettre le dépliant publicitaire de notre entreprise.

Encore une fois, mes félicitations pour votre nomination.

La présidente,

Joanne Héroux

Joanne Héroux

/lm

Pièce jointe

FÉLICITATIONS À UN CLIENT POTENTIEL

85

Le 25 mai 2006

Madame Connie Barcelotta
5, rue de Mercier
Bromont (Québec) J2L 1P7

Madame,

Nous avons appris que vous serez bientôt mère. Félicitations! Devenir parent est une expérience unique. Une expérience qui entraîne des changements majeurs dans votre vie... et dans votre maison!

Avec l'arrivée de bébé, vous aurez besoin de meubles et d'accessoires sécuritaires, pratiques et à prix abordable. Comme l'illustre le catalogue ci-joint, nous avons exactement ce que vous cherchez : berceaux, lits, tables à langer, poussettes et landaus, commodes, literie, articles de décoration, jouets, etc., tout cela dans une large variété de couleurs et de styles originaux. Tous nos produits, offerts à des prix imbattables, respectent les normes canadiennes de sécurité.

Vous vous demandez comment nous pouvons offrir une telle gamme de produits à des coûts aussi compétitifs? C'est simple : comme nous sommes une entreprise de vente par correspondance, nos frais généraux sont fort réduits. Et nous vous faisons profiter des économies réalisées!

Ne manquez pas cette occasion unique d'obtenir des meubles et d'autres produits de première qualité à des prix incroyables. Prenez note que nous garantissons la livraison dans les dix jours de la réception de votre commande.

Pour nous appeler sans frais, composez le 1 800 361-8274.

Et, encore une fois, toutes nos félicitations!

Le président,

Frank Garett

/op

p. j. Catalogue

REMERCIEMENTS À UN CLIENT DE LONGUE DATE

86

Le 23 novembre 2006

Mr. Antoine Choquette
1209 Fifth Avenue West
New York, NY 10029-5201
ÉTATS-UNIS

Monsieur,

Lors des préparations du 15ᵉ anniversaire de notre entreprise, j'ai demandé à mon adjoint de dresser la liste de nos clients de longue date, et votre nom est apparu en tête de liste.

Au nom de tous les employés de Bernier Équipements, je désire vous exprimer notre sincère appréciation pour votre fidélité et pour votre soutien au cours des années.

Si notre entreprise réussit aussi bien, c'est en bonne partie parce que nous n'avons pas ménagé nos efforts pour améliorer notre service à la clientèle et notre gestion, ainsi que pour développer de nouvelles gammes de produits. Parlant de nouveaux produits, je vous invite à vous attarder à la page 24 du catalogue ci-joint. Elle présente un article qui se vend actuellement comme des petits pains chauds.

Puisque je serai à New York après Noël, j'irai vous voir et j'espère que nous pourrons célébrer nos longues et fructueuses relations à votre restaurant favori, chez Derby's.

Encore une fois, merci de votre fidélité.

Le président,

Louis Bernier

/rs

p. j. Catalogue

87

REPRISE DE CONTACT AVEC UN ANCIEN CLIENT

Le 13 décembre 2006

Monsieur Roméo Côté
Les Délices de grand-mère
80, boul. René-Lévesque Est
Québec (Québec) G1R 2B1

Monsieur,

Il y a déjà un certain temps, nous avons préparé le matériel promotionnel visant à faire connaître votre entreprise et ses services. Nous espérons qu'il vous satisfait pleinement. Si ce n'est pas le cas, nous vous serions reconnaissants de nous faire connaître vos commentaires ou critiques afin que nous puissions nous améliorer.

Nous serions fiers de pouvoir vous compter à nouveau comme client, ce qui est tout à fait possible avec notre large gamme de services :

- Analyses de marché pour divers secteurs de l'industrie. À ce sujet, je pense utile de souligner que nous avons beaucoup de données sur votre secteur d'activités.
- Stratégies de mise en marché faisant appel à toutes les techniques considérées comme les plus performantes.
- Analyse critique de vos besoins et de vos attentes pour déterminer les stratégies les plus efficaces aux meilleurs coûts.
- Campagnes de relations publiques dans les deux langues.
- Autres services personnalisés.

Notre site Web précise davantage nos services et contient la liste de nos principaux clients ainsi que les témoignages de satisfaction de plusieurs d'entre eux.

Je communiquerai avec vous d'ici deux semaines pour savoir si nous pouvons de nouveau vous être utiles.

Alain Dion
Consultant en stratégie et en marketing

REPRISE DE CONTACT AVEC UN ANCIEN CLIENT

Le 18 septembre 2006

Monsieur Andrew Smith
Président-directeur général
AGD International
1473, rue Principale Nord
Richmond (Québec) J0B 2H0

Monsieur,

Depuis que nous avons commencé à faire affaire ensemble en 1995, vous nous avez passé au moins deux commandes chaque année. Or, en révisant nos fichiers de ventes, nous constatons n'avoir reçu aucune commande de votre firme depuis quatorze mois.

Nous en ignorons la raison. Si c'est attribuable à un manque de notre part, de quelque nature que ce soit – qu'il s'agisse de la qualité de notre service ou de la compétitivité de nos produits –, nous serions vivement intéressés à le savoir.

Comme l'indique la brochure ci-jointe, nous ne nous sommes pas reposés sur nos lauriers au cours de la dernière année. En effet, nous avons considérablement étendu notre gamme de produits et avons amélioré nos conditions de paiement. Afin d'évaluer comment nous pouvons mieux vous servir, je prévois vous téléphoner le 25 septembre entre 11 h et midi.

À bientôt!

Le directeur des ventes,

Carlo Braiceto

/tv

p. j. Brochure

PRISE DE CONTACT AVEC UN CLIENT
QUI N'A PU ÊTRE JOINT PAR TÉLÉPHONE

89

À : fredericrobitaille@sipc.com

Cc :

Objet : Système informatisé cartes d'identité

Monsieur,

Malheureusement, la rencontre que nous avions prévue le 1er juin pour discuter de l'achat éventuel d'un système informatisé de production et de contrôle de cartes d'identité a dû être annulée en raison de problèmes de climatisation dans votre édifice.

Comme je sais que votre emploi du temps est serré, je vous envoie la documentation sur ce système, que vous pourrez consulter à loisir et transmettre à vos conseillers afin de discuter de notre produit avec eux.

Lorsque j'ai parlé à votre secrétaire, elle a mentionné que vous seriez à votre bureau entre 10 h et 11 h le 9 juin. Je vous appellerai donc à ce moment pour discuter de notre offre, ainsi que des conditions d'installation.

En attendant le plaisir de vous parler, je vous prie d'agréer, Monsieur, l'expression de mes sentiments distingués.

Michel Dubois

Michel Dubois
Président
Informacarte
4e étage, bureau 41
2169, rue de Liesse
Gatineau (Québec) J8M 1H7
Téléphone : 819 595-5555
Télécopieur : 819 595-5599
www.informacarte.com

91

NOUVEAU REPRÉSENTANT COMMERCIAL

Montréal, le 13 mars 2006

Herr Otto Schneider
Fibermax
52 Forelle Strasse
Wiesbaden
ALLEMAGNE

Monsieur,

Au cours des quatre prochaines semaines, M. Jean-Paul Coleman, le nouveau représentant de Positron Fiber Systems pour l'Europe, vous rendra visite pour se présenter et pour voir comment nous pouvons mieux vous servir.

M. Coleman, qui remplace M. Konrad Gassman, a une connaissance approfondie de la fibre optique. Titulaire d'un baccalauréat en génie électrique de l'Université libre de Berlin, il y a aussi fait des études en marketing. Pendant trois ans, il a travaillé comme ingénieur au Département de la conception de produits de la compagnie Dupont, en Pennsylvanie. Ensuite, à sa demande, il est devenu, au sein de cette même compagnie, représentant commercial pour la Nouvelle-Angleterre. Quand, pour des raisons personnelles, il a décidé de retourner vivre en Allemagne, il nous a offert ses services que nous n'avons pas hésité à retenir.

Vous constaterez que, comme M. Gassman, M. Coleman connaît parfaitement nos produits et qu'il a à cœur la satisfaction de la clientèle. Je suis persuadé qu'il vous fournira un service de qualité, comme vous êtes en droit de vous y attendre de la part de Positron Fiber Systems.

Je vous prie d'agréer, Monsieur, mes salutations distinguées.

Le directeur des ventes,

Normand Michaud, ing.

/vip

DEMANDE D'AUTORISATION DE SOUMISSIONNER

94

Le 10 août 2006

Monsieur Pierre Bernard
Directeur des ressources humaines
Hôtel de la Tour
14125, rue Jeanne-Mance
Montréal (Québec) H3L 3C8

Monsieur,

Pour faire suite à notre conversation téléphonique et vu l'intérêt que vous avez porté aux services de notre entreprise, nous vous demandons l'autorisation de soumissionner pour le contrat de formation à l'intention de votre personnel d'accueil.

Comme je l'ai mentionné au cours de notre conversation et comme en témoigne notre site Web (www.formaccueil.ca), notre entreprise conçoit depuis douze ans des programmes de formation visant l'amélioration des services fournis par les employés de première ligne pour des entreprises tant nationales qu'internationales. Nous sommes donc bien placés pour combler vos attentes en ce qui concerne la formation de votre personnel d'accueil, qui sera ainsi en mesure d'assurer un service hors pair.

Nous vous prions d'accepter notre offre de soumission, ce qui vous permettra de constater par vous-même l'étendue de notre expertise en formation de service à la clientèle, tout particulièrement auprès des employés du domaine de l'hôtellerie.

Nous savons que nous pouvons satisfaire tous vos critères de performance et nous espérons que notre offre de soumission sera retenue.

La présidente,

Marie Boucher
Marie Boucher

/bd

p. j. Devis de la soumission
      Curriculum vitæ de l'entreprise

ENVOI D'UNE SOUMISSION
(produit)

95

Le 5 octobre 2006

Mr. Roland Hamann
Ports and Railway Authority
P.O. Box 20121
Tel Aviv 61201
ISRAEL

Objet : Soumission pour de l'équipement de test de fibre optique

Monsieur,

En réponse à votre demande, nous vous faisons parvenir en deux exemplaires notre devis pour l'équipement de fibre optique ainsi que cinq exemplaires de la dernière brochure décrivant les produits LARIMEX. Les prix, les conditions de paiement et de livraison ainsi que les autres renseignements pertinents figurent en page 28 du devis.

La garantie de LARIMEX couvre les pièces et la main-d'œuvre pendant une année. À part le nettoyage périodique que nous recommandons pour les composantes optiques, les exigences d'entretien sont minimes. Nous conseillons aussi le recalibrage après une période de trois ans. En cas de panne ou de problèmes, les réparations mineures peuvent être effectuées sur place. En effet, le réseau international de distributeurs et de représentants de LARIMEX fournit aide et formation aux nombreux clients de l'entreprise partout dans le monde. En Israël, la firme Isramlex Ltd. (tél. : 03 24 33 33, téléc. : 03 22 08 29) est notre représentante; elle est en mesure de vous fournir formation et assistance.

Cependant, pour les réparations majeures, les distributeurs et les représentants sont priés de communiquer avec les bureaux de LARIMEX en Amérique du Nord, en Europe ou en Asie, et l'équipement devra probablement être retourné à notre usine.

Si vous avez des questions ou désirez de plus amples renseignements, veuillez communiquer avec moi par téléphone au 418 683-2170 ou par courriel à larimex.sp@videotron.ca.

Sidney Porter

Sidney Porter
Ingénieur au soutien des ventes

p. j. (7)

CONFIRMATION D'UN RENDEZ-VOUS

97

Le 21 décembre 2006

Mr. Bill Nymard, Vice-President
Petland Franchise Services
Corporate Headquarters
195 North Hickory Street
P.O. Box 1606
Chillicothe, OH 45601
ÉTATS-UNIS

Monsieur,

Pour donner suite à notre conversation téléphonique, je vous confirme notre rencontre du 8 janvier 2007 à 9 heures à nos bureaux.

Le principal point à l'ordre du jour sera le projet de franchise de votre formule Catland au Québec.

Nous vous présenterons une série de dossiers comparables que nous avons menés à bien au cours des dernières années. Vous constaterez alors que notre expertise en franchisage au Québec est un gage de succès pour une entreprise comme la vôtre.

Si vous le pouvez, nous terminerons notre réunion par un lunch au cours duquel les membres de nos deux équipes auront l'occasion d'établir des contacts plus personnels.

D'ici là, nous vous souhaitons une bonne et heureuse année.

Le président,

Jean Larrivée

Jean Larrivée

/at

99

SUIVI D'UNE OFFRE OU D'UNE PRÉSENTATION
(à la suite d'une visite à un salon)

Le 6 novembre 2006

Mr. William Hillary
Director of Engineering Services
Apperlex Co. Inc.
1202 Lesieur Street
Thornoway RH1 1PS
ANGLETERRE

Cher Bill,

J'ai eu grand plaisir à vous rencontrer le 3 octobre au Salon des affaires à Montréal.

Vous avez alors semblé très intéressé par notre gamme de produits ISSER et vous m'avez indiqué que, après avoir fait certaines vérifications auprès de vos ingénieurs, vous me rappelleriez pour me faire connaître votre décision concernant un achat éventuel. N'ayant pas encore eu de vos nouvelles, j'en conclus que vous vous posez encore des questions quant à certains des avantages de nos produits et que de plus amples renseignements seraient probablement appréciés.

Comme je serai en Angleterre au cours de la première semaine de décembre, j'aimerais vous rencontrer avec votre équipe afin de répondre à toutes vos questions. Est-ce que 9 h 30, le mardi 5 décembre, vous conviendrait? Ou peut-être la même heure le jour suivant? Je vous saurais gré de me transmettre rapidement votre réponse par téléphone, par télécopieur ou par courrier électronique.

J'espère avoir le plaisir de vous rencontrer sous peu.

Le vice-président au marketing,

Édouard Montpetit

Édouard Montpetit

/je

SUIVI D'UNE VISITE OU D'UNE PRÉSENTATION

100

Le 11 octobre 2006

Monsieur Raoul Delagrave
Les entreprises Delagrave
34, avenue d'Italie
75627 Paris cedex 13
FRANCE

Monsieur,

Vu l'intérêt que vous avez manifesté pour nos produits lors de votre visite à notre stand au Salon de l'habitation de Montréal, je suis très heureux de vous transmettre les renseignements que vous avez demandés.

Les brochures ci-jointes ainsi que notre site Web (www.lafenetre.com) décrivent nos produits et donnent les listes de prix pour nos fenêtres Lumina. Les prix indiqués sont les prix de détail suggérés auxquels s'appliquent les remises suivantes :

SÉRIE COLLECTION LUMINA : 12 %
SÉRIE ENTREPRENEUR LUMINA : 15 %

Les prix sont calculés FAB Port de Montréal, la quantité étant de 25 unités dans un conteneur de sept mètres. Dans le but d'assurer une livraison sécuritaire, toutes les unités LUMINA sont emballées individuellement, et les conteneurs sont chargés à notre usine par du personnel spécialisé.

Les conditions de paiement sont NET 30 jours contre lettre de crédit irrévocable.

En plus de la gamme de couleurs indiquée dans notre brochure, les couleurs suivantes sont disponibles pour le marché international : BLANC EUROPÉEN, JASMINE, BEIGE BAHAMAS, MANHATTAN, ROSE WHISPER et COUCHER DE SOLEIL.

Je vous remercie de votre intérêt et j'espère avoir bientôt l'occasion de faire affaire avec votre entreprise.

Le directeur de l'exportation,

Richard Laflamme

/fi

p. j. (3)

SUIVI D'UNE RENCONTRE

101

Montréal, le 12 avril 2006

Herr Otto Schneider
Fibermax
52 Forelle Strasse
Wiesbaden
ALLEMAGNE

Monsieur,

Selon notre représentant, M. Coleman, que vous avez rencontré la semaine dernière, vous avez manifesté un vif intérêt pour nos services spécialisés de consultation en raison de leurs avantages distinctifs. Cependant, il semble que, après réflexion, vous ayez décidé de ne pas vous en prévaloir.

Notre objectif premier étant d'offrir aux clients « tout ce qu'il y a de mieux » et de répondre à leurs besoins dans une optique de qualité totale et d'amélioration continue, nous aimerions savoir pourquoi vous n'avez pas jugé opportun de retenir nos services. Nous vous serions donc reconnaissants de prendre quelques minutes pour remplir le formulaire d'évaluation ci-joint et de nous le retourner. Vos commentaires sont de nature à nous aider à ajuster ou à améliorer notre présentation ainsi que nos produits.

Nous vous remercions de votre collaboration et nous vous prions d'agréer, Monsieur, l'expression de notre reconnaissance.

Le président,

Jean-Claude Savary

/ssf

Pièce jointe

102

SUIVI D'UNE RENCONTRE
(évaluation)

ÉVALUATION DU CLIENT

1 Nos produits et services répondent à vos besoins.

Oui ☐   Plus ou moins ☐   Non ☐

2 Nos conditions correspondent à vos exigences.

Oui ☐   Plus ou moins ☐   Non ☐

3 Si vous avez coché « Plus ou moins » ou « Non », veuillez nous indiquer ce que nous devrions offrir pour répondre à vos besoins ou à vos exigences :

_____

_____

_____

4 Notre représentant était attentif à répondre à vos besoins.

Oui ☐   Plus ou moins ☐   Non ☐

5 Notre représentant a fait preuve d'une connaissance approfondie de nos services de consultation et de nos outils.

Oui ☐   Plus ou moins ☐   Non ☐

6 Notre représentant a fait une présentation convaincante de nos services de consultation et de nos outils.

Oui ☐   Plus ou moins ☐   Non ☐

7 Autres commentaires :

_____

_____

_____

Merci.

RÉPONSE À UNE DEMANDE D'INFORMATION
(remise et conditions de crédit)

104

Le 19 janvier 2006

Monsieur Youssef Mahmoud
DAR AL HANDASAH CONSULTANT
Boîte postale 895
Le Caire
ÉGYPTE

Monsieur,

En réponse à votre demande d'information sur les radiateurs industriels, je suis heureux de vous fournir la proposition suivante :

Notre prix, valable pour 45 jours à compter de la date de la présente, est de 500 $ CAN par article. Comme une remise de 5 % s'applique aux commandes de plus de 5 000 $ CAN, cela réduirait le prix par article à 475 $ CAN. Étant donné que votre remise de distributeur a déjà été déduite, il s'agit de prix nets.

Les prix sont calculés FOB Port de Québec et incluent l'emballage habituel pour expédition par conteneur. Nos conditions usuelles pour le commerce international sont des traites bancaires contre facture pro forma.

Si vous désirez d'autres arrangements (par exemple, un emballage particulier ou des conditions de paiement différentes), veuillez me faire connaître vos attentes en m'appelant à frais virés au 418 656-6812 ou en communiquant avec moi par courriel (michel.lefebvre@swing.com).

Le directeur des ventes,

Michel Lefebvre

/cv

105

RÉPONSE À UNE DEMANDE D'INFORMATION
(adresse d'un concessionnaire)

<u>PAR TÉLÉCOPIE</u>

Montréal, le 16 mars 2006

Herr Otto Schneider
Fibermax
52 Forelle Strasse
Wiesbaden
ALLEMAGNE

Monsieur,

Je vous remercie pour votre lettre du 9 mars dans laquelle vous manifestez un intérêt pour notre programme Eagle Service. Le distributeur le plus près dans votre région est situé à Brandenbeirgische Strasse, 14 971 Ludwigsfelde; son numéro de téléphone est le 337 882-4822.

J'enverrai votre lettre ainsi que la présente par télécopieur au gérant du centre de service pour l'aviser de votre demande. Je suis certain qu'il communiquera avec vous pour organiser une rencontre. Il répondra aussi à toutes vos questions concernant nos produits de toute première qualité.

Le directeur des ventes,

Marcel Pratte

/ambl

RÉPONSE À UNE DEMANDE D'INFORMATION
(service après-vente)

106

Le 18 mai 2006

Monsieur Robert Archer
Directeur de l'exploitation
Entreprises CAL ltée
1190, 6ᵉ Avenue
Verdun (Québec) H4G 3A6

Nous offrons le meilleur service après-vente!

Merci d'avoir attiré notre attention sur un défaut dans notre stratégie de promotion. Vous avez raison : nous ne mettons pas assez l'accent sur notre exceptionnel service à la clientèle. En fait, votre lettre nous demandant de décrire notre service après-vente nous a fait réaliser que nous mentionnons rarement que nous offrons :

- une garantie d'une année sur les produits, couvrant les pièces et la main-d'œuvre, qui peut être prolongée jusqu'à la cinquième année après l'achat, pour des frais annuels minimes de 45 $;

- un manuel d'utilisation et une vidéo;

- l'assistance sans frais par téléphone pour le fonctionnement des transformateurs Laireau; et

- des services d'entretien et de réparation dans les 24 heures (et si le problème ne peut être corrigé dans ce délai, le remplacement temporaire du transformateur).

Car acheter un transformateur Laireau signifie bénéficier d'un excellent service après-vente.

Offrez-vous la tranquillité d'esprit avec le meilleur équipement et le meilleur service!

Le directeur des ressources
humaines et des opérations,

François Lafond

P.-S. – Je profite de l'occasion pour vous inviter à visiter notre site Web (www.laireau.ca).

/sav

RÉPONSE À UNE DEMANDE
(rendez-vous)

107

Le 15 juin 2006

Monsieur Youssef Mahmoud
DAR AL HANDASAH CONSULTANT
Boîte postale 895
Le Caire
ÉGYPTE

Monsieur,

Nous sommes ravis de votre proposition de venir nous rendre visite et sommes impatients de vous rencontrer avec vos deux spécialistes. Le moment que vous proposez, le 7 août à 9 h 30, est idéal.

Comme nous avons plusieurs projets très innovateurs à vous présenter, j'ai demandé à certains membres de mon personnel de se joindre à nous afin de pouvoir répondre le mieux possible à toutes vos questions. Par ailleurs, si vous n'avez pas d'autres projets, nous serions heureux si, après la réunion, vous vous joigniez à nous pour le déjeuner.

Je joins à la présente une carte de la ville illustrant l'itinéraire le plus facile pour vous rendre à nos bureaux.

Au plaisir de vous rencontrer.

La vice-présidente principale,

Bernadette Midler
Bernadette Midler

P.-S. – Si vous arrivez par avion, veuillez nous fournir le nom de la compagnie aérienne, votre numéro de vol et l'heure prévue de votre arrivée à Montréal. J'irai avec plaisir vous accueillir.

/rv

Pièce jointe

110

RÉPONSE À UNE DEMANDE DE CONSEIL

Le 9 février 2006

Monsieur Brett Dellmore, ingénieur en chef
Glasgow Auto Parts
140 Adelaide Avenue West
Oshawa (Ontario) L1G 1Y8

Monsieur,

Dans votre dernière lettre, vous mentionniez être à la recherche de nouvelles techniques de production de pièces en acier inoxydable et demandiez si Salnat avait une solution à vous offrir. Certes, je crois pouvoir vous aider, mais je n'en serai certaine que lorsque je connaîtrai mieux votre projet et vos besoins précis.

Aussi, je consacrerai, avec plaisir, le temps nécessaire pour vous informer sur notre gamme de produits et de services experts ainsi que sur nos projets. À cette occasion, nous analyserons avec vous comment la technologie de poudre métallique de Salnat peut correspondre à vos besoins.

J'ai quelques demi-journées libres dans deux semaines et je suggère que vous m'appeliez pour prendre rendez-vous. Si je ne suis pas disponible lorsque vous téléphonerez, mon adjointe, Johanne Blondeau, planifiera la rencontre.

Je suis heureuse de pouvoir vous être utile. J'attends de vos nouvelles et j'espère que notre prochaine rencontre sera aussi profitable pour l'un que pour l'autre.

La directrice de la recherche et
du développement,

Sylvie Damien

Sylvie Damien

/dvd

LES RELATIONS AVEC LE CLIENT

Les principes généraux de rédaction

Dans notre marché où l'offre est diversifiée et surabondante et où la concurrence est intense, il faut partir du principe que :

Le client a pris le pouvoir.

Il est bien connu qu'il est plus facile et environ dix fois moins coûteux de conserver un client que d'aller en chercher un nouveau. Il est aussi établi :

– qu'un client éconduit lors du premier contact est à jamais perdu;
– qu'un client insatisfait fait part de ses mésaventures à au moins sept personnes;
– qu'un client content fait part de sa satisfaction à trois personnes seulement.

Le client est votre gagne-pain, et vous devez faire tout ce qui est possible pour pressentir ses besoins et y répondre. Et la correspondance peut constituer un outil précieux pour vous y aider.

Les grands principes à respecter sont les suivants :

• **Répondez vite au client**

À l'ère du courrier électronique, plusieurs entreprises ont établi comme norme qu'une réponse doit être envoyée très rapidement suivant la réception de la communication initiale. Si vous ne pouvez répondre rapidement à une demande, envoyez sans tarder un accusé de réception.

Par ailleurs, si vous mentionnez à votre client que vous lui fournirez une information sous peu, soyez cohérent et faites-le, sous peine de perte de crédibilité.

- **Ayez un accueil de qualité**

  Si le premier contact avec votre entreprise se fait avec un système de répondeur, assurez-vous que le client peut rapidement parler à la bonne personne. Évitez surtout qu'il doive attendre avec un message devenu vide de sens du type *Votre appel est important pour nous.*

- **Soyez clair**

  Assurez-vous que vous avez bien compris la demande et que vous répondez aux divers aspects abordés dans la lettre du client. Pour être sûr de prendre en compte dans votre lettre tous les éléments abordés dans celle du client, marquez sur celle-ci les passages méritant une réponse. Si la demande est faite par téléphone, notez les éléments à mesure et répétez-les pour vous assurer d'une même compréhension.

  Par ailleurs si, en vous relisant, vous constatez que votre pensée n'est pas exprimée clairement et que vous avez de la difficulté à bien rendre votre message, vous pouvez recourir à un petit truc simple, mais efficace : déposez votre crayon, regardez devant vous et demandez-vous ce que, au fond, vous voulez dire. Écoutez l'explication que vous vous donnez alors, car c'est généralement une façon claire d'exprimer votre idée.

- **Ne jouez pas à l'expert si vous ne l'êtes pas**

  N'essayez pas de fournir des réponses si vous n'êtes pas sûr du contenu. L'honnêteté et la transparence exigent que vous signaliez que vous n'avez pas l'expertise pour répondre à la demande exprimée, si c'est le cas. Chaque fois que vous en avez l'occasion, indiquez alors au client les sources de solution.

- **Soyez vous-même**

N'oubliez pas qu'il s'agit d'une lettre visant à maintenir ou à renforcer les relations avec le client : elle sera plus efficace si vous exprimez vos valeurs, vos préoccupations et votre façon d'être.

- **Adoptez l'approche qui correspond le mieux à votre interlocuteur**

En effet, environ 60 % des gens se sentent plus en confiance lorsqu'on leur fournit une information détaillée. Par contre, les autres 40 % préfèrent des textes brefs et directs. Chaque fois que possible, essayez d'ajuster le niveau de détail ou de concision de votre message aux attentes non exprimées de votre destinataire.

- **Soyez présent**

Votre fichier d'adresses est probablement le plus essentiel de vos instruments de promotion. Servez-vous-en pour maintenir le contact avec vos clients et pour les informer de toute nouveauté. Par ailleurs, soyez attentif à conserver une relation personnalisée avec votre client. Dans cet esprit, évitez d'avoir recours à des envois massifs non personnalisés par courrier électronique si votre intention est de créer un lien personnel avec votre destinataire.

- **Rendez visible la qualité que vous offrez**

Rappelez-vous qu'il ne suffit pas d'offrir de la qualité, il faut aussi rendre visible votre préoccupation de bien servir le client. La correspondance peut s'avérer un bon outil pour y parvenir.

• **Traitez les plaintes comme un outil de perfectionnement**

Si l'offre de cartes d'évaluation donne à votre entreprise l'image d'une organisation préoccupée de la satisfaction du client, ce système de rétroaction a ses limites : n'y répondent généralement que peu de clients, principalement ceux qui veulent exprimer leur frustration. Il est préférable, pour avoir l'heure juste, de prévoir des façons de faire par lesquelles les employés en contact avec la clientèle recueillent à mesure l'appréciation de celle-ci. Par exemple, en prévoyant demander au client lors d'un échange s'il est satisfait, ce qu'il a aimé, ce qui pourrait être amélioré, etc. Ceci demande de l'humilité, mais c'est profitable.

• **Protégez la propriété intellectuelle de vos innovations**

Assurez-vous de bien traiter tout élément justifiant une protection de la propriété intellectuelle.

ACCUSÉ DE RÉCEPTION D'UNE COMMANDE
(dont une partie seulement peut être exécutée)

111

Sherbrooke, le 8 juin 2006

Mrs. Gerda Garland
Maguire Inc.
900 Main Street East
Tulsa OK 74102
ÉTATS-UNIS

Référence : Votre commande nº Q45118 du 2 juin dernier

Madame,

Nous avons la plus grande partie de la marchandise demandée et nous vous la livrerons dans les délais que vous avez fixés.

Nous sommes toutefois incapables d'exécuter votre commande de 1 000 Mibrifor, étant en rupture de stock pour cet article. Nous envisageons d'ailleurs d'interrompre la distribution de ce produit, compte tenu des problèmes répétés d'approvisionnement que nous avons connus au cours des derniers mois. Par contre, nous pouvons vous proposer des articles en remplacement, tels que les nᵒˢ C23 et C26 (voir notre site Web). Ils sont de prix, de conception et de qualité comparables, et nous pouvons vous assurer d'un approvisionnement continu.

Étant donné l'importance de votre commande, auriez-vous l'obligeance de nous faire connaître votre décision dans les meilleurs délais.

Nous inclurons notre facture n° U3083 de 6 234,62 $, qui couvre la partie de la commande que nous pouvons exécuter. Comme nous l'avons précisé lors de nos échanges, nos conditions sont net 30 jours, avec remise de 2 % si la facture est acquittée dans les 10 jours.

Attendant votre réponse, nous vous prions d'agréer, Madame, l'expression de nos sentiments distingués.

/rl

Jean-Pierre Aubin
Division de la facturation

ACCUSÉ DE RÉCEPTION D'UNE COMMANDE
(vérification des conditions de livraison)

113

<u>PAR TÉLÉCOPIE</u>
<u>PAR COURRIEL</u>   Le 2 novembre 2006

Madame Ursule Cimon
URCI inc.
6305, rue Émile-Benoist
Québec (Québec) G2C 2A2

Madame,

J'accuse réception de votre commande pour notre collection de Mibrifor et je vous remercie de l'occasion que vous nous donnez de vous servir.

Comme c'est la première fois que nous faisons affaire ensemble et que vous n'avez pas donné d'instructions d'emballage et d'expédition, nous prévoyons vous offrir notre service régulier garanti : les articles seront emballés individuellement dans des boîtes de carton et placés dans un conteneur qui sera acheminé par train à votre usine. Si l'un ou plusieurs des articles devaient être endommagés – une situation très rare –, nous les remplacerons sans frais.

Vous trouverez ci-joint notre facture qui détaille les frais d'expédition, le coût par produit ainsi que le coût total réduit de 2 % en raison de la quantité que vous avez commandée. Nous avons ajouté, à titre d'information, notre barème de réduction selon le nombre d'articles commandés.

Les conditions de paiement sont net 30 jours.

J'envoie cette lettre par courriel et par télécopie pour vous permettre de confirmer rapidement les conditions de paiement et d'expédition. Si vous avez des questions ou des suggestions, n'hésitez pas à communiquer avec moi.

Nous sommes heureux de vous servir.

Andrée Lennon

Andrée Lennon
Division de l'expédition

p. j. (2)

ENGAGEMENT DE CONFIDENTIALITÉ

114

ENGAGEMENT DE CONFIDENTIALITÉ

Je soussigné, Lionel Patenaude, président de la société INSTITUT DE TECHNOLOGIE PASTOUR (ITP), dont le siège est au 1561, rue Saint-Hubert, Montréal (Québec) H2L 3Z1, m'engage à ce que l'ITP traite de façon strictement confidentielle les renseignements écrits ou oraux qui nous ont été et nous seront communiqués par M. Vincent Robertson, 4357, rue Garnier, Montréal (Québec) H2J 3S1, au sujet d'un procédé innovateur pour la réutilisation de copeaux d'usinage de pièces en alliage de magnésium.

Je m'engage tout particulièrement :

1. à utiliser les données communiquées pour le compte uniquement de l'ITP et avec la discrétion la plus totale;

2. à prendre à l'intérieur de la société toutes les mesures nécessaires afin d'assurer la confidentialité des données communiquées, sans limite de durée;

3. à n'utiliser ces données à nulle autre fin que celle de déposer un brevet d'exploitation en commun;

4. à ne tirer aucun profit sous quelque forme que ce soit hors d'un accord avec M. Robertson;

5. à faire prendre les engagements ci-dessus à toute personne physique ou morale à qui ces renseignements seraient communiqués;

6. à payer des dommages et intérêts en cas de non-respect de ces clauses.

Toutefois, aucune disposition de cet engagement ne fera en sorte d'imposer à l'ITP des obligations de confidentialité à l'égard de renseignements :

a. qui sont déjà connus publiquement ou qui deviendront connus publiquement;

b. qui sont présentement légalement à la disposition de l'ITP ou de son personnel;

c. qui seront reçus ultérieurement par l'ITP sans engagement de confidentialité; ou

d. qui sont, indépendamment et sans aucune connaissance de tels renseignements, en processus de développement par le personnel de l'ITP.

En cas de litige sur l'interprétation et sur l'observation du présent engagement, seuls les Tribunaux du Québec sont compétents.

Fait à Montréal le 29 mai 2006.

_____

Signature

CONFIRMATION D'UNE COMMANDE

116

Le 10 août 2006

Mr. Bernard Fiset
Marketing Director
Parangaf Inc.
3510 Aroya Canyon Road
Hollywood Hills CA 95234
ÉTATS-UNIS

Monsieur,

J'ai été très heureux de vous rencontrer hier à la Foire des articles de salle de bains de Toronto et de conclure avec vous une entente concernant l'achat de 1 000 robinets Parangaf. Je vous envoie donc une confirmation écrite de votre commande, précisant les conditions de paiement et d'expédition convenues entre nous.

Prix
Prix de détail suggéré par article : 199,95 $ US
Notre prix par article : 97,23 $ US
Notre prix par article avec la remise de 2 % applicable aux commandes importantes : 95,29 $ US
Prix total pour 1 000 articles : 95 290 $ US

Expédition
Emballage individuel et empaquetage dans des contenants à l'épreuve des chocs
Transport par train
Livraison garantie dans les six jours de la réception de votre confirmation
Couverture et frais d'assurance assumés par nous jusqu'à la Gare centrale de Montréal

> Coûts d'expédition et d'assurance assumés par vous à partir de la Gare centrale de Montréal

Paiement
Remise de 5 % si acquitté par traite sur livraison, de 2 % si acquitté dans les 15 jours. Sinon, net 30 jours.
En cas de retard de paiement, le taux d'intérêt est le taux préférentiel + 3 %.

Si ces conditions qui reflètent nos discussions d'hier vous agréent, inscrivez simplement « OK » sur la présente lettre, signez-la et retournez-la par courrier ou transmettez-la par télécopie.

Je vous prie d'agréer, Monsieur, l'expression de mes meilleurs sentiments.

Le directeur des ventes,

Martin Desmarais

/rt

RÉORIENTATION DU CLIENT
VERS UNE AUTRE SOURCE

117

Le 6 septembre 2006

Monsieur Mario Van den Bops
Service international de formation
 en affaires
Avenue Albertine 24
1300 Rixensart
BELGIQUE

Monsieur,

En revenant de vacances, j'ai trouvé votre lettre de demande d'inscription pour le colloque de quatre jours *Percer et vendre sur le marché de l'ALENA*. Notre firme n'offre pas encore de cours sur le marketing international et, à vrai dire, je ne sais pas qui le fait.

Comme les ministères des Affaires internationales du Québec et d'Ottawa sont les mieux placés pour vous fournir l'information que vous désirez obtenir, je leur ai envoyé copie de votre lettre et de la mienne. Pour faciliter vos démarches, je joins à la présente le nom, l'adresse et le numéro de téléphone des personnes qui ont reçu copie de notre correspondance.

Par ailleurs, au cas où vous seriez intéressé aux cours sur la promotion de l'entrepreneuriat et sur le démarrage en affaires, je vous envoie un dépliant décrivant nos services.

Le directeur,

Louis Provencher

Louis Provencher

p. j.   (2)

c. c.   Richard Crète, ministère des Affaires internationales, Ottawa
        Marc Taché, ministère des Relations internationales du Québec

118

ANNONCE DE L'ENVOI DE MARCHANDISES

PAR TÉLÉCOPIE

Le 12 juin 2006

Mr. Charles Churchill, Director
Supply Department
Medical Appliances Distributors
23 East Street
Hatfield AL9 5ES
ANGLETERRE

Monsieur,

La dernière fois que nous nous sommes parlé, j'avais promis de vous indiquer la date d'expédition de votre commande spéciale de 60 lampes au laser Medi. Nous sommes donc heureux de vous informer que ces articles ont été chargés aujourd'hui sur l'*Esmeralda* qui doit arriver à Portsmouth le 23 juin. Les articles seront livrés à votre usine de Hatfield le 25 juin. Tous les documents d'expédition requis sont joints.

Compte tenu de la fragilité des lampes, chacune a été soigneusement emballée, comme convenu, dans une boîte à l'épreuve des chocs, avant d'être placée dans le conteneur.

Veuillez nous aviser dès que vous aurez reçu la marchandise.

Je suis certain que vous apprécierez la qualité et le rendement de nos lampes et j'espère faire affaire avec vous de nouveau.

Le président,

Yvan Chiasson

/cl

p. j.   Dédouanement par les douanes canadiennes
       Facture en deux copies
       Certificat d'assurance
       Feuille d'expédition
       Conditions de paiement convenues

c. c.   Alphonse Beaudry, directeur des ventes

122

TRANSMISSION D'UN CONTRAT

<u>PAR EXPRÈS</u>   Le 30 octobre 2006

Maître Laval Bérubé
Président
United Electronics Ltd.
5691–11th Avenue West
Vancouver (Colombie-Britannique)
V6R 2M6

Maître,

Je vous remercie de vos commentaires sur le projet d'entente de collaboration portant sur la publication et la promotion de bulletins scientifiques en Amérique du Nord. Selon nos avocats, vos suggestions permettent de mieux clarifier nos responsabilités respectives.

Je vous envoie ci-joint deux originaux de l'entente modifiée que j'ai déjà signée. Auriez-vous l'obligeance de signer les deux exemplaires et de nous en retourner un.

Voilà qui constitue le point de départ de relations qui, je l'espère, seront des plus profitables pour nos deux entreprises.

Le président,

Luc Giasson

Luc Giasson

/rl

p. j. 2 exemplaires du contrat

RETOUR D'UN CHÈQUE SANS PROVISION

125

PAR TÉLÉCOPIE

Le 12 juin 2006

Monsieur Gaétan Demers
526, avenue Lepage
Dorval (Québec) H9S 3G2

Monsieur,

Votre chèque du 6 juin vient de nous être retourné par la banque avec la mention « sans provision ». Croyant que vous préféreriez en être avisé immédiatement, j'ai tenté de vous appeler, mais vous n'étiez pas à votre bureau. D'où ce message que je vous envoie aussi par courriel.

Pourriez-vous m'appeler dès la première heure demain pour discuter de la situation.

Dans l'attente de votre appel, je vous prie d'agréer, Monsieur, l'expression de mes bons sentiments.

Le directeur des ventes,

Dick Larson
larsdick@videotron.ca
Tél. : 514 877-2312

/mb

p. j. Chèque

127

REMERCIEMENTS À UN CLIENT
(pour sa fidélité)

Le 11 mai 2006

Monsieur Dick Dubois
Dubois Informatique inc.
42, rue de Mercier
Bromont (Québec) J2L 1P8

Merci pour votre loyauté envers notre entreprise.

Voilà déjà quatorze ans que nous offrons nos services dans la belle ville de Québec. Et nous nous souvenons des premières années au cours desquelles nous avions à faire tellement d'efforts pour attirer l'attention des entreprises qui avaient besoin de nos services.

Votre entreprise a été parmi les premières à nous faire confiance, en faisant appel à notre expertise en traduction. Avec gratitude, nous vous remercions pour cette confiance et pour la satisfaction que vous avez témoignée envers notre travail.

Nous nous engageons à continuer de fournir un service de grande qualité et à suivre le rythme des nouvelles technologies et des innovations pour donner le meilleur service possible à nos clients.

En guise de témoignage de notre reconnaissance, nous vous envoyons une lithographie du Vieux-Québec.

Nous vous prions d'agréer, Monsieur, l'expression de nos meilleurs sentiments.

La présidente,

Dorothy Dickson

/pt

PROPOSITION DE VENTE
(après une réclamation satisfaite)

128

Le 28 juin 2006

Madame Johane Carbonneau
1123, rue Panneton
L'Ancienne-Lorette (Québec)
G2E 6E7

Madame,

Merci de nous avoir informés sans tarder de l'écaillage de la peinture sur la porte que nous vous avons livrée il y a environ un an. Votre plainte nous a permis d'établir que, malgré plusieurs essais qui semblaient probants, ce type de peinture ne répond pas à nos exigences de qualité. Nous l'avons donc abandonnée.

Nous nous excusons sincèrement des ennuis que nous vous avons causés et nous remplacerons le panneau défectueux sans frais. Notre responsable du contrôle de la qualité communiquera avec vous pour choisir la date qui vous convient le mieux.

Quand notre expert vous a rendu visite pour vérifier la porte, vous avez mentionné être à la recherche de portes de garage isolantes pour votre nouvel immeuble. Je suis certain que nous avons ce dont vous avez besoin; je vous envoie donc ci-joint une brochure décrivant les modèles de portes ordinaires et isolantes que nous pouvons fabriquer selon vos besoins. Avec de la peinture très résistante, bien entendu!

Par ailleurs, afin de compenser les désagréments subis, nous vous offrons une réduction de 10 % sur votre prochaine commande.

Je vous appellerai d'ici 15 jours pour discuter des conditions éventuelles.

Le directeur du marketing,

Jean-Louis Charrois

/pv

p. j. Brochure

EXPLICATIONS SUR UN MALENTENDU

129

Le 15 juin 2006

Monsieur Bernie Webster
Directeur des achats
Barnick Fabrics Inc.
83 Henderson Avenue, Suite 15
Thornhill (Ontario) L3T 2L1

IL S'AGIT SIMPLEMENT D'UN MALENTENDU!

À la suite d'une mauvaise interprétation de notre part, les montures de lunettes d'enfant que vous avez commandées ont été livrées à deux reprises. En fait, lorsque vous nous avez demandé si nous avions reçu votre commande du 30 mai et que vous avez envoyé une télécopie « au cas où », nous étions tellement préoccupés de combler vos besoins le plus rapidement possible que nous n'avons pas porté attention à la date et au numéro de commande, et nous l'avons interprétée comme une nouvelle commande. Avec le résultat que vous connaissez!

Nous avons deux solutions à vous proposer : soit vous nous retournez la commande de trop par Federal Express à nos frais, soit vous la gardez et la payez net 60 jours (au lieu du net 30 jours applicable à la première commande).

Pourriez-vous nous faire connaître votre décision dès que possible.

Nous nous excusons pour les inconvénients et espérons que l'une ou l'autre des solutions suggérées vous satisfera pleinement.

Nous voulions tellement nous assurer que vous ne seriez pas en rupture de stock!

Mary Tyler
Mary Tyler
Préposée à la livraison

130

JUSTIFICATION D'UNE HAUSSE DE PRIX

Le 2 novembre 2006

Monsieur Jean-Yves Dionne
Directeur du personnel
Institut de géomatique de Sainte-Foy
736, avenue Nérée-Tremblay
Sainte-Foy (Québec) G1V 4J6

Monsieur,

Notre directeur de la consultation et de la formation, M. Réjean Arsenault, m'a fait part de votre mécontentement au sujet de la hausse des tarifs d'inscription à nos programmes réguliers de formation.

Permettez-moi d'abord de vous assurer que, si la chose avait été possible, nous n'aurions pas majoré nos prix. Toutefois, une augmentation importante du coût de la vie ainsi que la nécessité de verser des salaires adéquats – si nous voulons continuer à avoir les meilleurs formateurs – nous forcent à accroître légèrement nos tarifs. Je dis « légèrement », puisqu'ils sont maintenant de 98 $ par jour par participant au lieu de 95 $.

Veuillez noter toutefois que les tarifs pour les sessions privées données chez le client sont demeurés les mêmes, soit 72 $ de l'heure par groupe, tandis que le tarif préférentiel applicable au regroupement des achats en perfectionnement reste à 60 $ de l'heure par groupe.

Pour terminer, je crois utile d'attirer votre attention sur le fait que, même après la légère augmentation, nos tarifs sont parmi les plus bas sur le marché, alors que nos sessions de formation sont reconnues pour leur haute qualité.

J'espère que nous pourrons continuer à vous compter parmi nos clients.

La vice-présidente au service
à la clientèle,

Manon Giguère

/pv   Manon Giguère

133

ANNONCE D'UN RETARD DE LIVRAISON
(problème de transport)

Le 15 septembre 2006

Monsieur Denis Picard
R.S.M. Engineering & Construction
304, avenue Alexander
Moncton (Nouveau-Brunswick)
E1E 4N5

Référence : Votre commande AB-37 – retard dans la livraison

Monsieur, *Cher Denis*

    En raison d'incidents indépendants de notre volonté et qui ont temporairement entravé les opérations de notre expéditeur, vous recevrez votre commande d'arcs en acier galvanisé le 22 septembre plutôt que le 19 septembre.

    Comme ceci modifie une des conditions prévues dans votre lettre de crédit, pourriez-vous demander à votre banque d'émettre une nouvelle lettre de change et de la transmettre à notre banque, la Banque Laurentienne.

    Veuillez nous excuser pour ce contretemps; j'espère que cela ne vous causera pas de problèmes ni ne ternira notre dossier quasi parfait avec votre compagnie.

    Je vous remercie de votre compréhension.

Recevez, Monsieur, *Cher Denis* l'expression de mes sentiments les meilleurs.

Le directeur de la production,

Anthony Fraser

Anthony Fraser

/rl

ACCEPTATION D'UNE PLAINTE
(délai imputable à l'entreprise)

135

À : André Gagnon ‹ andregagnon@gagnonsports.ca ›

Cc :

Objet : Excuses pour retard livraison

Monsieur,

Nous vous sommes reconnaissants d'avoir porté immédiatement à notre attention le retard dans la livraison de votre commande. Il est très regrettable que, à la suite d'un malentendu, vous ayez reçu vos patins après cinq jours, et non pas dans les 24 heures comme vous l'aviez demandé.

Nous vous prions de nous excuser pour cette erreur et pour les ennuis qu'elle vous a causés.

Vous nous avez rendu un réel service en nous signalant que notre mode de prise de commande téléphonique n'était pas aussi efficace et à l'épreuve des erreurs que nous l'avions pensé. Votre plainte et vos remarques détaillées nous ont permis de remettre en question nos façons de faire afin d'éviter que des cas semblables ne se reproduisent.

Nous vous remercions de votre aide et de votre compréhension.

Roger Pelletier
Responsable de l'expédition

139

ACCEPTATION D'UNE PLAINTE
(état de la marchandise)

Le 10 juillet 2006

Monsieur Andy Benvetti
Dupont & Barns inc.
125, avenue des Champs-Elysées
Paris 75008
FRANCE

Votre référence : Q 94-154

Objet : Sinistre maritime
Navire : *Canmar Venture*
N° de connaissement : OPB 1234
Voyage : Montréal-Le Havre
Type de marchandise : 75 colis de bicyclettes
Date : 26 juin 2006

Monsieur,

Nous accusons réception de votre avis de sinistre du 6 juillet dans lequel vous faites état de la non-réception de 20 colis de bicyclettes. Afin de nous permettre de compléter le dossier pour transmission aux assureurs, auriez-vous l'obligeance de nous faire parvenir les documents suivants :
- l'original du certificat d'assurance;
- un bordereau de colisage;
- un duplicata du connaissement maritime et des autres titres de transport;
- une copie de la demande en dommages-intérêts adressée au transporteur;

- l'attestation définitive de non-livraison délivrée par le transporteur;
- le reçu de livraison annoté par le transporteur;
- le montant détaillé de la réclamation.

Dès que nous aurons reçu ces documents, nous verrons à prendre les mesures nécessaires pour acheminer votre dossier aux assureurs aux fins d'appréciation.

Nous vous prions d'agréer, Monsieur, l'expression de nos sentiments les meilleurs.

Le vice-président,

André Bernard

/pm   André Bernard

140

ACCEPTATION D'UNE PLAINTE
(matériel défectueux)

Le 28 novembre 2006

Monsieur Fulton Martin
580, 104ᵉ Rue
Saint-Georges-de-Champlain (Québec)
G9T 5E7

Monsieur,

Le représentant de Design Plus ltée, M. Gilles Girard, nous a informés que la baignoire TMU 900 de Bains Cosmos, qu'il vous a vendue récemment, était défectueuse.

Je vous assure que Bains Cosmos entend offrir un service hors pair, s'étant engagé dans une démarche de qualité totale. Malheureusement, malgré toute notre bonne volonté et nos mesures de contrôle, il peut arriver qu'une baignoire ne répondant pas à nos critères de qualité soit livrée à un distributeur. Dans de tels cas rarissimes, notre politique est de corriger la situation dans le meilleur intérêt du client.

Votre baignoire TMU 900 sera remplacée à nos frais. Néanmoins, comme nous avons des commandes en attente pour la couleur sarcelle, ce qui est attribuable à des délais de livraison imposés par notre fournisseur d'acrylique, nous ne pourrons vous expédier votre nouvelle baignoire sarcelle avant la mi-janvier 2007. Entre-temps, M. Girard a été autorisé à faire toutes les réparations nécessaires à votre baignoire.

Veuillez nous excuser pour les désagréments, inévitables mais temporaires. Nous vous prions d'agréer, Monsieur, l'expression de nos bons sentiments.

Le directeur commercial,

Claude Martin

/yt

c. c. Gilles Girard

ACCEPTATION D'UNE PLAINTE
(erreur de facturation)

143

Le 23 janvier 2006

Madame Judie Andersen, présidente
Conception nouveau-genre inc.
20, rue Bouffard, bureau 12
Windsor (Québec) J1S 2R1

Notre référence : 325 A 12

Vous avez raison!

      Nous vous avons envoyé un état de compte erroné. En effet, nous avons négligé de calculer sur votre dernière commande la remise au détaillant additionnelle à laquelle vous avez droit.

      Pour corriger la situation, nous avons déduit 489,75 $ du dernier relevé que vous avez reçu. Le montant net payable est donc de 5 732,21 $, au lieu de 6 221,96 $, comme l'indique le relevé corrigé ci-inclus.

      Veuillez m'excuser de cette erreur. Je vous suis reconnaissante de l'avoir signalée. J'ai avisé le Service de la comptabilité qu'une telle négligence ne pouvait être tolérée et que vos commandes futures devront faire l'objet d'une attention toute particulière.

      Nous sommes heureux de faire affaire avec vous et attendons votre prochaine commande avec impatience pour vous démontrer que nous sommes en mesure de vous offrir un service impeccable.

Développement et affaires
internationales,
La vice-présidente,

Dominique Fardais

Dominique Fardais

/rpo

p. j. Nouveau relevé de compte

147

ACCEPTATION D'UNE PLAINTE
(mauvais service)

Le 10 mai 2006

Docteur Youri Vasiliev
Président
Optolco Laboratories Co.
68 Spruce Meadows Drive
Kanata (Ontario) K2M 2K4

Docteur,

J'ai été fort désappointée d'apprendre que nous ne vous avions pas donné entière satisfaction. D'abord, parce que vous êtes un client de longue date avec qui, jusqu'à maintenant, nous avons eu un dossier d'affaires impeccable. Ensuite, parce que la satisfaction de nos clients est plus qu'importante : elle est notre devise et notre principe directeur. Enfin, parce que, en dépit de nos efforts constants et de nos précautions, nous n'avons pas respecté nos normes de qualité.

J'ai demandé à Daniel Lavoie, notre directeur commercial, de vous appeler et de voir comment nous pourrions corriger la situation et compenser les ennuis que cet incident vous a causés.

Je vous suis très reconnaissante d'avoir immédiatement porté à mon attention les défauts de notre service à la clientèle : cela nous permet de rester vigilants et de nous améliorer.

Comme vous le savez, nous recherchons constamment à mieux servir notre clientèle.

Monique Dubuc

Monique Dubuc, coordinatrice

P.-S. – Je saisis l'occasion pour vous inviter à notre journée portes ouvertes, le 3 juin prochain. Une invitation est jointe à la présente.

/ms

Pièce jointe

c. c. Daniel Lavoie, directeur commercial

150

REFUS D'EXÉCUTER UNE COMMANDE
(commande trop importante)

Le 27 janvier 2006

Madame Claire Dubuc
Directrice générale
Compagnie ABC
667, 6ᵉ Rue
Saint-Jérôme (Québec)
J7Z 5Y7

Madame,

J'ai été honoré de vous rencontrer à la Foire des meubles de Dallas et de vous présenter notre nouveau modèle de mobilier de chambre à coucher. L'intérêt que vous avez témoigné m'a à la fois comblé de joie et rempli d'appréhension : j'étais très fier qu'une entreprise renommée comme la vôtre ait confiance en nos produits, mais je redoutais aussi que vous m'expédiiez une commande trop importante pour nos capacités.

Ces craintes se sont confirmées lorsque j'ai reçu votre commande de 2 000 ensembles de mobilier de chambre à coucher à livrer dans les six mois. Cette commande est des plus stimulantes; toutefois, malgré toute ma bonne volonté, ce n'est que d'ici deux ans que je pourrais l'exécuter avec mes installations actuelles.

Nous nous faisons un devoir d'honorer totalement toutes les conditions des contrats que nous signons. Nous pouvons satisfaire vos normes de qualité, mais pas vos exigences de quantité. C'est donc avec regret que je dois renoncer à votre commande telle que rédigée. Je serais cependant heureux de vous fournir une plus petite quantité de mobiliers de chambre à coucher ou d'étaler l'exécution de votre commande sur une plus longue période.

J'espère que vous êtes ouverte à ces options et que j'aurai bientôt de vos nouvelles pour discuter des conditions de réalisation.

Veuillez agréer, Madame, l'expression de mes bons sentiments.

Le directeur du marketing,

André Matthieu

/rf

151

REFUS D'EXÉCUTER UNE COMMANDE
(pour rupture de stock)

Le 16 août 2006

Monsieur Alain Deblois
Bains et Décor Deblois inc.
4950, avenue Madison, bureau 234
Montréal (Québec) H3X 3T1

Monsieur,

Je vous remercie pour votre commande de 6 000 porte-savon chinois Blue Monsoon. Le succès de ces porte-savon a été tout simplement phénoménal. Ils faisaient partie d'un lot important que nous avons acheté il y a un an, une quantité qui, selon nous, pouvait couvrir une période de deux ans. Toutefois, la demande a dépassé de beaucoup toutes nos attentes, et nos stocks sont épuisés.

Néanmoins, nous avons un excellent substitut de prix et de qualité comparables, et qui gagne rapidement en popularité : le porte-savon Blue Moon, offert en bleu foncé ou en mauve; un gobelet et un distributeur de savon du même style sont aussi offerts (page 14 de notre catalogue sur cédérom). Pour vous permettre d'évaluer le porte-savon Blue Moon, je vous envoie un échantillon par courrier séparé.

Je vous appellerai d'ici une semaine pour connaître votre intérêt pour ces nouveaux produits.

Veuillez agréer, Monsieur, l'expression de mes bons sentiments.

Lucy Hilton
Bureau de l'approvisionnement

P.-S. – Nous garantissons un approvisionnement continu des produits Blue Moon pour une période de 24 mois.

p. j. Cédérom

REFUS DE MODIFICATIONS DE CONDITIONS

152

Le 8 février 2006

Madame Louise Desnoyers
Secrétaire de direction
Desnoyers & Filles inc.
9708, rue Airlie
LaSalle (Québec) H8R 2B9

Objet : Demande pour que votre annuaire soit publié plus tôt

Madame,

Dans votre dernière lettre, vous nous demandiez si nous pouvions produire
l'annuaire 2006-2007 de vos membres pour le 13 avril, soit deux mois avant
la date initialement prévue.

Après avoir évalué toutes les possibilités selon notre calendrier de travail,
nous arrivons toujours à la même conclusion : cette demande est irréali-
sable. Les étapes de cueillette et de vérification des données ne peuvent
être comprimées sans risque de nuire à l'exactitude des contenus, ce qui
est inacceptable tant pour vous que pour nous. De plus, notre échéancier
pour cette période est déjà trop chargé; nous ne pourrions absorber cette
surcharge, et encore moins fournir la qualité à laquelle nous avons habitué
nos clients.

Même si nous tentons de toujours satisfaire notre clientèle, nous devons
admettre avec regret que, cette fois, nous sommes dans l'impossibilité de
le faire.

Veuillez agréer, Madame, l'expression de nos meilleurs sentiments.

La présidente-directrice générale,

Lucie Guilbault

/bm

154

REFUS DE REMBOURSEMENT
(formation)

Le 2 février 2006

Madame Sylvie Loiselle, directrice
Développement organisationnel
I.C.I. Canada inc.
311, chemin du Richelieu
McMasterville (Québec) J3G 1T7

Madame,

Nous avons le plaisir de vous envoyer ci-joint un chèque de remboursement de 1 450 $, ce qui représente 50 % de vos frais d'inscription pour la première année de notre programme de développement continu des cadres.

Comme nous en avons discuté hier au téléphone et comme le précise clairement le contrat d'inscription que vous avez signé le 12 janvier (dont copie surlignée est jointe), le maximum remboursable à un participant qui se désiste est de 50 % des frais d'inscription annuels, et ce, même s'il n'a participé qu'à une des trois sessions annuelles.

Nous sommes désolés que vous ayez décidé d'interrompre votre participation à notre programme, mais nous espérons vous voir bientôt à une de nos nombreuses autres sessions (voir le catalogue).

Si vous avez besoin de plus amples renseignements, n'hésitez pas à m'appeler.

Veuillez agréer, Madame, l'expression de nos meilleurs sentiments.

Christine Chamberland
Conseillère

/ib

p. j. (3)

REFUS DE REMBOURSEMENT
(matériel endommagé)

155

Le 10 janvier 2007

Madame Kim Larochelle
270, chemin du Docteur-Lemay
Rouyn-Noranda (Québec)
J9X 5T2

Madame,

Dans ma lettre du 14 décembre, j'ai précisé que votre compte serait crédité du prix total de la baignoire que vous aviez achetée chez nous, c'est-à-dire 834,86 $, si elle nous était retournée en parfaite condition de vente.

Or, lorsque nous avons reçu la boîte, nous avons remarqué sur la baignoire des bosses et des égratignures très visibles qui n'ont pu se produire durant le transport. Comme elle ne peut maintenant être vendue, nous ne pouvons vous rembourser le montant que vous avez payé.

Je regrette d'avoir à vous désappointer, mais je crois que, dans les circonstances, vous comprendrez notre position.

Veuillez agréer, Madame, l'expression de nos bons sentiments.

Le directeur du service
à la clientèle,

Claude Martin

/yt

156

REFUS D'ACCORDER UNE REMISE

Le 19 mai 2006

Yeh Chan
Credit Manager
Vallard Disco Inc.
123 Changle Road
Shanghai JJTBC CN
CHINE

Monsieur ou Madame,

Votre lettre demandant des conditions spéciales de vente, soit 2/10, net 30, nous cause un problème.

Nos prix et conditions présentement affichés incluent déjà toutes les remises que nous pouvons consentir sans sacrifier la qualité de nos produits et de nos services. Bien que j'aimerais faire une exception dans votre cas, je dois tenir compte du fait que vous donner un traitement préférentiel serait inéquitable à l'égard de nos autres clients. Et, si nous étendions ces conditions à tous nos clients, nous serions bientôt forcés de cesser nos activités!

Avec votre expérience en affaires, je suis sûre que vous comprenez que nous devons maintenir une politique de prix qui offre un traitement égal tout en garantissant un service de qualité ainsi qu'un programme continu de recherche et de développement.

J'espère pouvoir compter sur votre compréhension et je vous prie de recevoir, Monsieur ou Madame, mes salutations distinguées.

La directrice du marketing,

Louise Giroux

/rae

REFUS DE REMPLACEMENT
(produits installés)

159

Le 5 octobre 2006

Docteur Jean-Louis Garneau
Président
Laboratoires Ophtico inc.
13405, 16ᵉ Avenue
Montréal (Québec) H1E 1T3

Docteur,

C'est toujours agréable de vous parler, même s'il s'agit de problèmes, la partie moins souhaitée d'une relation d'affaires.

Après votre appel, j'ai immédiatement demandé au Service des projets spéciaux pourquoi les deux éviers en acier inoxydable que nous avons installés dans votre laboratoire étaient égratignés et bosselés. Selon le rapport que j'ai reçu (dont copie est jointe à la présente), dès que les éviers et les unités de réfrigération ont été installés, ils ont été inspectés par M. Paquet, notre contremaître, ainsi que par M. Grégoire, votre ingénieur. À la suite de l'inspection, M. Grégoire a signé un certificat de conformité.

Se peut-il que les dommages soient survenus plus tard? C'est la seule explication qui me vient à l'esprit, mais j'aimerais connaître votre version.

À moins que vous ne fournissiez d'autres preuves, nous croyons que nous n'avons aucune responsabilité légale de remplacer les éviers; toutefois, pour vous accommoder, nous pourrions envoyer des spécialistes qui les répareront au prix coûtant. (Voir l'estimation de coût ci-jointe.)

Dans l'attente de vos nouvelles, je vous prie d'agréer, Docteur, l'expression de mes meilleurs sentiments.

Le président-directeur général,

Claude Germain

/ew

Pièces jointes : 2

REFUS DE RETOUR DE MARCHANDISE

160

Hull, le 23 février 2006

Madame Leila Cooper
649 Main Street N, Suite 64
Airdrie (Alberta) T4B 2A1

Madame,

Nous avons adopté une politique de retour pour accommoder nos clients qui changent d'idée et pour nous assurer que nos vêtements ne sont jamais une source d'insatisfaction. Toutefois, même une politique de retour très libérale comme la nôtre a ses limites.

Lorsque vous avez acheté les deux robes lors du solde d'il y a trois mois, nous vous avons informée que la vente était finale et que les robes ne pouvaient être retournées. Votre facture porte d'ailleurs le tampon *Vente finale*.

De plus, quand les retours sont permis, ils doivent être effectués dans un délai d'un mois. Dans votre cas, ce délai a été largement dépassé, car vous désiriez retourner les robes deux mois et demi après la date d'achat.

Des règles minimales doivent être établies pour éviter les difficultés, même si ces règles nous empêchent parfois d'être aussi souples que nous voudrions l'être.

Nous vous prions d'agréer, Madame, l'expression de nos bons sentiments.

Margo Boudreault
Margo Boudreault
Service à la clientèle

LES TRANSACTIONS AVEC LES FOURNISSEURS

Les principes généraux de rédaction

Même si l'ensemble des conseils offerts dans les sections précédentes s'applique aussi aux communications avec le fournisseur, un principe majeur caractérise toute bonne lettre ou message à ce dernier :

Le besoin de clarté

En effet, pour que vous soyez en mesure d'offrir un produit de qualité, il faut que votre fournisseur vous livre ce qui a été prévu tout en respectant les conditions entendues. Or, beaucoup de problèmes avec les fournisseurs sont causés par le manque de compréhension claire de ce qui est attendu.

Aussi, vos communications écrites et verbales doivent préciser la majorité des points suivants :

* quoi (ou qui)?
* en quelle quantité?
* à quel prix?
* à quelles conditions? (y compris la protection de la propriété intellectuelle)
* pour quand?
* où?
* mode de confirmation?
* mode de livraison?

162

DEMANDE D'INFORMATION
(gamme de produits)

Québec, le 1er février 2006

Division du marketing
Vélocycle inc.
2480, rue de l'Église
Saint-Laurent (Québec) H4M 1G4

Mesdames,
Messieurs,

Lorsque j'ai visité votre stand l'automne dernier à la Foire commerciale des activités de plein air du New Jersey, votre représentant a mentionné que vous étiez sur le point de produire de nouvelles enveloppes protège-bicyclette en nylon à l'épreuve des déchirures.

Fidèle à sa promesse, il m'a récemment fait parvenir une brochure décrivant les enveloppes ainsi qu'une liste de prix. Veuillez l'en remercier.

Compte tenu de l'intérêt que suscite votre produit de par son aspect pratique et sa conception, j'aimerais savoir si vous avez d'autres produits présentant la même robustesse et la même qualité. Si c'est le cas, je pourrais en inclure certains dans ma commande.

Par conséquent, veuillez me faire parvenir :

- un échantillon de l'enveloppe protège-bicyclette;
- une brochure décrivant tous vos produits, y compris ceux destinés aux enfants, avec indication de la couleur et de la grosseur;
- la liste de prix pour 1 000, 5 000 et 10 000 articles.

J'espère avoir bientôt de vos nouvelles.

Le directeur des achats,

André Matte

/kb

DEMANDE D'INFORMATION
(conditions de paiement)

164

Le 10 janvier 2006

Monsieur Michel Bouliane
Copie Express
2360, chemin Sainte-Foy
Sainte-Foy (Québec) G1V 4H2

Monsieur,

Votre entreprise nous a été fortement recommandée par des clients qui apprécient autant la qualité de votre travail que votre tarification. Nous vous demandons donc de nous envoyer une soumission pour l'impression d'une brochure. Les caractéristiques sont les suivantes :

- 24 pages imprimées recto verso, une couleur;
- papier offset 40 M blanc;
- format : 8 1/2" x 7";
- assemblée et brochée à cheval (couvertures fournies);
- tirage : 4 000 exemplaires;
- date de livraison : 14 février.

Nous pourrons remettre les fichiers PDF haute résolution le 24 janvier.

Nous vous saurions gré de nous envoyer votre soumission au plus tard le 17 janvier.

Veuillez agréer, Monsieur, l'expression de nos bons sentiments.

Le directeur du marketing,

Jean Vincent

/tp

165

DEMANDE D'INFORMATION
(conditions de paiement)

Rimouski, le 9 novembre 2006

Ergotechnic Co., Ltd.
521 First Avenue South
Seattle, WA 98104-2871
ÉTATS-UNIS

À l'attention du directeur de l'expédition

**Nous sommes vivement intéressés par votre chaise
d'ordinateur ergonomique Backrest!**

Nous avons vu et essayé votre chaise de bureau équipée de deux coussins ajustables pour supporter le bas et le milieu du dos.

Nous avons l'intention de passer une commande initiale de 100 chaises, avec la possibilité d'une commande additionnelle de 250 chaises. Votre catalogue indique un prix par article de 599 $ US. Quelle garantie et quel service sont compris? Quelle est la remise si nous achetons les quantités indiquées ci-dessus? Les frais d'emballage et d'expédition sont-ils inclus? Pouvez-vous vous charger des démarches de dédouanement? Sinon, pouvez-vous nous recommander une bonne compagnie de transport?

J'ai besoin de ces renseignements et de tout autre que vous jugerez utile pour prendre une décision.

Dans l'attente de vos nouvelles, je vous prie d'agréer, Monsieur ou Madame, l'expression de mes meilleurs sentiments.

Le directeur de l'approvisionnement,

Bill Payeur

/rl

INVITATION À SOUMISSIONNER

167

Le 8 mai 2006

Tanji Designs
7507 Shadywood Road
Bethesda, MD 20703
ÉTATS-UNIS

À l'attention du directeur des ventes

Madame,
Monsieur,

Nous songeons à doter nos employés itinérants d'ordinateurs portables reliés à notre réseau. Par conséquent, nous vous demandons ainsi qu'à trois autres entreprises de nous présenter une soumission pour 150 unités livrables avant le 1er août.

La soumission devra comprendre au minimum les éléments suivants :

- le prix par unité;
- la compatibilité avec l'équipement téléphonique et l'équipement d'automobile;
- l'offre de mallettes;
- les conditions de paiement, y compris les remises pour quantités importantes ainsi que les conditions d'expédition et d'assurance;
- les garanties et le service après-vente.

Nous nous attendons à recevoir votre soumission d'ici le 1er juin. Dans l'intervalle, si vous avez des questions, n'hésitez pas à communiquer avec moi.

Je vous prie d'agréer, Madame ou Monsieur, l'expression de mes bons sentiments.

Christian Tremblay
Service des achats
Tél. : 418 681-8347
christtremb@bvt.com

/cv

TRANSMISSION D'UNE COMMANDE
(accompagnée du numéro de carte de crédit)

170

Le 23 janvier 2006

Service de l'approvisionnement
Produits Muir inc.
489, rue Collins
Farnham (Québec) J2N 2P1

Mesdames,
Messieurs,

En tant que distributeur d'équipement et d'appareils dentaires, nous souhaitons essayer votre nouveau collecteur de poussière SH-1 paraissant
dans votre dernier catalogue. Veuillez donc nous en envoyer deux.

Selon la liste de prix incluse dans votre catalogue, nous comprenons que
le coût est de 750 $ par article.

Pour cette première commande, vous pouvez porter la somme de 1 500 $,
plus les frais de transport et les taxes, à notre compte Visa :

> Numéro de carte : 0000 000 000 000
> Date d'expiration : 10/01
> La carte est au nom de : Dentapro

Nous aimerions également faire une demande de crédit auprès de votre
entreprise. Auriez-vous l'obligeance de nous transmettre les formulaires
nécessaires.

Veuillez agréer, Mesdames, Messieurs, l'expression de nos meilleurs
sentiments.

Le président,

Jean Robichaud

/cd

173

LETTRE D'INTENTION

Lettre d'intention pour l'achat de matériel informatique

Monsieur Yvan Legros
CDI Informatique inc.
11605, boulevard Lévesque Est
Laval (Québec) H7A 4C6

Monsieur,

La Banque provinciale (la « Banque ») a l'intention d'acheter du matériel informatique chez CDI Informatique. Le but de la présente lettre est de résumer nos discussions et de confirmer nos intentions respectives de conclure la transaction proposée.

1. La Banque a l'intention d'acheter, de CDI Informatique, le logiciel *Vanbardi*.

2. Le prix d'achat du modèle 150 devrait être de 5 000 $ ou moins, selon ce que CDI Informatique est en mesure de consentir à la Banque.

3. La Banque et CDI Informatique feront tout ce qui est en leur pouvoir pour conclure un contrat au plus tard le 1er janvier 2007.

4. Afin de garantir la livraison ponctuelle du modèle 150, la Banque a versé à CDI Informatique, en guise d'acompte, une somme correspondant à 10 % du prix d'achat. Cette somme sera remboursée dans les meilleurs délais en cas de rupture des négociations.

5. Advenant qu'aucun contrat ne soit signé d'ici le 15 février 2007, et ce, pour quelque raison que ce soit, la Banque ou CDI Informatique ont toutes deux le droit de mettre fin aux négociations sans autre obligation.

2

Ce document constitue uniquement une lettre d'intention. Il ne se veut pas, et ne constitue d'aucune façon, une obligation ou un accord juridique, tout comme il n'impose aucun devoir ni aucune obligation légale à quelconque des deux parties.

Si les conditions énumérées ci-dessus traduisent bien notre déclaration d'intention mutuelle, veuillez signer et retourner la lettre d'intention ci-jointe.

Veuillez agréer, Monsieur, l'expression de nos sentiments distingués.

La Banque provinciale

Convenu par
CDI Informatique inc.

Par : _____

Par : _____

Titre : _____

Titre : _____

Date : _____

Date : _____

174

CORRECTION D'UNE COMMANDE

Le 3 mars 2006

Madame Isabelle Beauchamp
Ateliers Beauchamp
8801, boulevard Newman
LaSalle (Québec) H8R 1Y9

Objet : Correction de notre commande de napperons
de papier n° QC 352

Madame,

Nous avons commandé l'impression de 300 000 napperons faits de papier recyclé pour tous nos restaurants en Ontario. Toutefois, nous avons récemment revu nos chiffres et nous nous sommes rendu compte que nous avions commandé 50 000 napperons de trop.

Comme nous en avons discuté au téléphone, le coût unitaire pour la commande révisée sera ajusté en conséquence. Nous comptons recevoir tous les napperons avant le 7 avril, tel qu'il a été convenu.

Veuillez agréer, Madame, l'expression de nos meilleurs sentiments.

Restaurant Le Douville

Anne Thibault
Service du marketing et de l'environnement

RÉCEPTION D'UNE COMMANDE

176

À :	Leanne Bourgeois ‹ leannebourgeois@compperipherals.on.ca ›
Cc :	
Objet :	Réception de notre commande

Madame,

Nous venons de recevoir les six micro-ordinateurs ainsi que les logiciels qui nous permettront d'enseigner le dessin assisté par ordinateur aux employés qui suivent des stages de formation chez nous.

Nous tenons à vous remercier d'avoir exécuté notre commande dans un délai aussi court. Comme je l'ai mentionné au téléphone avant-hier, des inscriptions de stagiaires à la dernière minute nous ont contraints à acheter cet équipement plus tôt que prévu.

Dans un autre ordre d'idées, nous songeons à moderniser nos laboratoires et aimerions bénéficier à nouveau des précieux conseils de votre spécialiste, M. Marcel Dutry. Pourriez-vous lui demander de m'appeler d'ici 15 jours au 450 659-9999?

Vous remerciant à nouveau pour votre diligence à répondre à nos besoins, je vous prie d'agréer, Madame, l'expression de mes meilleurs sentiments.

Jean Cusson
Directeur
Informacours
www.informacours.ca

178

RÉCEPTION DE MARCHANDISE NON CONFORME

<u>PAR TÉLÉCOPIE</u>   Le 20 novembre 2006

Monsieur Hans Meyer
Agent de ventes
Zackpack International
50 Wonderland Drive
Scarborough (Ontario) M1G 2Y1

Monsieur,

Nous venons de recevoir les 40 chaises d'ordinateur ergonomiques que nous avions commandées il y a une semaine et nous tenons à vous remercier pour votre rapidité.

Malheureusement, la marchandise ne répond que partiellement à nos attentes : nous avions commandé 20 chaises bleu foncé, 15 chaises magenta et 5 chaises brun-roux (voir copie de notre commande n° 3412 ci-jointe). Or, les chaises expédiées sont toutes bleu foncé.

Cette erreur est d'autant plus regrettable que nous attendons ces chaises pour inaugurer nos nouveaux bureaux ergonomiques. Nous vous demandons donc de nous expédier les chaises magenta et brun-roux au plus tard vendredi de la semaine prochaine. Sur réception de la marchandise, nous remettrons à votre transporteur les 20 chaises bleu foncé.

S'il y a un problème, appelez-moi immédiatement. Si vous n'avez pas les couleurs requises, nous nous attendons à recevoir plein crédit pour les 20 chaises que nous vous retournerons à vos frais.

Pour accélérer le processus, je vous envoie cette lettre par télé-copie et par courriel.

Je vous prie d'agréer, Monsieur, l'expression de mes meilleurs sentiments.

La coprésidente,

Ginette Major

/mnc   Ginette Major

Pièce jointe

RETOUR AVEC GARANTIE

<u>PAR EXPRÈS</u>   Le 6 juin 2006

Navico inc.
5450, place Piché
Brossard (Québec) J4W 2Z8

<u>À l'attention du préposé aux garanties</u>

Monsieur ou Madame,

      Les instruments Devco Linus pour lesquels vous trouverez la facture ci-jointe ont été achetés il y a trois mois d'un détaillant de Sorel. Ils n'ont jamais bien fonctionné et, il y a quelques jours, ils ont cessé complètement d'effectuer du balayage et d'imprimer.

      Comme ils sont toujours sous garantie, je vous demande soit de les remplacer, soit de faire les réparations nécessaires. Veuillez m'indiquer ce que vous entendez faire.

      Ces instruments sont essentiels pour mes activités nautiques, et je compte pouvoir en disposer d'ici 15 jours.

      JE M'ATTENDS À CE QUE LES INSTRUMENTS DE HAUTE QUALITÉ QUE J'AI ACHETÉS SOIENT FONCTIONNELS.

Hélène Renauld

/mb

p. j.

DÉLAI DE LIVRAISON

181

Le 16 août 2006

Signore Frank Sintra
Bocconi Elevator Fixtures Inc.
Via R Sarfatti 37
Milano 20136
ITALIE

ASSEZ, C'EST ASSEZ!

Il y a trois mois, vous nous avez présenté votre soumission pour installer des boiseries et pour effectuer la décoration intérieure des 40 ascenseurs de notre projet du centre-ville de Montréal. Vous avez alors affirmé que les équipements et le personnel seraient en place au plus tard le 31 juillet. Sur la foi de votre affirmation et à partir des autres éléments de votre soumission, nous avons retenu votre entreprise pour effectuer les travaux. Lorsque vous avez été informé de notre décision, vous avez affirmé, et je cite : « Il n'y aura pas de retard avec nous! »

Quand j'ai communiqué avec vous le 6 juillet, vous avez mentionné que, compte tenu de problèmes de relations de travail, il pourrait y avoir un retard de quelques jours, tout au plus d'une semaine.

Vous ne vous êtes pas présenté le 3 août, comme nous l'avions pourtant convenu. Lorsque je vous ai finalement joint par téléphone après plusieurs essais infructueux, vous m'avez promis que vous seriez ici le 14 août.

J'ai réussi à faire reporter la date de la fin des travaux, car j'étais convaincu que, cette fois-ci, vous tiendriez parole. Mais, encore une fois, j'ai été déçu.

D'après ce que votre secrétaire m'a dit ce matin, vous êtes toujours à Milan, alors que les ascenseurs sont inopérants et que, à cause de vous, nous devrons payer une amende pour non-respect des échéances.

J'ai confié ce dossier à nos avocats en leur donnant des instructions précises : soit vous vous conformez immédiatement aux conditions du contrat, soit nous entamons des poursuites pour vous faire exécuter votre partie du contrat et vous faire payer les amendes ainsi que les dommages et intérêts.

LES BOISERIES DENIS LTÉE

Paul Denis, ing.

/rl

DOUTE SUR LA FACTURATION

183

Le 20 octobre 2006

Señor Arturo Gallena
Carbanas Inc.
Avda de la Libertad 20.3
20004 SAN SEBASTIAN
ESPAGNE

Objet : Votre relevé de compte du 12 octobre

Monsieur,

En comparant votre relevé de compte avec nos écritures comptables, nous avons noté des divergences que nous désirons porter à votre attention.

Facture nº 9432 du 15 septembre : Le montant de 245,25 $ CA a été débité à deux reprises. (Voir le même montant et la même référence le 30 août, surlignés en jaune.)

Facture nº 9448 du 21 septembre : Vous débitez notre compte de 398,64 $ CA. Pourtant, nous ne trouvons aucune trace de facture ou de bordereau de livraison pour ce montant, ni d'article commandé ce jour-là.

Facture nº 9456 du 29 septembre : Selon nos livres, le montant devrait se lire 378,00 $ CA au lieu de 398,00 $ CA.

Nous vous ferons parvenir notre chèque dès que nous aurons reçu un relevé de compte corrigé.

Veuillez agréer, Monsieur, l'expression de nos bons sentiments.

Philippe Kleen

Philippe Kleen
Comptabilité

/yt

p. j.

185

PLAINTE
(conditions de transport)

Le 1ᵉʳ décembre 2006

Mr. Ryan O'Leary
Kanloops Stationery Inc.
4 Burlington Road
Dublin 4
IRLANDE

Monsieur,

Nous avons reçu les trois caisses de papier à lettres que nous avions commandées. Toutefois, le papier contenu dans deux des caisses est trop endommagé pour être utilisé. Une des caisses est tellement écrasée que toutes les feuilles sont froissées; dans la deuxième, les feuilles ont été abîmées par l'eau.

À votre demande, le transporteur est venu établir les dommages, comme en témoigne le bordereau ci-joint. Il a aussi mentionné qu'il était prêt à donner suite à la réclamation que vous présenterez pour la perte encourue.

J'espère que vous serez en mesure de nous envoyer deux autres caisses de papier d'ici trois semaines.

Je vous prie d'agréer, Monsieur, l'expression de mes meilleurs sentiments.

Jean-Marie Coutu
Agent d'approvisionnement

/vb

DEMANDE DE L'APPLICATION
DES ASSURANCES

186

Le 16 mai 2006

Herre Johann Jensens
Høbeldork
P.O. Box 141
629 Tåstrup
Copenhagen
DANEMARK

Objet : **Marchandise manquante**
Notre commande n° DA 183

Monsieur,

Hier, lorsqu'on nous a livré notre commande, nous avons remarqué qu'il manquait une des six caisses – la caisse n° 43562. Nous l'avons indiqué sur le bordereau de consignation, et le transporteur a contresigné. Une photocopie est jointe à la présente.

Comme notre entente générale prévoit que toute marchandise est expédiée CAF à nos bureaux de Montréal, nous vous demandons de présenter une réclamation à votre compagnie d'assurance pour le colis manquant.

Dans l'intervalle, nous souhaitons que vous remplaciez le colis rapidement. Pensez-vous que nous pourrions le recevoir d'ici deux semaines?

N'hésitez pas à m'appeler s'il y a des problèmes.

Je vous prie d'agréer, Monsieur, l'expression de mes meilleurs sentiments.

Le président,

Pierre Grenier

/rt

p. j.

187

DEMANDE DE DÉLAI DE PAIEMENT

Le 7 septembre 2006

Monsieur Jean Généreux
Généreux et Cie
3785, chemin de la Canardière
Québec (Québec) G1J 2G6

Monsieur,

Nous sommes désolés de ne pas être en mesure de vous faire parvenir notre chèque de 1 204,60 $ qui est exigible dans deux jours.

Comme vous le savez, dans le passé, nous avons toujours réglé nos comptes à temps et nous sommes fiers de notre excellente cote de crédit tant auprès de vous qu'auprès de notre banque. Cependant, à la suite d'investissements majeurs, nos liquidités seront plus limitées au cours des deux prochains mois.

Nous permettez-vous de payer la moitié du montant ci-dessus dans les 30 jours et le solde dans 60 jours? Si vous révisez notre dossier, vous remarquerez que les rares fois où nous avons demandé de retarder nos paiements, nous avons toujours respecté nos nouvelles échéances.

Veuillez nous excuser de ce retard. Nous espérons que vous comprendrez la situation.

Veuillez agréer, Monsieur, l'expression de nos meilleurs sentiments.

La coprésidente,

Ginette Loubier

Ginette Loubier

/rt

LE CRÉDIT ET LE RECOUVREMENT

Les principes généraux de rédaction

Si, dans la grande majorité des lettres d'affaires, un style personnalisé et même chaleureux a pleinement sa place, ce n'est pas le cas pour les lettres de recouvrement qui requièrent un mode d'expression plutôt administratif.

Dans toute lettre de crédit ou de recouvrement, gardez constamment à l'esprit les deux principes suivants :

1. Même si votre objectif est de vous faire remettre l'argent qui vous est dû, vous devez toujours vous préoccuper de continuer à faire affaire avec votre client, et même d'accroître vos ventes.

2. Rappelez-vous que c'est vous qui menez le dossier et qui fixez les modalités de crédit et de recouvrement, et non le client. Aussi, n'hésitez pas à suggérer à votre client de vous téléphoner afin que vous puissiez le convaincre d'accepter des conditions de paiement qui vous conviennent.

Les principales règles à observer sont les suivantes : tact, précision, concision et fermeté.

- **Tact**

  Il ne faudrait pas vous aliéner un futur bon client parce que vous lui refusez sans ménagement des conditions de crédit qui, selon son expérience, lui semblent justifiées.

  Dans la même foulée, évitez de malmener un client qui a oublié les dates ou les formalités de remboursement. Comme vous ne pouvez déterminer au départ si votre interlocuteur est mal informé, de mauvaise volonté ou distrait, le tact s'impose dans toutes vos lettres.

- **Précision**

Faites savoir clairement quelles sont vos conditions de crédit. Pour ce faire, il vous faut établir une politique interne connue de tous ceux qui traitent avec le public. Cette politique doit préciser les éléments immuables ainsi que ceux qui peuvent être modulés selon le client et l'amplitude du contrat. Par ailleurs, dans toutes vos communications, soyez très précis quant aux dates et aux sommes payables.

De nos jours, plusieurs transactions se font par téléphone, par télé-copie ou par courrier électronique. Mais rien ne remplace la lettre officielle lorsqu'il est nécessaire de documenter un dossier de façon solide. La lettre envoyée par la poste ou par messager, même si elle est précédée d'un document déjà transmis par courriel ou par télécopie, demeure donc un outil essentiel.

- **Concision**

Une bonne lettre de crédit ou de recouvrement doit rarement dépasser quatre paragraphes.

- **Fermeté**

Plus les transactions se compliquent et les délais de remboursement s'allongent, plus le formalisme et la rigueur s'imposent.

DEMANDE DE CRÉDIT

189

Sherbrooke, le 20 juin 2006

Herr Manfred Blumenthal
Directeur du crédit
BCT Gemeinte Geselschaft
Bismarkstrasse 52
5300 Bonn
ALLEMAGNE

Monsieur,

Depuis maintenant plus d'un an, nous achetons sur une base régulière de la marchandise de votre entreprise et nous avons toujours acquitté l'entièreté des achats à la livraison.

Nous envisageons d'augmenter nos commandes de 35 % et aimerions ouvrir un compte créditeur avec vous aux conditions 2/10, n/30. Nous espérons que vous nous consentirez ces conditions qui faciliteront nos transactions commerciales avec vous.

Si vous désirez des renseignements supplémentaires sur notre dossier de crédit et sur nos capacités financières, vous pouvez communiquer avec :

Eidoon, 5716, Mosholu Avenue, London W1X 3LA, Angleterre
Aura Systems, Rozenlaan 24, 1900 Overijsse, Belgique
Delrooney Burbing Inc., 65, Locust Avenue, New Canaan, CT 06840, États-Unis.

N'hésitez pas à communiquer avec nous si vous désirez de plus amples renseignements ou d'autres références.

Veuillez agréer, Monsieur, l'expression de nos meilleurs sentiments.

La vice-présidente à la production
et au marketing,

Suzanne Manning, ing.

CN/bt

DEMANDE DE MEILLEURES CONDITIONS
DE CRÉDIT

190

Le 9 février 2006

Monsieur Michel-André Garneau
Directeur du crédit
ACD inc.
9402, boulevard des Sciences
Anjou (Québec) H1J 3A9

Monsieur,

Nous faisons des affaires ensemble depuis plus de deux ans, et nos relations ont été des plus satisfaisantes, sans aucune plainte de part et d'autre.

Étant donné que nous avons établi notre cote de crédit auprès de votre entreprise et que nous avons un dossier impeccable en ce qui a trait au respect de nos obligations financières, nous vous demandons de meilleures conditions de crédit à partir du mois prochain : que celles-ci passent de 30 jours à 90 jours et que notre crédit commercial soit porté à 5 000 $.

Si vous avez des questions ou si vous désirez de plus amples renseignements, veuillez communiquer avec moi.

Je vous prie d'agréer, Monsieur, l'expression de mes meilleurs sentiments.

La vice-présidente aux finances
et au marketing,

Geneviève Parizeau

Geneviève Parizeau

/mb

191

DEMANDE DE RENSEIGNEMENTS AU CLIENT
AVANT D'ACCORDER UN CRÉDIT

Le 23 mars 2006

Monsieur Brant Calvin, M.B.A.
Président
Permilet Inc.
127 Suncanyon Park South East
Calgary (Alberta) T2X 2W4

Monsieur,

Nous avons bien reçu votre demande de crédit. Nous sommes heureux de pouvoir vous compter parmi nos clients. Sachez que nous ferons tout ce qui est en notre pouvoir pour vous assurer en tout temps un service rapide et de qualité.

Dans votre lettre, vous nous demandez des conditions de crédit de 30 jours suivant la date de réception de la marchandise, une option que nous offrons à nos clients de longue date ainsi qu'à nos nouveaux clients dont la cote de crédit est reconnue.

Pour nous permettre de prendre une décision au sujet de votre demande de crédit, veuillez nous fournir de plus amples renseignements sur la fiche ci-jointe.

Soyez assuré que tous les renseignements que vous nous transmettrez seront traités de façon confidentielle et dans les plus brefs délais.

Espérant que nos relations seront de longue durée et mutuellement profitables, nous vous prions d'agréer, Monsieur, l'expression de nos meilleurs sentiments.

Le directeur général,

Louis Fortin

/aj

Pièce jointe

DEMANDE DE RENSEIGNEMENTS AU CLIENT
AVANT D'ACCORDER UN CRÉDIT (fiche)

192

DEMANDE DE CRÉDIT COMMERCIAL

Date : __ / __ / __
a   m   j

Nom de l'entreprise : _____

Adresse : _____

_____

Code postal ou *zip code* : _____

Adresse électronique : _____

N° de téléphone : _____ N° de télécopieur : _____

Nombre d'années en affaires : _____

Nom du président ou
de la personne-ressource : _____

Nom de l'établissement financier : _____

N° de compte : _____

Adresse : _____

_____

Code postal ou *zip code* : _____

Adresse électronique : _____

N° de téléphone : _____ N° de télécopieur : _____

N° de TPS : _____ N° de TVQ : _____

2

Principaux fournisseurs ou autres références commerciales

Nom : _____ Nº de tél. : _____

Adresse : _____

_____

Adresse électronique : _____

Nom : _____ Nº de tél. : _____

Adresse : _____

_____

Adresse électronique : _____

Nom : _____ Nº de tél. : _____

Adresse : _____

_____

Adresse électronique : _____

Autres renseignements utiles

_____

_____

_____

DEMANDE DE RENSEIGNEMENTS
À UN ÉTABLISSEMENT FINANCIER

193

Le 24 avril 2006

Mong Kok Bank
20 Kai Lim Road
Kwun Tong District, Knowloon
Hong Kong S.A.R.
CHINE

À l'attention du préposé au crédit

Monsieur ou Madame,

L'entreprise Tsing Yoi Petroleum Co., qui nous a récemment soumis une demande de conditions de crédit particulières pour un de nos clients, ÉlectroBel, a donné le nom de votre banque comme référence de crédit.

Nous vous serions des plus reconnaissants si vous pouviez nous donner les renseignements suivants sur cette entreprise. Soyez assuré qu'ils seront traités de façon confidentielle.

- ✓ Nombre d'années pendant lesquelles l'entreprise a été votre cliente;
- ✓ Les conditions de crédit que vous lui accordez, y compris les limites;
- ✓ Vos commentaires sur la promptitude de l'entreprise à acquitter les factures ou à respecter ses obligations financières;
- ✓ Votre avis sur la situation financière de l'entreprise et sa solidité;
- ✓ Tout autre conseil ou information que vous jugerez utile de fournir.

Veuillez envoyer votre réponse par télécopie au numéro 418 654-0566 utilisé exclusivement pour des communications confidentielles.

Veuillez agréer, Monsieur ou Madame, l'expression de mes sentiments distingués.

Joli-Cœur, Bernier, Tremblay, Garneau, S.E.N.C.

Michelle Desseault, avocate

/lr

c. c. Denis Bélanger, ÉlectroBel

APPROBATION DE CRÉDIT

195

Le 18 mai 2006

Frau Renate Füller
Kleinwerke AG
Acaciastrasse 6
D-86847
Türkheim
ALLEMAGNE

Madame,

Nous sommes heureux de vous informer qu'un compte a été ouvert au nom de votre entreprise avec un crédit autorisé maximal de 6 500 $ CAN.

Nos procédures de facturation ainsi que nos conditions de crédit, dont fait état le dépliant ci-joint, prévoient que le paiement des achats sur réception de la marchandise vous donne droit à un escompte de caisse de 2,5 % et que tout compte facturé au cours d'un mois doit être acquitté avant le 15 du mois suivant. Sinon, il est assujetti à des frais d'administration. Les frais d'expédition doivent être acquittés par l'acheteur, qui assume la responsabilité de la marchandise sur réception.

Veuillez m'appeler personnellement au 450 469-3131 si vous avez des questions concernant votre nouveau compte, si vos besoins de crédit changent ou si je peux vous aider de quelque autre façon.

Je vous prie d'agréer, Madame, l'expression de mes sentiments distingués.

Le directeur du crédit,

Arthur Brisebois

p. j. Dépliant

196

OFFRE DE MEILLEURES CONDITIONS
DE CRÉDIT

Le 3 avril 2006

Monsieur Laurier Verret
Vice-président
Fournitures Verret inc.
1795, avenue du Grand-Tronc
Québec (Québec) G1N 4G1

Les clients spéciaux méritent un traitement particulier!

Vous êtes un bon client de notre entreprise depuis plus de deux ans et vous avez toujours effectué vos paiements très rapidement. Nous apprécions grandement votre fidélité et nous croyons que les clients remarquables comme vous devraient bénéficier de conditions de crédit plus avantageuses.

Pour vous aider à tirer meilleur profit de votre argent, nous offrons de porter votre marge de crédit de 5 000 $ à 10 000 $ et de vous accorder des conditions de paiement net 30 jours. De plus, parce que vous payez généralement dans les 10 jours de la date de facturation, nous vous consentons une remise de 2 % pour ces paiements rapides.

Faire affaire avec vous est un plaisir.

Le directeur du crédit,

Peter von Schönberg

/dm

REFUS DE CRÉDIT
(commande payable à la livraison)

197

Gaspé, le 14 août 2006

Madame Rosemarie Blain
Magasin d'alimentation Blain
1736, chemin du Maurier
Sainte-Julienne (Québec) J0K 2T0

Madame,

Nous vous remercions de votre commande détaillée et de votre demande de crédit. Malheureusement, nous ne pouvons vous consentir les conditions de crédit que vous demandez, parce que vous êtes une nouvelle cliente et que la marchandise commandée doit être fabriquée spécialement pour vous. Par conséquent, compte tenu des risques en jeu, pour les prochains mois, vous devrez acquitter 50 % de la facture au moment de la commande et le solde à la livraison.

Si ces conditions – qui, à notre avis, sont tout à fait raisonnables – vous conviennent, veuillez nous envoyer une confirmation écrite avec votre acompte de 50 %. La marchandise vous sera alors livrée dans les 20 jours ouvrables. Si les conditions ne vous conviennent pas, veuillez m'appeler pour que nous discutions d'autres possibilités.

Nous espérons vous compter sous peu parmi nos bons clients et être en mesure de vous faire profiter de conditions de crédit plus avantageuses.

Nous vous prions d'agréer, Madame, l'expression de nos meilleurs sentiments.

Alphée Labonté
Alphée Labonté, agent de crédit

/jan

199

PREMIER RAPPEL DE PAIEMENT
(aimable)

Continental électronique inc.
131, rue Wellington
Coaticook (Québec) J1A 2H9

RELEVÉ DE COMPTE

Permilet Inc.
127 Suncanyon Park South East
Calgary (Alberta) T2X 2W4

À l'attention du directeur du crédit

AU CAS OÙ VOUS AURIEZ OUBLIÉ

Date de la facture	N° de facture	Date d'échéance	Montant
13 juin 2006	A 36-79	13 juillet 2006	2 375,76 $

Veuillez retourner une copie de ce relevé avec votre chèque.

Le 20 juillet 2006

En cas de problèmes, veuillez me joindre au 819 849-9873 ou à briandd@videotron.ca.

PREMIER RAPPEL DE PAIEMENT
(ferme)

201

Le 9 janvier 2006

Restaurant Chez François
2160, rue Larocque
Sherbrooke (Québec) J1H 4S3

Objet : Factures en souffrance

Mesdames, Messieurs,

En révisant nos dossiers, nous constatons que deux de nos factures sont
échues depuis plus de deux semaines, soit :

N° de facture	Montant	Date d'échéance
253601	160,36 $	11 novembre 2005
253620	58,20 $	20 novembre 2005

Nous désirons vous rappeler que des frais d'administration mensuels de
1,5 % sont imposés sur les comptes en souffrance, ce qui porte la somme
impayée à 221,84 $.

Comme votre entreprise est habituellement très ponctuelle à régler ses
comptes, nous nous demandons si une raison particulière explique ce
retard. Si vous avez des questions concernant les factures dont il est fait
mention ci-dessus ou si des circonstances vous empêchent de les acquitter immédiatement, veuillez communiquer avec nous afin que nous trou-
vions une solution.

Sinon, pourriez-vous nous envoyer votre chèque en paiement complet de votre compte d'ici une semaine.

Veuillez recevoir, Mesdames, Messieurs, nos salutations distinguées.

Le gérant du crédit,

Germain Garneau

P.-S. – Si, comme c'est tout probable, notre lettre a croisé la vôtre dans le courrier, veuillez ne pas tenir compte du présent avis.

/rt

DEUXIÈME RAPPEL DE PAIEMENT
(aimable)

204

Le 18 août 2006

Monsieur Jean-Paul Saint-Gelais
Transport Saint-Gelais ltée
925, rue des Trois-Maisons
Drummondville (Québec) J2B 8J6

Notre référence : CAI-6875

Objet : Arriéré de 2 800 $

Monsieur,

Y a-t-il une raison pour laquelle nous n'avons pas encore reçu paiement de notre facture n° CAI-6875 qui est échue depuis plus de deux mois?

Le 12 mai, comme convenu, vous avez reçu la marchandise et l'équipement que vous aviez commandés. Ils étaient, pour autant que je le sache, en parfaite condition. Notre facture a été mise à la poste le lendemain. Le 2 juillet, un avis de retard de paiement vous a été expédié, exigeant l'acquittement complet du compte. Mais notre facture demeure impayée plus de trois semaines plus tard!

Ne croyez-vous pas qu'il vous revient de payer votre dette? Ou, tout au moins, de nous faire savoir pourquoi vous ne réglez pas votre compte? Comme j'ai déjà eu l'occasion de vous le mentionner, si vous éprouvez des difficultés temporaires, communiquez avec nous : nous tenterons de trouver une solution et de nous entendre sur un plan de remboursement.

Veuillez envoyer votre paiement immédiatement ou communiquer avec moi sans délai.

Agréez, Monsieur, l'expression de nos bons sentiments.

La trésorière,

Marcia Glendale

Marcia Glendale

/ht

p. j. Copie de la facture du 13 mai 2006

DEUXIÈME RAPPEL DE PAIEMENT
(ferme)

205

Le 6 novembre 2006

Madame Diana McDouglas
DMD inc.
1432, rue Beauséjour
Saint-Nicolas (Québec) G7A 4N1

Madame,

Nous désirons souligner que, malgré les rappels que nous vous avons adressés, votre compte est toujours en souffrance. En effet, cela fait maintenant plus de deux mois que votre compte présente un solde débiteur de 825,33 $.

Nous comprenons que les temps sont difficiles. Toutefois, si votre chèque en paiement complet de votre compte ne nous parvient pas d'ici le 17 novembre, nous nous verrons dans l'obligation de vous envoyer une mise en demeure et, en cas de non-paiement, d'intenter des procédures contre votre entreprise. Nous n'aimons pas prendre de telles mesures pour obtenir paiement, car nous savons que cela peut entacher la réputation d'une entreprise ou d'une personne. Heureusement, nous avons rarement à le faire. Toutefois, votre silence et votre retard à nous envoyer votre paiement nous obligent à envisager de remettre votre compte à une agence de recouvrement.

Veuillez nous aider et, par le fait même, vous aider en nous faisant parvenir votre chèque dès réception de la présente lettre.

La directrice des Services
financiers à la clientèle,

Janice Honneger

/lm

207

SUSPENSION DES LIVRAISONS
JUSQU'À ACQUITTEMENT DE LA FACTURE

<u>PAR TÉLÉCOPIE</u>   Le 14 novembre 2006

Monsieur Jules Brousseau
Président
Beltoral inc.
2875, rue De Celles
Québec (Québec) G2C 1K7

Monsieur,

Nous vous remercions pour votre commande n° C-6-375 reçue le 13 novembre.

Cependant, nous ne pourrons l'exécuter que lorsque nous aurons reçu paiement de notre facture n° 880173 s'élevant à 2 760 $, échue depuis le 1er octobre. En effet, selon la politique de notre entreprise, nous ne pouvons livrer de la marchandise à un client si son compte n'est pas entièrement réglé. Nous avons donc dû interrompre notre service et suspendre votre crédit.

Pour que vous soyez immédiatement informé de notre décision, nous vous envoyons la présente lettre par télécopie et par courriel.

Dès que votre compte aura été acquitté, nous exécuterons votre commande et rétablirons votre marge de crédit.

Nous espérons pouvoir continuer à faire affaire avec vous.

La directrice du crédit,

Martine Garant

/vlb

REMERCIEMENTS POUR RÉCEPTION DE PAIEMENT

208

Le 18 août 2006

Madame Manon Tremblay
Café du coin
170, rue du Collège
Saint-Adolphe-d'Howard (Québec)
J0T 2B0

Madame,

Nous accusons réception de votre chèque de 821,84 $ en règlement de votre compte et nous vous en remercions.

Je vous envoie un exemplaire de notre nouveau catalogue qui, comme vous le remarquerez, comprend de nouvelles gammes d'ustensiles de cuisine de haute qualité à des prix défiant toute concurrence.

Nous apprécions grandement l'occasion qui nous est donnée de vous servir et comptons faire d'autres affaires avec vous très bientôt.

Nous vous prions d'agréer, Madame, l'expression de nos sentiments distingués.

Maurice Pelletier
Service des ventes

/lr

p. j. Catalogue

209

ACCUSÉ DE RÉCEPTION D'UN PAIEMENT PARTIEL ET D'UN PLAN DE REMBOURSEMENT ÉTALÉ

Le 25 avril 2006

Monsieur Éric Filteau
Centre de recherche informatique
1423, rue de Lexington
Saint-Lazare (Québec) J7T 2L3

Objet : Notre facture n° CAI 6875 de 2 800 $

Monsieur,

Nous vous remercions pour votre paiement partiel de 1 000 $ et pour le plan que vous avez proposé visant le remboursement du solde dû.

Nous acceptons votre plan et, comme vous le demandez, nous vous enverrons des relevés mensuels de 495 $ au cours des quatre prochains mois. Nous nous attendons à ce que vous respectiez les conditions convenues et que vous envoyiez vos paiements mensuels le 15 de chaque mois, quelles que soient les conditions ou les circonstances.

Dès que vous aurez réglé votre compte, nous pourrons vous servir à nouveau sur une base de net 45 jours.

Veuillez agréer, Monsieur, l'expression de nos meilleurs sentiments.

Services financiers
Le directeur,

Alain F.

/jr   Alain Foscher

RÉTABLISSEMENT DE CRÉDIT

210

Le 20 novembre 2006

Madame Marie Labelle-Binette
Présidente
Labi inc.
2900, rue Decelles
Saint-Hyacinthe (Québec) J2S 1G1

Madame,

Nous avons reçu votre paiement de 3 673,29 $ et nous avons le plaisir de vous informer que votre ligne de crédit a été rétablie.

Par conséquent, vous pouvez dorénavant utiliser votre marge de crédit avec nous selon les modalités établies dans l'entente initiale de crédit signée il y a un an. Les principales dispositions de cette entente sont une limite de crédit de 5 000 $ et l'acquittement du compte dans les 45 jours de la date de réception de la facture.

Nous sommes heureux de vous avoir comme cliente et espérons que la perturbation quant à votre crédit est bel et bien chose du passé.

Veuillez agréer, Madame, l'expression de nos meilleurs sentiments.

Renald Comeau

/ls

211

EXCUSES POUR UNE LETTRE DE RECOUVREMENT ENVOYÉE PAR ERREUR

Le 21 mars 2006

Mr. Carl Simpsons
Credit Director
Oxygen Specialties Inc.
8 Civic Center Drive
Windsor SL4 3GD
ANGLETERRE

Monsieur,

Veuillez accepter nos excuses pour vous avoir envoyé un rappel de paiement par erreur. Cet avis était tout à fait inapproprié, car vos paiements n'ont jamais connu de retard.

Nous avons mis en place des mesures pour éviter que ce genre d'erreur ne se reproduise.

Nous espérons que cette erreur ne vous a pas causé d'ennuis ou d'embarras.

Nous vous prions d'accepter, Monsieur, nos excuses les plus sincères.

Le chef de la comptabilité,

Andrew Smith

/itd

TROISIÈME RAPPEL DE PAIEMENT
(par une maison de recouvrement)

213

Le 8 novembre 2006

Madame Louise Brazeau
Jardins-de-Mérici, app. 1301
965, chemin Saint-Louis
Québec (Québec) G1S 4Y2

Objet : Votre compte en souffrance avec *Boulanger et Frères inc.*

Madame,

Comme vous n'avez répondu à aucune des lettres de l'entreprise dont le nom paraît ci-dessus vous rappelant de régler vos comptes en souffrance, nous n'avons d'autre choix que d'exiger le **paiement complet et immédiat** des sommes que vous devez.

À moins qu'un chèque visé couvrant la totalité du montant en souffrance – soit 10 115 $ – ne nous parvienne d'ici le 20 novembre, votre compte sera confié à nos avocats avec instructions fermes de prendre toutes les dispositions nécessaires pour obtenir le paiement complet de la somme due. Comme vous le savez, cela pourrait compromettre votre cote de crédit et vous causer des ennuis ou des frais supplémentaires.

Toutefois, si vous êtes prête à effectuer un paiement partiel appréciable, veuillez communiquer avec moi immédiatement pour que nous puissions nous entendre sur un plan de remboursement.

Espérant que vous agirez promptement, je vous prie d'agréer, Madame, l'expression de mes bons sentiments.

Le directeur des Services financiers,

Guy Gagnon

/hr

214

TROISIÈME RAPPEL DE PAIEMENT
(par l'entreprise)

Le 15 novembre 2006

Monsieur Louis Barbeau
La Licorne inc.
838, chemin de l'Ermitage
Grand-Mère (Québec) G9T 5W1

N/R : 100-333-465

Ceci est notre dernier avis!

Bien que nous ayons discuté avec vous à plusieurs reprises, nous n'avons pu trouver une solution raisonnable pour le remboursement de votre compte échu depuis fort longtemps. Nous nous voyons donc dans l'obligation de confier votre compte à une firme d'avocats.

Nous avons été heureux de vous consentir plein crédit compte tenu de votre bonne cote de solvabilité et de votre promesse de payer selon nos conditions. Nous espérons donc toujours que vous agirez rapidement.

N'oubliez pas que notre contrat prévoit que vous êtes responsable des frais de recouvrement et des frais judiciaires.

Ne prenez pas le risque de compromettre votre cote de crédit : envoyez-nous IMMÉDIATEMENT votre PAIEMENT COMPLET.

Le président,

Louis Nadeau

/bm

RAPPEL DE PAIEMENT PAR UN AVOCAT

215

RECOMMANDÉ
SOUS TOUTES RÉSERVES   Le 3 novembre 2006

Monsieur John Smith
Compagnie Incognito
312 Bayview Heights Drive
Toronto (Ontario) M4G 2Z5

Objet : Votre compte en souffrance avec *Lisa inc.*

Monsieur,

L'entreprise Lisa inc. a transmis votre dossier à notre cabinet d'avocats pour que nous effectuions le recouvrement de la facture n° AU 97-12 de 7 083,67 $. Cette somme est impayée depuis le 3 août dernier.

Comme vous n'avez tenu compte d'aucun des rappels écrits de l'entreprise, nous nous voyons dans l'obligation d'exiger le paiement complet et immédiat de la somme due.

Si nous n'avons pas reçu votre chèque visé au montant de 7 083,67 $ payable à l'ordre de France Gilbert et Associés dans les 10 jours de la réception de la présente lettre, nous avons instructions d'intenter des poursuites judiciaires.

VEUILLEZ AGIR EN CONSÉQUENCE.

FRANCE GILBERT ET ASSOCIÉS

Martha Vineyard
Avocate

/jw

LA GESTION DE LA CARRIÈRE

Une des étapes capitales dans la gestion de votre carrière est celle où vous faites le bilan de vos réalisations et de vos forces (ainsi que de vos faiblesses) pour ensuite préparer ce document clé, qui est la porte vers de nouvelles possibilités : le **curriculum vitæ**. Soutenu par une bonne lettre d'accompagnement, ce document devrait fortement accroître vos chances de « mettre le pied dans la porte » et d'obtenir l'entrevue au cours de laquelle vous pourrez vous faire valoir afin de décrocher le poste convoité.

La préparation d'un curriculum vitæ de base

De nos jours, le curriculum vitæ qui retient l'attention de l'employeur est celui qui fait ressortir immédiatement que vous pouvez être la personne qu'il recherche. Ce document doit donc mettre en lumière vos compétences au regard des exigences propres de l'emploi. Pour être en mesure de préparer facilement un tel curriculum vitæ, vous devez préalablement avoir dressé un bilan fouillé de ce que vous êtes et de ce que vous avez réalisé. Votre curriculum vitæ de base doit comprendre de façon aussi détaillée que possible les rubriques suivantes :

- Votre **historique d'emploi**, qui décrit pour chaque emploi le nom de l'entreprise, votre titre, vos responsabilités, vos dates d'entrée en fonction et de départ, vos réalisations ainsi que les qualités, les compétences et les connaissances acquises. Mettez particulièrement en évidence les retombées de vos réalisations. Profitez de l'occasion pour déterminer ce qui a été la source de votre succès. Si les évaluations par votre supérieur contiennent des phrases percutantes comme *Un adjectif décrit fidèlement Mme Paquin : efficace*, notez-les.

- Votre **historique de formation**, qui précise votre formation de base, celles acquises en milieu de travail ainsi que les attestations reçues.

- D'**autres éléments** pouvant être **utiles**, selon le cas :
  - Les langues parlées, écrites ou lues.
  - Votre compétence en informatique.
  - Vos publications.
  - Vos affiliations professionnelles.
  - Votre participation à des conseils d'administration ou à des organismes du milieu.
  - Vos champs d'intérêt et vos loisirs.
  - Votre disponibilité à travailler dans une autre région.
  - La mention que les références seront fournies sur demande. En effet, il est peu utile de fournir des références dans le curriculum vitæ, sauf si elles sont prestigieuses. Généralement, elles sont demandées après l'entrevue si le résultat est positif.

Le curriculum vitæ de base est généralement fort complet, car c'est votre aide-mémoire du fait qu'il contient des données détaillées sur les différentes facettes de votre vie professionnelle. Ceci vous permet, lorsque vous devez faire valoir votre expérience en réponse à une demande d'emploi, d'en extraire les éléments les plus pertinents au regard de l'emploi postulé. Par exemple, diverses expériences en communication, si un volet de la description de tâches le requiert, ou encore vos aptitudes linguistiques et vos expériences à l'étranger pour un poste prévoyant des compétences sur le plan international. Le curriculum vitæ de base étant un outil de travail, vous ne devriez jamais l'envoyer tel quel.

La rédaction du curriculum vitæ adapté à l'emploi postulé

Pour qu'un curriculum vitæ soit efficace et vous permette de convaincre l'employeur de vous recevoir en entrevue, il faut :

- Qu'il soit bref, soit une page par tranche de dix ans de carrière.

- Que les phrases soient courtes, claires et bien écrites. Évitez le jargon et les abréviations.

- Qu'il mette l'accent sur vos réalisations, car elles sont beaucoup plus parlantes que la description des tâches que vous avez accomplies. Par ailleurs, il doit également faire connaître vos principales compétences.

- Qu'il fasse ressortir en quoi vos compétences correspondent aux besoins de l'emploi. Dans cet esprit, préoccupez-vous d'utiliser autant que possible les mêmes termes et le même découpage de contenu que ceux de l'offre d'emploi. Cela revêt une importance encore plus grande dans les cas – de plus en plus fréquents – où c'est un ordinateur qui fait le premier tri.

Il n'existe pas de normes strictes quant au format à retenir pour votre curriculum vitæ et à l'ordre dans lequel présenter les informations. En effet, partant du principe que ce que vous avez à vendre est un produit unique et inédit, c'est-à-dire **vous,** vous avez tout avantage à choisir une présentation qui correspond le mieux au message que vous voulez véhiculer.

À titre indicatif, les pages qui suivent présentent les trois grands types de curriculum vitæ : chronologique, fonctionnel et « chronofonctionnel ».

Le curriculum vitæ chronologique

Cette forme de curriculum vitæ, qui est encore la plus courante, présente en ordre chronologique inversé, de l'emploi actuel ou du plus récent jusqu'au premier emploi, les postes occupés, les responsabilités assumées et les formations reçues.

Cette présentation convient surtout aux personnes ayant une expérience de travail continue dans un même secteur ou, à l'autre extrême, à celles qui recherchent n'importe quel emploi et qui espèrent que l'employeur décèlera dans leur curriculum vitæ des éléments justifiant une entrevue. Vous ne devriez pas l'utiliser si vous n'avez pas d'expérience de travail ou si vous désirez réorienter votre carrière; en effet, elle ferait ressortir votre manque d'expérience plutôt que vos forces.

Le curriculum vitæ chronologique comprend habituellement les éléments suivants :

— Vos nom, adresse et numéro de téléphone à la maison.

— Une description des emplois occupés avec mention des responsabilités et des résultats.

— Les principaux diplômes obtenus.

— Quelques autres éléments jugés utiles, tels que des participations à des conseils d'administration.

Le curriculum vitæ fonctionnel

Ce type de curriculum vitæ met l'accent sur vos compétences plutôt que sur votre contexte antérieur de travail. Parce que ce type de curriculum vitæ vise essentiellement à mettre en lumière vos forces et vos connaissances au regard d'un défi à relever, il n'est efficace que s'il est entièrement axé sur les attentes de l'employeur. Il vous faut donc bien analyser celles-ci et rédiger votre curriculum vitæ en conséquence.

Cette présentation convient particulièrement aux personnes :

— Qui entrent sur le marché du travail ou qui y reviennent après une assez longue absence.

— Qui ont une expérience diversifiée.

— Qui veulent changer de carrière ou dont la carrière est stagnante et qui sont désireuses de prendre un nouveau départ en fonction de leurs habiletés plutôt que de leurs responsabilités et de leurs titres antérieurs. Cela s'applique, entre autres, à certaines personnes en fin de carrière.

Le curriculum vitæ fonctionnel, de par la force des choses, revêt des formes très variées. Cependant, il comporte généralement les éléments suivants :

— Vos nom, adresse et numéro de téléphone à la maison.

– L'emploi recherché.

– L'accroche, c'est-à-dire votre profil en quelques lignes.

– Vos réalisations au regard de l'emploi postulé. Ainsi, un agent d'information qui veut se réorienter vers un emploi en informatique fera ressortir ses forces dans ce dernier domaine, plutôt que ses réalisations dans la rédaction de communiqués et de brochures (sauf si l'emploi requiert également ces habiletés!). N'hésitez pas à citer des éléments de votre dernière évaluation, par exemple, « reconnu comme leader naturel tant par mes supérieurs que par mes collègues ».

– Un résumé de votre expérience de travail, avec mention des dates importantes.

– Le plus récent diplôme obtenu.

– D'autres éléments jugés utiles, tels que des activités de bénévolat où vous avez détenu un poste clé.

La formule mixte ou le curriculum vitæ « chronofonctionnel »

La formule mixte emprunte les éléments jugés les plus intéressants des curriculum vitæ chronologique et fonctionnel. Cette formule est conseillée aux personnes qui détiennent une bonne expérience de travail et qui veulent progresser dans leur carrière en tablant à la fois sur leurs compétences et sur leurs réalisations ainsi que sur l'image de continuité dans leur cheminement professionnel.

Ce type de curriculum vitæ comprend généralement les éléments suivants :

– Vos nom, adresse et numéro de téléphone à la maison.

– La mention de l'emploi recherché ou de l'objectif de carrière.

– Une description de vos compétences.

– Un résumé de votre historique d'emploi avec mention de vos réalisations.

– Les principaux diplômes obtenus.

– D'autres éléments jugés utiles, tels que des activités paraprofession-
nelles.

La lettre d'accompagnement

Comme la lettre d'accompagnement vise à vous vendre, il n'est que
normal qu'elle s'inscrive dans une démarche marketing. Il vous est donc
conseillé de vous inspirer du principe A.I.D.A. déjà introduit dans la
section « L'accroissement des ventes » en page 255, c'est-à-dire :

– De retenir l'**a**ttention par la qualité de la présentation.

– De susciter l'**i**ntérêt en démontrant pourquoi vous désirez cet emploi
dans cette entreprise. À cette fin, faites ressortir que vous avez
recueilli de l'information sur l'entreprise et que vous connaissez le
nom de la personne qui traitera votre demande.

– De provoquer le **d**ésir d'en savoir plus sur vous. Faites valoir non
seulement en quoi vous correspondez au profil recherché, mais aussi
votre enthousiasme et votre apport unique.

– De proposer une **a**ction. Les variations sont infinies, allant du sou-
hait de pouvoir expliquer de vive voix l'actif que vous constitueriez
pour l'entreprise jusqu'à la mention que vous rappellerez à une date
précise.

CURRICULUM VITÆ CHRONOLOGIQUE

217

Andrea Martin

Appartement 316
5547, rue Saint-Dominique
Montréal (Québec) H2T 1V5
Téléphone : 514 823-1234
Courriel : martina@videotron.ca

Sommaire

Expérience de plus de 20 ans à titre de gestionnaire, surtout dans la promotion des compétences professionnelles et la gestion de programmes dans divers secteurs gouvernementaux. Conception et implantation de plans d'action innovateurs basés sur le réseautage et sur le partage d'information stratégique. Gestionnaire efficace et orientée vers les résultats.

Expérience

2001-   **Ministère de l'Industrie et de la Science, Québec**
Directrice, Promotion de la science et de la technologie
17 employés et un budget de 7 millions

– Réorientation de la mission, du plan d'action et des programmes pour consolider les liens avec l'industrie, soutien des professeurs de sciences et promotion de carrières en science et en technologie, particulièrement en chimie et en informatique.
– Pionnière pour l'implantation de plans d'action régionaux : après deux ans, la moitié des régions avaient élaboré des plans d'action et mené des activités connexes.
– Démarrage et consolidation d'activités de promotion de la science en concertation avec d'autres ministères.
– Conception et mise en place d'un site Internet sur la promotion de la science et de la technologie.

– En dépit de compressions budgétaires, amélioration de la qualité et de la satisfaction de la clientèle grâce au ciblage de priorités partagées.

1997-2001   **Ministère de l'Industrie et du Commerce, Québec**
Directrice, Promotion de l'entrepreneuriat
11 employés et un budget de 18 millions

– Restructuration de la mission et du plan d'action visant à fournir aux organismes de soutien à l'entrepreneuriat une image claire des enjeux et des moyens leur permettant d'appuyer avec efficacité les entrepreneurs durant le démarrage et la croissance de leur entreprise.
– Conception, en trois mois, des programmes de subvention pour les nouveaux entrepreneurs et pour les organismes du domaine avec l'apport actif des autorités locales.
– Élaboration avec les intervenants locaux d'une stratégie les aidant à améliorer leur efficacité grâce au partenariat.
– En collaboration avec le secteur privé, conception et lancement d'une collection de livres d'affaires, incluant au moins six best-sellers.

1992-1997   **Ministère du Loisir et de la Faune, Québec**
Directrice, Programmes pour la jeunesse (1995-1997)
50 employés et un budget de 10 millions
Secrétaire du Ministère (1992-1995)

– Après consultation des intervenants du domaine, reformulation des programmes visant à réintégrer les jeunes sur le marché du travail au moyen de projets autoconçus et autogérés. Les nouveaux programmes ont permis d'accorder un plus grand pouvoir décisionnel aux autorités locales et d'augmenter le soutien à la clientèle. Amélioration de l'efficacité des programmes, en dépit d'une réduction de 35 % du budget de gestion.

– Conceptualisation des projets de restructuration, qui ont été ultérieurement acceptés par les autorités gouverne-mentales, pour promouvoir l'action volontaire et une meil-leure coordination des intervenants régionaux.
– À titre de secrétaire du Ministère, soutien au sous-ministre dans ses activités, coordination des relations avec le cabi-net du ministre et prise en charge des projets spéciaux, particulièrement lors d'actions urgentes.

1980-1992 **Ministère de l'Assurance automobile, Vienne**
Directrice des communications (1990-1992)
60 employés et un budget de 4 millions
Chef des services linguistiques – 10 employés **(1984-1990)**
Traductrice (1980-1984)

– Élaboration de la campagne d'information pour l'implanta-tion du nouveau Code de la route : publicité pour la radio, la télévision et les journaux, conférences de presse et relations publiques, production de dépliants, y compris une bande dessinée de 32 pages qui a connu un franc succès; formation d'un groupe de conférenciers constitué de représentants de la force policière ainsi que de repré-sentants de parcs de camions et d'autobus agissant sur une base volontaire. Plus de 400 conférences tenues par-tout en Autriche en deux mois.
– Mise en œuvre de la première campagne contre l'alcool au volant au cours du congé de Noël.
– Mise sur pied des services linguistiques qui ont élaboré des sessions de formation en grammaire et en rédaction épistolaire, un guide pour la rédaction de rapports, des lexiques de terminologie et d'assurance, et qui ont offert de l'aide en matière de linguistique et de révision de tous les formulaires administratifs.

1977-1980 **Université de Vienne**
Professeure de français langue seconde

Formation

Diplôme universitaire en interprétation française, anglaise et allemande, Karlings Dolmetcherhochschule, 1973-1977
Divers certificats : Didactique, Avantages sociaux, Marketing, Projets spéciaux

Publications (en collaboration)

- – Quatre livres de terminologie
- – Trois guides de rédaction épistolaire (qui ont tous été des best-sellers)
- – *Le démarrage et la gestion d'une entreprise à la maison*

Membre de divers conseils d'administration

Ordre des traducteurs, terminologues et interprètes agréés du Québec, CAA Québec, Association nationale des bénévoles, Institut de l'entrepreneurship, Alliance pour l'avancement de la science, etc.

CURRICULUM VITÆ FONCTIONNEL

219

CURRICULUM VITÆ

Louis-André Plante
1245, rue Jean-Charles-Harvey
Sainte-Foy (Québec) G1X 5C6
Tél. : 418 987-6543

OBJECTIF : Occuper un poste comportant des défis en gestion d'événements ou de projets.

PRINCIPALES CARACTÉRISTIQUES

Gestion
Expérience variée en gestion d'événements et de projets qui ont tous eu du succès. Recrutement, formation et gestion d'équipes comptant jusqu'à 30 membres. Travaille bien sous pression. Orienté vers les résultats et visant la qualité totale.

Leadership
Capacité de mobiliser le personnel.

Organisation
Méthodique, ingénieux et possédant de fortes compétences organisationnelles. Sais comment allier les exigences du budget et des délais au respect des valeurs humaines.

Marketing
Conception et implantation de stratégies gagnantes pour augmenter la participation aux activités.

Entrepreneurship
Réputé pour mes capacités entrepreneuriales.

Logiciels maîtrisés
Netscape, Avantage, Lotus, Excel et Word.

FORMATION
➤ B.A. en administration, option finances et comptabilité (96 crédits), Université Laval, 2002.
➤ Majeure en relations industrielles (60 crédits), Université Laval, 1997.

DISTINCTIONS ET PRIX
➤ Gagnant de 108 trophées et médailles lors de compétitions locales, nationales et internationales en arts martiaux.
➤ Lauréat de la compétition « Défi 2003 » organisée par la Banque de développement du Canada.
➤ Gagnant d'une bourse de 10 000 $ lors de la compétition « Entrepreneurship 1998 » organisée par la Corporation des comptables généraux agréés.

EXPÉRIENCE

1998-   Gestion de ma propre entreprise, **Gestion Prima**, Sainte-Foy

Responsabilités : Gérant et comptable

Principales réalisations
➤ Démarrage de ma propre entreprise de comptabilité et de planification financière alors que j'étais encore aux études.
➤ Établissement d'un noyau de clients commerciaux et résidentiels.
➤ Production d'états mensuels et annuels à l'aide du logiciel Fortune 1000.
➤ Amélioration du contrôle sur la perception des revenus.

1991-1998 **Club de taekwondo de Sainte-Foy**
Directeur général (1995-1998)
Entraîneur (1993-1995)
Enseignant (1991-1993)

Responsabilité : Gestion du Club comptant 250 membres et 10 enseignants. Le Club est associé à la Fédération internationale de taekwondo, Venise (Italie).

Réalisations

➢ Augmentation du nombre de membres de 125 % l'année où je suis devenu directeur général.
➢ Élaboration et implantation de ma propre stratégie de marketing.
➢ À l'origine des premières compétitions de démonstration au Québec.
➢ Présentation de ma propre équipe de démonstration au 7e Championnat mondial de taekwondo et à la Compétition internationale Desjardins des jeunes.
➢ Organisation de cinq compétitions majeures (une moyenne de 600 participants).
➢ Entraînement de 21 champions nationaux et de plus de 25 ceintures noires.
➢ Organisation de plusieurs campagnes de financement (3 000 $ par campagne).

1997-1998 **Défi 98**, entreprise de planification d'événements, Sainte-Foy
Fondateur et directeur général

Réalisations

➢ Démarrage et réalisation du projet-pilote visant à faire échec au décrochage scolaire; présence de plus de 1 700 adolescents.
➢ Élaboration du plan d'affaires ainsi que des demandes de subventions et de commandites.
➢ Recrutement et coordination d'une équipe de 30 personnes et de 20 organismes.

➢ Projet rentable.
➢ Participation à des conseils d'administration, à des comités ainsi qu'à des entrevues à la radio et à la télévision.

1995 et 1996   **Ornalix**, Montréal
(Étés)   Technicien de laboratoire

Responsabilités : Tests de conformité sur les produits pharmaceutiques et environnementaux. Travaux d'échantillonnage, traitement des données et rapports d'analyse.

LANGUES PARLÉES ET ÉCRITES

Français et anglais

CURRICULUM VITÆ CHRONOFONCTIONNEL

223

Qualification professionnelle de

Jérôme Landry

en tant que

directeur régional des ventes

OBJECTIF
Devenir directeur des ventes d'équipement de sport.

Résumé : Sept années à titre de superviseur des ventes au sein de divers organismes

FORMATION

Maîtrise en administration, Université Laval, Québec, 1988
Baccalauréat en administration, Université Laval, Québec, 1986

EXPÉRIENCE

2002-   Superviseur des ventes, Lacroix & Jobin ltée. Recrutement, formation et supervision d'un groupe de 10 employés et élaboration du programme de ventes. Le territoire inclut l'est du Québec et les Maritimes. Depuis que j'assume la supervision, les ventes ont augmenté de 15 %.

1994-2002   Représentant commercial pour la région de l'est du Québec, Lacroix & Jobin ltée.

1989-1994   Chef du Département d'éducation en affaires à l'École secondaire Laurentienne : supervision de 16 enseignants et responsabilité de l'achat et de la sélection de l'équipement de sport.

ACTIVITÉS

Membre du CADEUL (Conseil d'administration des étudiants de l'Université Laval) – à titre de secrétaire, et ensuite comme vice-président

Membre de l'Équipe de ski du Québec (classé troisième en 1984)

Pendant les études et les vacances, travail à temps partiel comme fiscaliste

BRÈVE HISTOIRE PERSONNELLE

Quand j'étais au service de l'École secondaire Laurentienne, j'avais souvent l'occasion de discuter avec des représentants commerciaux de diverses entreprises qui fournissent de l'équipement de sport aux écoles. Même si j'aimais le travail administratif, je me suis intéressé de façon croissante à la vente, car j'y voyais davantage de possibilités sur le plan professionnel.

Au cours de mes sept années à titre de superviseur des ventes, j'ai acquis de l'expérience dans la mobilisation du personnel de ventes et dans la gestion d'une unité de ventes. À mon avis, les principes de la gestion des ventes sont semblables, que le produit soit un bâton de hockey, un ballon de basket ou du matériel pédagogique.

Né en 1964, marié, deux enfants, excellente santé.
Passe-temps : le ski, la randonnée et l'alpinisme.

Jérôme Landry
688, chemin du Trait-Carré
Laval (Québec) H7N 5M8
Téléphone : 450 765-4321
Courriel : landj@sympatico.ca

CURRICULUM VITÆ CHRONOFONCTIONNEL

224

Lucie Beauregard
4020, rue Chevalier
Québec (Québec) G1P 1M8
418 523-9999
lubeau@videotron.ca

Objectif	Occuper un emploi dans lequel je pourrai accroître ma polyvalence et mes compétences en secrétariat de direction et dans lequel je pourrai progresser.
Principaux domaines de compétences techniques	• Gestion de la correspondance et des documents • Réponse aux demandes téléphoniques, écrites et sur Internet • Saisie de textes (60 mots/minute) et mise en pages • Tenue de l'agenda du président et des agents • Rédaction de documents techniques • Préparation de relevés financiers, facturation et suivi des comptes • Maîtrise de Word, Access, Excel, PowerPoint, Outlook
Principales forces	• Capacité de travailler sous pression • Facilité d'apprentissage • Polyvalence • Rapidité • Qualité du travail • Maîtrise du français parlé et écrit
Formation	• DEC en technique bureautique obtenu en 2003 Spécialisation en coordination de travail de bureau Collège François-Xavier-Garneau

- Diplôme d'études professionnelles en comptabilité obtenu en 2001
Centre de formation professionnelle de Neufchâtel

Expérience

Ville de Québec, Service de greffe
Secrétaire de direction (2005-   )
- Rédaction de réclamations, de permis, de licences, de fiches techniques et de dénonciations de contrats
- Saisie des requêtes dans le registre et transmission de celles-ci au Service du contentieux
- Rédaction du procès-verbal lors de l'ouverture des soumissions
- Classement de la documentation
- Réponse aux questions des clients
- Transcription de textes sur dictaphone
- Suivi des comptes de la Direction

Marsouin Internet
Secrétaire-réceptionniste (2003-2005)
- Réponse aux demandes téléphoniques, écrites et sur Internet
- Saisie des documents et des comptes à l'informatique
- Préparation des remises mensuelles pour les divers gouvernements
- Tenue de l'agenda du président et des agents

Ministère de l'Éducation
Agente de secrétariat (stage de huit semaines en 2003)
- Tri du courrier
- Réponse au téléphone
- Rédaction de lettres

Société de l'assurance automobile du Québec
Préposée à la saisie des données (emploi d'été en 2002)
- Saisie des attestations médicales
- Classement

Métro-Richelieu
Caissière (temps partiel et étés de 1999 à 2001)
- Programmation des rabais hebdomadaires sur la caisse
- Traitement des paiements directs et des cartes de crédit
- Service aux clients
- Vérification de l'état de la caisse avant et après le service

Autres
- Représentante des étudiants en bureautique au Conseil des étudiants du collège François-Xavier-Garneau
- Présidente de la Coopérative scolaire à la Polyvalente de Neufchâtel
- Monitrice de ski et de natation

226

DEMANDE D'EMPLOI

Le 6 septembre 2006

Les Entreprises Belcour inc.
144, rue Belcour
Saint-Romuald (Québec) G6W 3N1

Mesdames,
Messieurs,

Ayant appris que votre firme est sur le point d'ouvrir une nouvelle succursale dans notre région, je désire postuler l'emploi de directeur de la production. Votre société est le type d'entreprise que je recherche : en pleine croissance et ayant un objectif de forte expansion ainsi qu'une excellente réputation pour la qualité de ses produits et de sa gestion.

J'excelle dans l'art de résoudre les problèmes, je suis consciencieux et j'ai une grande capacité de travail. Je serais donc la personne toute désignée pour relever les défis que votre entreprise aura sûrement à m'offrir.

J'ai une expérience poussée de 10 années dans la production de pâtes et papiers; cette expérience, alliée à ma formation universitaire en administration, constitue la préparation idéale pour assumer les responsabilités de directeur de la production au sein de votre entreprise.

J'aimerais vous rencontrer pour discuter de la possibilité d'un emploi chez vous. Veuillez me faire savoir quand cela vous conviendra, et je me rendrai disponible pour vous rencontrer.

Je vous prie d'accepter, Mesdames, Messieurs, mes salutations distinguées.

Pierre-André Dupont
418 555-1111
padupont@videotron.ca

p. j. Curriculum vitæ

DEMANDE DE STAGE

227

Le 22 mars 2006

Monsieur Jean Allard
Directeur des ressources humaines
Artimou inc.
967, boulevard Saint-Laurent
Montréal (Québec) H2Z 1J4

Monsieur,

Je suis une étudiante de troisième année en traduction et, pour obtenir mon diplôme, je dois détenir une expérience de six semaines dans un service de traduction. Comme je désire acquérir de l'expérience dans un domaine où je pourrais utiliser ma formation universitaire en chimie, j'ai demandé à Mme Marilyn French, chef du Service de traduction de l'Université de Montréal, de me donner des adresses de firmes pharmaceutiques. Votre entreprise semblait offrir les meilleurs défis.

Je vous serais très reconnaissante si vous acceptiez de considérer ma demande de stage qui doit se dérouler du 3 mai au 11 juin 2006. Un stage de formation au sein de votre entreprise me serait extrêmement profitable.

Dans l'attente de vos nouvelles, je vous prie d'agréer, Monsieur, l'expression de mes meilleurs sentiments.

Kim Desjardins

Pièce jointe

228

DEMANDE DE RÉFÉRENCES

Le 14 novembre 2006

Madame Diane Rinfret
Directrice du Service de la comptabilité
Machines internationales ltée
221, rue de la Grande-Ourse
Orford (Québec) J1X 6Z7

Chère Diane,

J'ai décidé de poser ma candidature pour le poste de chef du Service de la comptabilité au sein d'une importante compagnie d'assurances, où je pourrais relever de nouveaux défis et développer davantage mes habiletés en gestion, en travail d'équipe et en solution de problèmes.

À l'appui de ma candidature, j'ai donné ton nom à titre de référence, car je considère que l'expérience que j'ai acquise sous ta supervision a été des plus valables.

Pour te rafraîchir la mémoire, voici quelques éléments concernant mon emploi au sein de Machines internationales ltée : j'ai commencé comme commis aux comptes fournisseurs juste après avoir reçu mon diplôme de l'Université Concordia en 1998. Deux ans plus tard, j'ai été promu au poste de superviseur des comptes fournisseurs. J'ai aussi agi comme coordonnateur du Service de la comptabilité pendant plus d'un an. En 2003, quand une autre entreprise m'a offert une promotion, j'y ai accepté un poste de vérificateur.

Merci de ton aide.

Amitiés,

Marcel Gendron

Marcel Gendron
868, rue des Seigneurs
Belœil (Québec) J3G 6H4

229

DEMANDE DE RÉFÉRENCES

Le 15 décembre 2006

Monsieur Jean-Louis Saint-Amour
Directeur des ventes
Amibek ltée
11107, chemin de la Côte-de-Liesse
Dorval (Québec) H9P 1B1

Monsieur,

Comme je vous l'ai mentionné au cours de notre conversation téléphonique de ce matin, je suis parmi les candidats sélectionnés pour le poste de chef du Service des ventes pour la compagnie Western Téléphone, une entreprise qui produit, vend et installe de l'équipement téléphonique. Cette entreprise m'a demandé des références. Étant donné que vous me connaissez bien et que je me fie à votre jugement, j'aimerais grandement que vous écriviez à mon employeur éventuel à mon sujet, à l'adresse suivante :

Monsieur Ulric Desbois
Western Téléphone ltée
125, rue de la Capitale, 6e étage
Montréal (Québec) H2Y 2A9

J'ai travaillé pour votre entreprise du 15 janvier 1995 au 12 août 2001 en tant que chef du Service des ventes. J'ai souvent reçu des félicitations pour mon bon travail et, pendant ce temps, notre chiffre d'affaires a augmenté de 21 %.

Je vous remercie sincèrement.

Kevin Desgagnés
Kevin Desgagnés
12442, avenue Anselme-Baril
Montréal (Québec) H1E 6R1

233

DÉMISSION
(pour un emploi plus prometteur)

Le 27 juillet 2006

Monsieur Jean-Guy Martin
Directeur général
Infotel inc.
1925, boul. René-Lévesque Ouest
Montréal (Québec) H3H 1R5

Monsieur,

Veuillez accepter ma démission de mon poste d'adjoint à l'administration, qui prendra effet le 18 août.

L'expérience que j'ai acquise en tant qu'employé de votre entreprise a été très profitable. J'ai beaucoup appris et j'ai bien aimé travailler avec vous. Toutefois, j'éprouve le besoin de grandir professionnellement et financièrement. Une bonne occasion m'a été offerte à titre de directeur de l'administration chez Johnson International – un poste qui devrait m'offrir les défis professionnels dont ma carrière a besoin en ce moment.

J'évoquerai toujours mon expérience au sein de votre entreprise avec affection et appréciation. J'ai éprouvé beaucoup de plaisir et de fierté à faire partie de votre équipe.

Je vous remercie de votre aide et de votre gentillesse.

Jean-Denis Boivin

/sm

DES LETTRES DIVERSES

Dans la vie quotidienne, diverses situations pouvant nécessiter l'envoi d'un message un peu plus personnalisé peuvent se produire. Par exemple, il arrive à tous de temps à autre de devoir faire parvenir un message de condoléances, de souhaits, de refus ou de remerciements.

Comme les mots pour rédiger de tels messages ne viennent pas toujours facilement, la partie qui suit en présente des exemples dont vous pouvez vous inspirer.

En outre, vous y trouverez des modèles de messages divers, par exemple dans le cas de changements d'adresse, d'acceptation de participation, d'acceptation ou de refus de commandite.

235

AVIS DE DÉMÉNAGEMENT

Le 25 janvier 2006

Madame Claudia Mendes
H.C.P.T.
338 West Front Street
Toronto (Ontario) M5V 3B7

Veuillez prendre note de notre nouvelle adresse.

À compter du 15 février, Vachon inc. sera située dans des locaux des plus modernes et facilement accessibles dans le parc industriel Carnegie (voir le plan annexé).

Nous désirons vous inviter, vous, une partenaire d'affaires importante, à célébrer cet événement avec nous. Vous êtes donc conviée à une visite suivie d'un cocktail le jeudi 16 février, de 17 h 30 à 20 h.

Où? À notre nouvelle adresse, bien entendu, soit :

> Parc industriel Carnegie
> 875, route 105
> Wakefield

Pour vous aider à vous souvenir de notre nouvelle adresse et à la diffuser, je vous envoie ma carte professionnelle mise à jour.

Nous vous attendons avec impatience.

Sincèrement,

L'ingénieur en chef,

Justin Vachon

/mm

RSVP avant le 10 février à Michael Joanisse au 819 459-2222 ou au 1 888 567-2222.

236

AVIS DE DÉMÉNAGEMENT
(carte)

 $\mathcal{V}$achon inc.

Nous avons le plaisir de vous informer que, à compter du 15 février, Vachon inc. aura déménagé dans des locaux plus vastes, plus modernes, facilement accessibles, situés au :

875, route 105
Wakefield (Québec) J0X 3G0
Tél. : 819 459-2222
Tél. sans frais : 1 888 567-2222
Téléc. : 819 459-2233
vachon@webnet.qc.ca
www.vachon.qc.ca

Nous vous attendons dans nos nouveaux locaux!

(Carte au verso)

237

CARTE PROFESSIONNELLE

*V*achon inc.
875, route 105
Wakefield (Québec) J0X 3G0

Justin Vachon, ingénieur en chef
Tél. : 819 459-2222
Tél. sans frais : 1 888 567-2222
Téléc. : 819 459-2233
justinvachon@webnet.qc.ca
www.vachon.qc.ca

239

EXPLICATION D'UNE RÉPONSE TARDIVE

Le 26 juillet 2006

Claude De Bonville
54, avenue d'Italie
75627 Paris
FRANCE

Madame ou Monsieur,

Nous venons de recevoir votre lettre nous demandant de vous accorder des droits exclusifs de représentation pour nos produits en Europe, et nous désirons vous remercier de votre confiance et de l'intérêt que vous manifestez à l'égard de notre entreprise.

Nous ne pourrons vous donner une réponse avant la mi-septembre, car votre proposition doit être analysée et comparée avec d'autres demandes avant d'être présentée au conseil d'administration qui se réunira le 11 septembre.

Soyez assuré que nous vous informerons de notre décision dès qu'elle sera rendue. Entre-temps, si vous désirez nous rencontrer ou nous faire parvenir d'autres renseignements, n'hésitez pas à communiquer avec moi.

Sincèrement,

La responsable des services à la clientèle,

Alexie Larocque (Madame)

/ss

REMERCIEMENTS POUR UNE INVITATION

241

Le 7 février 2006

Madame Lucie Dicaire
Vice-présidente
Les Entreprises des Patriotes
690, chemin des Patriotes Sud
Mont-Saint-Hilaire (Québec)
J3H 3G8

Madame,

Merci de m'avoir invité à votre table aux Mercuriades la semaine dernière. Le repas était délicieux, et la conversation avec vous et les autres convives a été des plus stimulantes. En outre, voir tous ces leaders recevoir des prix bien mérités m'a fortement inspiré.

Grâce à votre invitation, j'ai pu nouer des contacts d'affaires très prometteurs. Il me sera ainsi plus facile de communiquer avec eux pour discuter de projets où nos intérêts pourraient être convergents.

Encore une fois, tous mes remerciements pour votre généreuse hospitalité et pour la possibilité que vous m'avez donnée d'étendre mon réseau de contacts.

Je vous prie d'agréer, Madame, l'expression de mes sentiments distingués.

Dominique De Rouville

242

INVITATION À UNE PARTICIPATION

Le 3 mars 2006

Madame Annie Bérubé, diététiste
495, boulevard La Vérendrye Est
Gatineau (Québec) J8R 2W8

Madame,

Lors du dernier congrès des diététistes, vous avez soulevé des questions fondamentales sur votre profession et avez suggéré que l'Ordre adopte une stratégie afin que soit reconnu le rôle important qu'il joue dans la politique de santé au Québec. Votre présentation était fort convaincante, et je crois que d'autres personnes devraient en profiter.

Par conséquent, j'ai suggéré au comité organisateur du Congrès de développement de la petite entreprise de vous inviter à participer à notre table ronde intitulée « Travailler sur sa vision », une idée qui a été retenue à l'unanimité.

Notre congrès aura lieu à Montréal le 24 novembre 2006, et la table ronde se tiendra de 10 h à 11 h 30. Chacun des trois membres fera une présentation de 20 minutes, suivie d'une période de questions. Vous serez, bien entendu, notre invitée pour la journée.

Lorsque je vous ai appelée à votre bureau, on m'a informé que vous ne seriez de retour que le 25 avril. Je communiquerai donc avec vous au cours de la semaine suivante pour discuter de votre participation.

Veuillez agréer, Madame, l'expression de mes meilleurs sentiments.

Le vice-président,

Jean-François Fournier

/jsle

ACCEPTATION D'AGIR COMME CONFÉRENCIER

244

Le 24 août 2006

Monsieur Denis Bélanger
Directeur adjoint
Au Calvados
568, rue William-Birks
Saint-Bruno (Québec) J3V 1P2

Cher Denis,

C'est avec plaisir que j'accepte de prendre la parole lors du déjeuner d'octobre de la Chambre de commerce de Montréal. Parler à des gens d'affaires actifs et éminents d'un sujet aussi passionnant que « Les compétences pour diriger une entreprise » est à la fois un honneur et un défi. Je devrais trouver la période de questions particulièrement intéressante.

Pour stimuler le débat, je vous transmets une liste que j'ai préparée sur les grandes caractéristiques des PDG prospères ainsi que des dirigeants à succès. Je suggère que vous l'envoyiez à vos membres avec l'invitation afin de préparer le terrain pour la discussion. Cela devrait susciter de l'intérêt car, comme vous le remarquerez, certaines caractéristiques sont assez surprenantes.

Merci de me donner le plaisir de parler à vos membres d'un sujet qui me captive.

Je comprends de notre conversation téléphonique que vous m'appellerez bientôt pour discuter des aspects techniques.

Veuillez agréer, cher Denis, l'expression de mes meilleurs sentiments.

Le président-directeur général,

Gilles Guilbault

/nd

Pièce jointe

245

REMERCIEMENTS POUR UNE PARTICIPATION

Le 28 avril 2006

Madame Catherine Aspirault
Secrétaire-trésorière
Goscobec
75, côte des Érables
Rivière-du-Loup (Québec)
G5R 3X2

Vous avez encore réussi! Vous m'impressionnez chaque fois!

Votre présentation « La mise en marché à peu de frais » a été si intéressante et enrichissante que je me suis dit : « Ce n'est pas déjà fini! »

Vous avez dû vous rendre compte, par les applaudissements de l'assistance, que celle-ci a grandement aimé votre conférence. Je voudrais aussi vous faire part de certains commentaires que j'ai recueillis par la suite : *La mise en marché est plus facile que je le croyais. – Je sais maintenant ce que je ne faisais pas correctement, et comment je peux repartir du bon pied. – C'était tellement logique et à point que j'ai pris sept pages de notes. – Elle est la preuve vivante que, si vous avez un objectif, vous pouvez réussir! – Rien que pour cette présentation, ça valait la peine de s'inscrire à la conférence. – J'ai tout simplement adoré et goûté chaque seconde de la présentation.* Je pourrais continuer, mais une bonne lettre doit être brève.

Merci de nous avoir donné un si beau témoignage et d'avoir partagé avec nous des trucs et des recettes concrètes qui fonctionnent vraiment pour les personnes qui sont en affaires à la maison.

Nous nous souviendrons longtemps de votre présentation!

La responsable des relations publiques,

Ariane April

Ariane April

/jf

REFUS D'AGIR EN TANT QUE CONFÉRENCIER

249

Le 14 août 2006

Madame Michèle Pelletier
Association du progrès
128, rue de l'Abbé-Desautels
Gatineau (Québec) J8T 3E6

Madame,

Rien ne me plairait davantage que de m'adresser à vos membres sur le libre-échange et l'ALENA, non seulement parce que les gens d'affaires constituent un public de choix, mais aussi parce que le libre-échange est mon sujet préféré.

Toutefois, je ne pourrai être présent à la date suggérée, soit le 10 novembre, car je serai à l'étranger. La seule autre date à laquelle je pourrais être parmi vous est le 1er décembre.

Je compte avoir bientôt de vos nouvelles.

Jean-Guy Delisle, B.A.A.

250

REFUS DE PARTICIPER EN TANT QUE MEMBRE

Le 5 juillet 2006

Monsieur Alain Têtu
Président-directeur général
Association CESSNA
2340, place Beckett
Sherbrooke (Québec) J1J 1C9

Monsieur le Président-Directeur général,

J'ai été grandement honorée d'être invitée à faire partie du conseil d'administration de votre organisation. C'est un beau compliment que de se voir offrir un tel poste. C'est aussi une grande responsabilité, étant donné les enjeux et l'ampleur de la tâche.

Comme je suis membre d'autres conseils d'administration, je suis bien placée pour mesurer l'envergure de la tâche. Toutefois, même si je le regrette vivement, je dois refuser votre invitation. Je sais qu'on dit que lorsqu'on désire que quelque chose soit exécuté, il faut s'adresser à une personne occupée! Cependant, mon emploi du temps ne me laisse pas d'autre choix. Si je suivais mon instinct et que j'acceptais votre offre, nous le regretterions tous les deux, car je ne serais pas en mesure d'y consacrer toute l'attention et l'énergie que vous méritez.

Grand merci d'avoir pensé à moi.

Continuez votre excellent travail : il est capital.

Marie Blais

P.-S. –   Dans les circonstances, mon argent est plus utile que moi. Vous trouverez donc un chèque pour vous aider à fournir cette aide si essentielle.

/cd

DEMANDE DE COMMANDITE

251

Le 27 juin 2006

Madame Ludmilla Lévesque
Chef du Service des ventes
Les Produits du terroir
Parc industriel
2107, route de Fossambault
Saint-Augustin-de-Desmaures (Québec)
G3A 1W8

Madame,

Les organismes sans but lucratif comme le ComAid jouent un rôle important pour satisfaire divers besoins, allant de l'aide aux jeunes qui désirent se lancer en affaires, aux centres de jour pour jeunes enfants, jusqu'aux vêtements et au logement pour les démunis. (Le dépliant ci-joint décrit toutes nos activités.) Nous pourrions accroître nos services ou les améliorer si nous avions plus de moyens. Malheureusement, l'argent ne pousse pas dans les arbres, mais doit être recueilli auprès de personnes qui considèrent important d'assumer une partie des responsabilités avec nous.

À titre de président de la campagne de financement du ComAid, j'espère que je peux compter sur l'appui de votre compagnie, ce qui nous aiderait à atteindre l'objectif de 2,5 millions de dollars pour la prochaine année. Nous espérons que vous contribuerez la même somme que l'an dernier, soit 10 000 $.

Veuillez agréer, Madame, l'expression de nos meilleurs sentiments.

Le président,

Gabriel Dumas

/df

p. j. Dépliant

252

ACCEPTATION DE COMMANDITE

Le 26 juillet 2006

Madame Rachel Sirois
Responsable de la campagne
de souscription
Aidenfant
10024, place Le Marsan
Charlesbourg (Québec) G1G 6H4

Madame,

Comme vous le savez sans doute, les demandes d'aide financière de la part de divers organismes se sont multipliées au cours des
années, alors que notre budget réservé aux commandites est, au mieux,
toujours le même.

Après avoir comparé votre demande avec d'autres auxquelles
nous avons répondu favorablement dans le passé, nous avons décidé cette
année de vous donner la priorité et de vous accorder 10 000 $. En effet,
nous partageons vos préoccupations pour les causes qui vous mobilisent.
Dans les années à venir, toutefois, notre contribution pourrait diminuer, car
nous pourrions avoir d'autres causes tout aussi louables à appuyer.

Notre agente de relations publiques, Hélène Lamontagne, communiquera avec votre organisme pour discuter de la visibilité à donner à
notre entreprise. Elle vous fera également parvenir notre logo.

Félicitations pour votre excellent travail.

Nous vous prions d'accepter, Madame, nos sincères salutations.

La chef des relations publiques,

Marie Bruneau

/gz   Marie Bruneau

REFUS DE COMMANDITE

254

Le 10 août 2006

Madame Flora Neuville
La Relève familiale
229, 1re Avenue
Saint-Raymond (Québec)
G3L 2H9

Madame,

Je vous remercie de votre lettre décrivant les services remarquables rendus par votre organisme et sollicitant une aide financière.

Comme vous le savez certainement, le nombre de demandes d'aide financière n'a cessé d'augmenter au cours des dernières années, ce qui rend d'autant plus difficile la répartition de nos commandites entre tant d'organismes qui abattent un travail impressionnant dans notre communauté. Ne pouvant répondre à toutes les demandes, notre entreprise a décidé, pour les trois prochaines années, de n'appuyer que les projets destinés aux indigents.

Nous regrettons donc de vous aviser que nous ne pourrons accorder de fonds à votre organisme cette année.

Nous vous souhaitons le meilleur des succès.

Simon Couture

255

REMERCIEMENTS POUR UNE COMMANDITE

Le 14 août 2006

Monsieur Léandre Lavoie
Les Plateaux du Hameau
464, rue de la Pente-Douce Est
Alma (Québec) G8B 1G9

Monsieur,

Votre soutien moral et votre contribution financière viennent appuyer nos efforts visant à améliorer la condition physique des jeunes Canadiens en renforçant notre conviction profonde que nous travaillons sur un aspect fondamental pour la communauté.

Je vous remercie de votre lettre nous félicitant pour notre bon travail, ainsi que pour le chèque de 5 500 $. Nous ne pourrions continuer sans l'aide et l'encouragement de personnes dévouées comme vous.

J'ai transmis votre lettre par courriel à toute l'équipe et j'ai demandé à Fabien Bourassa, le bénévole qui s'occupe de notre programme de promotion, de donner à votre société le plus de visibilité possible.

Votre appui est essentiel, et nous vous en remercions!

La présidente par intérim,

Suzanne Petitgrew

/po

REFUS D'ACHAT DE PUBLICITÉ

256

Le 19 septembre 2006

Madame France Guay
Le Chic Hebdo
2833, rue des Engoulevents
Chicoutimi (Québec) G7H 5Y2

Madame,

Merci de nous avoir invités à acheter une annonce dans les pages financières de votre journal et de nous avoir envoyé un document décrivant
votre lectorat ainsi que vos tarifs de publicité.

Toutefois, après avoir lu attentivement les données sur le profil de vos
lecteurs, nous en sommes venus à la conclusion que faire paraître de la
publicité dans votre journal ne servirait pas nos intérêts, car vos lecteurs
sont peu susceptibles d'acheter nos produits.

Merci d'avoir pensé à notre entreprise.

Nous vous prions d'agréer, Madame, l'expression de nos meilleurs sentiments.

Léonidas Allison
Agent de relations publiques

AUTORISATION DU DROIT DE REPRODUCTION

Le 1er novembre 2006

Monsieur Germain Allard
Les Entreprises du fleuve
798, terrasse de l'Intendant
Trois-Rivières (Québec) G8Z 4H8

Monsieur,

Merci de votre appréciation de la monographie n° 12, *L'accès au financement*, de la série « Besoins de la PME ». Je ne vois pas d'objection à ce que vous traduisiez et reproduisiez cc document pour le distribuer aux participants à votre conférence intitulée « Comment financer n'importe quoi ».

Toutefois, trois conditions doivent être respectées : le texte doit être reproduit intégralement, la source doit être clairement indiquée sur la couverture, et les exemplaires doivent être distribués gratuitement.

J'espère que les idées énoncées dans le document nourriront la réflexion de vos participants et stimuleront des échanges sur la façon de mieux satisfaire les besoins financiers d'une entreprise.

À titre d'échange de services, pourriez-vous me faire part des commentaires reçus sur la monographie ainsi que sur la pertinence de l'utiliser comme base de discussion.

Au plaisir de vous lire bientôt!

Louis Grondin

FÉLICITATIONS POUR UNE NOMINATION
(nouveau poste)

262

Le 31 mars 2006

Monsieur Richard Connelly
Président-directeur général
Glasspaper Works Inc.
44 Rocky Bear Place
Calgary (Alberta) T3R 1B4

Monsieur,

En mon propre nom et au nom des membres du conseil d'administration, j'ai le grand plaisir et l'honneur de vous féliciter pour votre nomination récente à la présidence de Glasspaper Works Inc.

Nos transactions avec vous en tant que vice-président ont toujours été caractérisées par la franchise, le professionnalisme et l'efficacité – trois qualités que nous recherchons et que nous avons toujours grandement appréciées au sein de votre entreprise. Nos relations déjà solides ne devraient qu'en bénéficier.

Nous envisageons actuellement plusieurs projets conjoints, et j'ai hâte d'en discuter avec vous. Je vous appellerai d'ici 15 jours pour fixer un rendez-vous.

Sincèrement,

Le président,

Carol Morin

/tv

263

FÉLICITATIONS POUR UNE NAISSANCE

Le 13 avril 2006

Monsieur Jean-Louis Rousseau
98, rue des Quatre-Vents
Asbestos (Québec) J1T 4N7

Cher Jean-Louis,

Nous avons été ravis d'apprendre que tu es l'heureux père d'un garçon et que la maman et le bébé se portent merveilleusement bien.

En mon nom et au nom de tous les membres du personnel, félicitations pour ce nouvel ajout à ta famille!

Amicalement,

Maurice Ayotte

P.-S. – Le bébé ne pourra pas apprécier les fleurs, mais les parents, eux, le pourront!

VŒUX D'ANNIVERSAIRE À UN CLIENT

265

Le 2 juin 2006

Monsieur Charles Lussier
Lussier inc.
456, rue des Îles-Percées
Boucherville (Québec) J4B 2R3

Cher Charles,

Tu te demandes pourquoi je t'écris? Ce n'est pas pour te rappeler un compte en souffrance. Pas non plus pour te vendre un nouveau gadget.

Pourquoi je t'écris? C'est que tu m'as dit au téléphone, il y a une semaine, que tu ne pourrais assister à l'assemblée annuelle de l'Association canadienne des contrôleurs, car elle tombait le même jour que ton anniversaire de naissance et que ton 20ᵉ anniversaire de mariage. Et évidemment, je connais la date de la réunion...

Alors, bon anniversaire de naissance et meilleurs vœux à l'occasion de ton anniversaire de mariage.

François Séguin

P.-S. – Me connaissant, tu sais que je ne peux m'empêcher de parler affaires. Dans deux semaines environ, je t'appellerai pour discuter d'un projet stimulant que j'ai en tête.

268

VŒUX AUX EMPLOYÉS
À L'OCCASION DES FÊTES

À :   À chacun des membres de Cléofor

Cc :

Objet :   Meilleurs vœux

Cher ami et collègue de travail,

Dans quelques jours à peine, nous partirons pour des vacances bien méritées.

Nous pouvons être très fiers des résultats de cette année : ils sont impressionnants tant au regard des objectifs de l'entreprise que par notre habileté à tirer profit des événements imprévus.

Toutefois, comme vous le savez, il reste encore beaucoup à faire pour consolider notre part du marché et pour mettre complètement en application notre programme d'amélioration continue de la qualité, grâce auquel chacun d'entre vous pourra apporter sa touche personnelle et ainsi assurer le succès de Cléofor et participer à sa croissance.

L'an 2007 apportera sa part de défis, et nous savons tous que, en tant qu'équipe, nous avons ce qu'il faut pour les relever.

Je vous souhaite, à vous et à votre famille, mes meilleurs vœux pour l'année qui vient.

Profitez de votre congé et soyez prudent..., car nous avons besoin de vous.

Cléophas Fortin

VŒUX À UN EMPLOYÉ MALADE

270

Le 9 août 2006

Monsieur Raymond Mercier
792, rue de la Neuve-France
Saint-Jean-sur-Richelieu (Québec)
J3B 7R1

Cher Raymond,

Nous avons été consternés d'apprendre que tu avais eu une crise cardiaque, bien que nous soyons rassurés de savoir que c'était une attaque bénigne et que tu devrais être de retour parmi nous dans environ trois mois.

Lorsque j'ai parlé à ta femme, elle m'a dit que tu te rétablissais bien, mais que tu te faisais du souci au sujet de ton travail. Sache que Suzelle et Claude se sont partagé le dossier Flagerty, et nous nous acquittons de tes autres responsabilités du mieux que nous le pouvons. Bien entendu, les choses ne sont pas comme lorsque tu es ici, mais nous nous débrouillons. Donc, cesse de t'en faire; concentre-toi à cent pour cent sur ton rétablissement.

Tous les employés du Service t'envoient leurs meilleurs vœux. Dès que le personnel de l'hôpital nous le permettra, nous viendrons te les offrir en personne.

Affectueusement et au plaisir de te voir bientôt,

Pour tous les membres
du Service,

Paul Ndinga

/cv

272

CONDOLÉANCES
(collaborateur)

Le 29 août 2006

Monsieur Daniel Beaulieu
Uni-Informatique inc.
248, côte du Passage
Lévis (Québec) G6V 5S9

Monsieur,

Nous avons été bouleversés par la nouvelle du décès de Marcel Labonté, votre associé. Nous avions appris à l'apprécier, tout particulièrement pendant les périodes houleuses ou lorsque nous avions à conclure des transactions difficiles.

Bien que cette triste nouvelle ne soit pas totalement imprévue, il m'est quand même pénible d'accepter son décès subit. Nous regretterons ses visites régulières ainsi que ses excellents conseils pour nous aider à percer le marché asiatique.

Au nom de toute l'équipe de R. & D. Électronique, je vous transmets nos plus sincères condoléances.

Yves-Réal Michaud
Yves-Réal Michaud

/dvd

CONDOLÉANCES
(parent)

274

Le 13 octobre 2006

Monsieur Paulo Bellavance
10150, boulevard Pie-IX
Montréal (Québec) H1Z 4E9

Cher Paulo,

Je ne trouve pas les bons mots pour te faire part de mes sentiments à la suite du décès de ton père.

Je trouve plus facile de partager le vide et la solitude que j'ai ressentis après le décès de mon propre père... même si, à l'époque, j'étais convaincu que, en tant qu'adulte et dirigeant d'entreprise, je n'avais plus besoin de personne sur qui m'appuyer. À ce moment-là, je me suis rendu compte que j'avais perdu non seulement un membre de ma famille que j'aimais beaucoup, mais aussi un modèle et un mentor. J'ai alors compris ce qu'un ami m'a dit il y a longtemps : « Il n'y a pas d'âge auquel il est facile de perdre son père. » Dix ans plus tard, il me manque encore profondément.

Écrire ces lignes réveille ma tristesse; il m'est donc plus facile de partager la tienne et de t'offrir mes sincères condoléances.

Dès que j'irai à Montréal, je te rendrai visite.

Affectueusement,

Claude Côté

/dcd

276

CONDOLÉANCES
(parent)

De :	"roger lavoie" ‹ rogla@mediom.com ›
À :	‹ funeriou@globetrotter.net ›
Cc :	‹ peter.siegel@igd.com ›
Envoyé :	17 mai 2006
Objet :	Transmettre à M. Peter Siegel (fils d'Andrée Verret-Siegel)

Bonjour Peter,

Aujourd'hui, en fin de journée, j'ai appris avec regret le décès de ta mère. C'est une épreuve douloureuse à vivre, que l'on voudrait retarder à jamais, mais la vie en décide autrement.

J'aimerais te transmettre mes sincères condoléances, de même qu'à ta famille. Je ne pourrai me rendre à Trois-Pistoles pour les funérailles, mais j'aurai une pensée particulière pour toi et ta famille demain. Je te laisse, ci-après, une simple « prière » qui fait du bien dans ces moments-là.

Gaétane

À ceux que j'aime... et ceux qui m'aiment.
Pour un court moment, vous pouvez avoir de la peine,
La confiance vous apportera réconfort et consolation.
Je ne suis pas loin, et la vie continue...
Si vous avez besoin, appelez-moi et je viendrai.
Et si vous écoutez votre cœur,
Vous éprouverez clairement la douceur de l'amour que j'apporterai,
Absente de mon corps, présente avec Dieu.

CONDOLÉANCES
(conjoint)

277

Le 13 décembre 2006

Madame Élisabeth Bérubé
5556, boulevard Grand
Montréal (Québec) H3X 3S4

Chère Élisabeth,

Le décès de Fernand m'a bouleversé et attristé à un point tel que je ne saurais l'exprimer. Il était non seulement mon voisin de bureau, mais un partenaire et un ami de longue date avec lequel j'ai partagé les défis et les succès autant que les difficultés. Pendant 20 ans, nous avons été des collègues et nous nous sommes entraidés. C'est un coup terrible de penser que je devrai dorénavant me passer de lui.

Il me manquera profondément à cause de ce qu'il était : une personne très spéciale qui voyait le côté positif de toute situation, appréciait les choses avec distance et humour et mettait toutes ses énergies à trouver des solutions pratiques à tout problème.

Comme j'ai eu la chance d'avoir Fernand comme ami et partenaire, je peux imaginer ta fierté et ta joie de l'avoir eu comme mari.

Dès que nous irons à Montréal, Johanne et moi te rendrons visite. Entre-temps, appelle-nous si nous pouvons t'aider de quelque façon que ce soit.

Affectueusement,

Konrad Pharand

Konrad Pharand

279

DEMANDE DE RENSEIGNEMENTS À UN HÔTEL

Le 6 septembre 2006

Auberge du Parc
66, avenue du Parc
Salaberry-de-Valleyfield (Québec)
J6T 2P9

À l'attention du directeur des congrès

Madame ou Monsieur,

Nous envisageons de tenir une réunion d'affaires regroupant quelque 45 personnes du 12 au 14 février 2007. Nous recherchons un établissement hôtelier offrant d'excellentes possibilités pour les réunions et pour l'hébergement ainsi que des installations de sport extérieures et intérieures. Comme votre auberge nous a été recommandée par des collègues qui ont adoré leur séjour chez vous, nous avons pensé à votre établissement et aimerions obtenir les renseignements suivants :

- le prix du forfait séjour par personne et le tarif de groupe;
- le coût, le cas échéant, pour la location de salles de réunion;
- la disponibilité de repas santé et de repas végétariens;
- les services de télécopie, d'Internet et de reproduction;
- la disponibilité d'installations de conditionnement physique ou de plein air avec les coûts, le cas échéant.

Nous attendons votre réponse d'ici 15 jours, car nous devons choisir le lieu de la réunion avant le 25 septembre.

Veuillez agréer, Madame ou Monsieur, l'expression de nos sentiments distingués.

Le directeur,

Albert Leclerc

/vtt

PARTIE IV

CORRIGÉ DES EXERCICES

CORRIGÉ DES EXERCICES DES PAGES 136 ET 137

1. Le Premier Ministre a annoncé aux Québécois qu'il étudierait la possibilité de réduire les impôts versés par les contribuables québécois.

2. Avez-vous lu Un jour à Percé?

3. La Loi sur la protection de la jeunesse est entrée en vigueur le mois dernier. Cette loi prévoit que...

4. Demain, le ministre O'Neil participera à cette émission en même temps que le chef d'État John Arbour.

5. Cet Allemand parle le français, l'anglais et l'allemand.

6. Le président de l'entreprise est élu pour dix ans.

7. Je vous prie d'agréer, Monsieur le Président,...

8. Le Directeur des communications a convoqué le Chef des relations publiques.

9. Cette dernière est domiciliée à Lac-Beauport.

10. J'ai envoyé un don à la Société canadienne du cancer.

11. Le Chef de la Division de la comptabilité a écrit au Directeur du Service des finances. Il propose que sa division revoie...

12. Nous vous invitons au Salon du livre.

13. Le ministère de la Main-d'œuvre, de la Sécurité du revenu et de la Formation professionnelle a emménagé dans ses nouveaux locaux. Le Ministère recevra...   *ou*   Le ministère recevra...

14. Nous irons tous à l'Exposition provinciale de Québec.

15. Ce dépliant a été déposé à la Bibliothèque nationale.

16. Le 11 décembre, Claire Paquet, directrice des services linguistiques, annoncera...

17. Il a participé à la traversée du lac Saint-Jean.

CORRIGÉ DES EXERCICES DES PAGES 150 À 153

Exercice A

1. Réf. : Cours de grammaire

2. Mmes Brochu et Fortier   *ou*   Mmes Brochu et Fortier

3. Faites une distinction entre le N. B. et le P.-S.

4. Jean-Paul pesait 11 lb et 14 oz (5,4 kg) à la naissance.

5. Mardi : Montréal c. Toronto

6. 73, 25e Rue   *ou*   73, 25e Rue

7. Les Paré, les Tanguay, les Tremblay, etc., sont invités à ce congrès.

8. 90 % des étudiants ont réussi cet examen.
ou
90 p. cent des étudiants ont réussi cet examen.

ou

90 p. 100 des étudiants ont réussi cet examen.

9. La Compagnie de démolition ltée
   ou
   La Compagnie de démolition l^{tée}

10. ..., c.-à-d. la date et l'heure

11. 503, 1re Avenue   *ou*   503, 1re Avenue

12. ... qqn a placé qqch. dans le bureau de qq. secrétaire.

13. Il a parcouru 700 km en 2 h 9 min 53 s; c'est son record.

14. Les n°s 5 et 6 du Bulletin   *ou*   Les nos 5 et 6 du Bulletin

15. J'ai acheté 2 kg d'oignons.

16. Notre organisme a reçu 2,4 M$ en subventions.
    ou
    Notre organisme a reçu 2 400 000 $ en subventions.

Exercice B

1) Monsieur J.-L. Parent
   a/s de Monsieur Fernand Turpin
   4321, av. Saint-Jean-Baptiste
   Québec (Québec) G2E 2K3

2) Madame L. Jobin-Breton, ing.
   Les Chantiers inc.
   C. P. 8000, succ. K
   Montréal (Québec) H1N 3L5

3) Maître C. Doyon
   138, boul. Perron O., app. 3
   Sainte-Anne-des-Monts (Québec) G4V 3C3

ou
Maître C. Doyon
138, b^d Perron O., app. 3
Sainte-Anne-des-Monts (Québec) G4V 3C3
ou
Maître C. Doyon
138, bd Perron O., app. 3
Sainte-Anne-des-Monts (Québec) G4V 3C3

Exercice C

1. M. Lemieux a rencontré le Directeur du Service médical.

2. Le procès-verbal est signé par Mme la secrétaire Desbiens.
   ou
   Le procès-verbal est signé par Mme la secrétaire Desbiens.

3. Nous vous prions d'agréer, Monsieur le Secrétaire-Trésorier,...

4. Vous rencontrerez M. Labbé au sujet de la mutation de Mme Saint-Onge.
   ou
   Vous rencontrerez M. Labbé au sujet de la mutation de Mme Saint-Onge.

Exercice D

1. Québec, le 29 septembre 2006 (en tête d'une lettre)

2. M. le président Aubin vous rencontrera demain.

3. L'exercice financier 2006-2007

4. Pourriez-vous remettre cette invitation à M. Urbain Saint-Laurent.

5. Réf. : Bulletin du 30 octobre 2006

6. Je vous prie d'accepter, Monsieur le Président-Directeur général, l'assurance de ma haute considération.

Exercice E

1. *b*) J'écoute CHRC.

2. *b*) Le siège de l'UNESCO est à Paris.
   ou
   c) Le siège de l'Unesco est à Paris.

3. *e*) Personne n'a le droit d'avoir plusieurs NAM.

CORRIGÉ DE L'EXERCICE DES PAGES 176, 177 ET 178

1. La revue « La retraite se prépare » est lue par beaucoup de gens.
   ou
   La revue *La retraite se prépare* est lue par beaucoup de gens.

2. As-tu l'impression qu'il ment?

3. Nous désirons souligner que :
   – Les personnes doivent se présenter à 8 h.
   – La réunion durera 2 h 30 min.
   ou
   Nous désirons souligner que :
   – Les personnes doivent se présenter à 8 h;
   – La réunion durera 2 h 30 min.

4. Quel spectacle!

5. Les secrétaires, les agents, les commis, tous sont convoqués à la réunion.

6. Dis-moi ce que tu penses de ce rapport.

7. Les tentes, les roulottes, etc., offrent beaucoup d'avantages.

8. Diane, apporte-moi ce rapport.

9. Il s'est rendu compte que je n'étais pas contente.

10. Les gens du service doivent soumettre :
    1. une lettre bien rédigée,
    2. un rapport complet, et
    3. un échéancier.

    ou

    Les gens du service doivent soumettre :
    1. une lettre bien rédigée;
    2. un rapport complet; et
    3. un échéancier.

11. Je suis membre de l'AID (Association internationale des débardeurs).

12. Ainsi les gens pourront profiter d'un congé.

    ou

    Ainsi, les gens pourront profiter d'un congé.

13. Hélas! je ne pourrai y aller.   *ou*   Hélas, je ne pourrai y aller.

14. Là on voit tout.   *ou*   Là, on voit tout.

15. Paul pourrait s'occuper de la rédaction; Hélène, de la révision.

16. Hier soir, nous avons soupé chez Rémi.

17. Anne a parlé, chanté, ri et dansé toute la nuit.

18. Je soussignée, Louise Nadeau, reconnais avoir perdu...

19. Cependant, il faudrait avoir une idée générale du projet dont il est question.

20. Il y a 72 068 personnes de plus de 40 ans, soit 7,2 % de la population totale.

21. La réunion aura lieu le mardi 30 mai 2006.

22. Les habitants de cette ville, qui appartiennent surtout à la classe ouvrière, ont vu leurs taxes augmenter.

23. Michèle, l'aînée de la famille, est très intelligente.

24. Pendant que je travaillais à la préparation du cours et que je me posais sans cesse des questions, elle ne cessait de me déranger.

25. À des gens sans principes quels conseils donnes-tu?

26. Puisque tu ne veux pas aller dans la région du Saguenay–Lac-Saint-Jean, nous nous y rendrons seuls.

27. Enfin, nous avons atteint nos objectifs!
    ou
    Enfin nous avons atteint nos objectifs!

28. Louise se rendra chez nous, et tu viendras la chercher.

29. Nous aurions besoin de trois ouvrages : une grammaire, un lexique et un dictionnaire.

30. J'ai cru qu'il viendrait, mais on n'a pas eu de ses nouvelles.

31. Il ne faut pas l'accuser, car ce n'est pas lui qui a commis l'erreur.

32. Et il croit qu'on va lui confier ce travail!
    ou
    Et il croit qu'on va lui confier ce travail?

33. Combien cela a-t-il a coûté? Soixante-dix-huit dollars trente-deux cents.

34. Les personnes qui ont vu le spectacle étaient enchantées.

35. « Non, dit-il, je ne peux accepter que M. Dubois soit nommé président, car le Règlement prévoit ce qui suit : "Le président doit résider au Québec depuis au moins cinq ans." »

36. Le mot « plan » est utilisé à tort pour parler des régimes de retraite.

    ou

    Le mot *plan* est utilisé à tort pour parler des régimes de retraite.

37. Apportez un manteau, des bottes, etc.

38. Il me disait toujours : « Parle-moi de ta famille. »

39. Les enfants doivent apporter :
    • un goûter,
    • une paire de chaussures,
    • leur maillot de bain.

    ou

    Les enfants doivent apporter :
    – un goûter
    – une paire de chaussures
    – leur maillot de bain

40. Tous les gens à qui on en a parlé (secrétaires, agents, commis, etc.) sont d'accord.

    ou

    Tous les gens à qui on en a parlé – secrétaires, agents, commis, etc. – sont d'accord.

41. Louis pourrait entreprendre les travaux de construction; Paul, lui, pourrait faire la peinture.

42. Elle est partie, peut-être pour toujours, mais j'espère qu'elle nous reviendra.

    ou

    Elle est partie – peut-être pour toujours –, mais j'espère qu'elle nous reviendra.

    ou

    Elle est partie (peut-être pour toujours), mais j'espère qu'elle nous reviendra.

43. Je lui ai caché la vérité; en effet, elle n'avait pas à savoir, mais je crois qu'elle a deviné.

44. Ce qu'elle m'a dit : « Non, je ne te le dirai pas! »
    ou
    Ce qu'elle m'a dit? Non, je ne te le dirai pas!
    ou
    Ce qu'elle m'a dit? Non, je ne te le dirai pas.

45. Nous ne partons pas en vacances cet été; nous préférons partir l'hiver prochain.
    ou
    Nous ne partons pas en vacances cet été : nous préférons partir l'hiver prochain.

46. Je vous rapporte vos livres sur la Chine et sur l'Italie, qui m'ont été très utiles.

47. P.-S. – N'oubliez pas son anniversaire.
    ou
    P.-S. – N'oubliez pas son anniversaire!

48. Le trajet Lévis-Montréal en 2005-2006 est plus rapide qu'en 2000-2001.
    ou
    Le trajet Lévis–Montréal en 2005–2006 est plus rapide qu'en 2000–2001.

CORRIGÉ DE L'EXERCICE DES PAGES 193 À 197

1. Tout a été détruit, excepté cette maison.

2. Les milliers de dollars que l'affaire m'a coûté...

3. Tout le monde l'a crue morte.   *ou*   Tout le monde l'a cru morte.

4. Je vous rapporte un des livres que vous m'avez prêtés.

5. Beaucoup d'amitié lui fut témoignée.

6. Ils se sont nui.

7. Passé cette heure, nos bureaux seront fermés.

8. La terre que vous avez vendue ne valait pas les cinq mille dollars qu'elle vous avait coûté.

9. Des choses qu'on n'aurait pas crues possibles.
   ou
   Des choses qu'on n'aurait pas cru possibles.

10. Une partie du livre est consacrée à la morphologie.

11. Elles se sont laissé persuader.

12. Les employés que j'ai vus travailler sont compétents.

13. Les choses qu'ils se sont imaginées...

14. J'ai reçu beaucoup de lettres; combien m'en avez-vous écrit?

15. Ils se sont plu.

16. Voici les textes que vous nous avez fait copier.

17. Que de faveurs lui ont values sa bonne conduite et son application!

18. Vu les fautes, il faut recommencer cette lettre.

19. Que de recherches cette lettre m'a coûtées!

20. Ma soirée fut aussi agréable que je l'avais souhaité.

21. Cette étude est moins difficile que je ne l'avais présumé.

22. Le peu de confiance que vous avez témoigné à Marie l'a déçue.

23. Il y avait là une bande de manifestants que la police eut bientôt interrogés.

24. Ce n'est pas la gloire, non plus que les honneurs, qu'il a recherchée.

25. L'un des plus acharnés travailleurs qu'on ait jamais vus...

26. Elle s'est laissée mourir.

27. Nous nous sommes assurés de cette nouvelle.

28. Nous nous sommes dégagés de toute responsabilité.

29. Ces livres se sont bien vendus.

30. Les passagers ont tous péri, cinq ou six exceptés.

31. Les chaleurs qu'il a fait...

32. Les vingt minutes que j'ai marché...

33. J'ai fait tous les efforts que j'ai pu.

34. C'est une faveur qu'il a espéré se voir accorder.

35. La centaine de dollars que ce geste a valu...

36. L'explication du problème est plus difficile que nous ne l'avions supposé.

37. C'est sa compétence, autant que son savoir, que nous avons admirée.

38. La moitié des côtes fracturées...

39. Que de craintes nous avons eues!

40. Il y avait là une bande de malfaiteurs que la police eut bientôt cernée.

41. Les personnes que j'ai envoyées régler cette affaire se sont fourvoyées.

42. Combien de fautes a-t-elle faites?

43. C'est une des plus belles actions qu'il a faites.

44. Les difficultés qu'il a eu à surmonter...
    ou
    Les difficultés qu'il a eues à surmonter...

45. Je les ai fait chercher partout.

46. Ils se sont suffi à eux-mêmes.

47. Ce sont de vrais amis. Je n'oublierai pas les services que j'en ai reçus.

48. Ses ordres, s'il en a donné, ne me sont pas parvenus.

49. Ces deux semaines que nous avons vécu dans une joie indescriptible...

50. J'ai relu la lettre de remerciements que m'avait écrite le directeur.

51. Les directeurs se sont succédé.

52. Elle s'est mise à faire la cuisine.

53. Les années qu'il a grêlé, il y a eu des pannes d'électricité.

54. Sa douleur est plus vive que je ne l'aurais cru.

55. La lettre que vous m'avez fait relire s'est retrouvée au comité de direction.

56. Elle les a fait périr.

57. La maison que j'ai vu construire...

58. Elles se sont ri de mes faiblesses.

59. Nous avons les difficultés que nous avions prévues; c'est pourquoi nous ne pourrons livrer les esquisses comme nous l'aurions dû.

60. De la neige, il en est tombé même en mai.

61. Ce sont pourtant les livres que je vous ai prêtés.

62. La question était plus grave que je ne l'avais pensé.

63. Ils se sont vus condamnés à rester en prison pour la vie.

64. Ces filles et ces garçons ont été abandonnés par leurs parents.

65. Des étudiants motivés ont fait ce travail exceptionnel.

66. Les personnes ont semblé émues en apprenant cette nouvelle.

67. Les gens sont arrivés dès qu'ils ont su la nouvelle.

68. Tout le personnel sera là, y compris les vice-présidentes.

69. Étant donné les dernières nouvelles, nous ne pourrons partir demain.

70. Des textes, j'en ai traduit des centaines.

71. J'ai reçu plusieurs textes; combien en avez-vous rédigé?

72. La guerre s'est engagée entre l'armée et les citoyens.

73. Le courage qu'elle s'était attribué n'était pas tout à fait réel.

74. Les sociétés dont l'expansion nous avait été prédite n'existent plus.

75. Ci-inclus, veuillez trouver la photocopie demandée.

76. Vous trouverez ci-annexé la note de M. Dubois.
    ou
    Vous trouverez ci-annexée la note de M. Dubois.

77. J'espère que vous aimerez les dépliants que vous trouverez ci-joints.

78. Les documents que vous trouverez ci-annexés ont été préparés par le comité.

79. Je vous envoie ci-joint copie de la déclaration.

CORRIGÉ DE L'EXERCICE DE LA PAGE 201

aca/dé/mi/cien – voyage – ci/vique –in/croyable – agent – hier – UNESCO – 14 jan/vier 2007 – va-/t-il – axer – s'agir – Antoinette – Pierre-/Luc/ Provencher – étoile – golfe – week/end – em/ployant

BIBLIOGRAPHIE

Antidote : le remède à tous vos mots, Hybride Macintosh/Windows, [Logiciel], Montréal, Druide informatique, 2003, 1 cédérom.

BARTLETT, Micheline, en collab. avec Brigitte VAN COILLIE-TREMBLAY, Diane FORGUES-MICHAUD et autres. *Grammaire oblige*, [Cours de grammaire], Régie des rentes du Québec, 1982, 325 p. [Document interne].

BERGERON, Marcel, Corinne KEMPA et Yolande PERRON. *Vocabulaire d'Internet*, Québec, Les Publications du Québec, 1997, 144 p.

BILLAUD, Jean-François. *Règles de ponctuation et de typographie*, [En ligne], 2005. [www.interpc.fr/mapage/billaud/ponctua.htm].

COMMISSION DE TOPONYMIE. *Topos sur le Web*, [En ligne], 2005. [www.toponymie.gouv.qc.ca].

COMMUNAUTIQUE. *Petit guide d'utilisation du courrier électronique*, [En ligne], consulté en 2005. [www.communautique.qc.ca/formation/manuel/courriel.html].

Dictionnaire québécois d'aujourd'hui, 2e éd., Montréal, Dicorobert, 1993, 1616 p.

ÉCOLE DE BIBLIOTHÉCONOMIE ET DES SCIENCES DE L'INFORMATION DE L'UNIVERSITÉ DE MONTRÉAL. *Je rédige un courriel et je respecte la nétiquette*, [En ligne], 2005. [www.ebsi.umontreal.ca/jetrouve/internet/cour_red.htm].

ÉCOLE DE BIBLIOTHÉCONOMIE ET DES SCIENCES DE L'INFORMATION DE L'UNIVERSITÉ DE MONTRÉAL. *Politique de gestion du courrier électronique : des mesures à prendre*, [En ligne], 1997. [www.ebsi.umontreal.ca/cursus/vol3no1/periat.htm].

ÉCOLE NATIONALE SUPÉRIEURE DES TÉLÉCOMMUNICATIONS. *Le Net : traité de savoir-vivre et nétiquette*, [En ligne], 1995. [www.infres.enst.fr/~vercken/netiquette/netiquette.html].

GREVISSE, Maurice. *Le bon usage : grammaire française*, 13e éd. rev. et ref. par André Goosse, Paris : Louvain-la-Neuve, Éditions Duculot, 1993, 1762 p.

GUILLOTON, Noëlle, et Hélène CAJOLET-LAGANIÈRE. *Le français au bureau*, 6e éd. rev. et augm. par Noëlle Guilloton et Martine Germain, [pour l'Office québécois de la langue française], Sainte-Foy, Les Publications du Québec, 2005, 754 p.

HANSE, Joseph, et Daniel BLAMPAIN. *Nouveau dictionnaire des difficultés du français moderne*, 4e éd., Bruxelles, Éditions de Boeck-Duclot, 2000, 649 p.

MALO, Marie. *Guide de la communication écrite au cégep, à l'université et en entreprise*, Montréal, Québec/Amérique, 1996, 322 p.

MENEY, Lionel. *Dictionnaire québécois français*, 2ᵉ éd., Montréal, Guérin, 2003, 1884 p.

Le nouveau petit Robert : dictionnaire alphabétique et analogique de la langue française, Texte remanié et amplifié sous la direction de Josette Rey-Debove et d'Alain Rey, Nouv. éd. mise à jour et augmentée, Paris, Dictionnaires Le Robert, 2002, 2949 p.

OFFICE QUÉBÉCOIS DE LA LANGUE FRANÇAISE. *Banque de dépannage linguistique*, [En ligne], 2005. [www.oqlf.gouv.qc.ca].

OFFICE QUÉBÉCOIS DE LA LANGUE FRANÇAISE. *Le grand dictionnaire terminologique*, [En ligne], 2005. [www.oqlf.gouv.qc.ca].

PARKER, Roger C., et Lise THÉRIEN. *Mise en page : un guide de conception graphique sur micro-ordinateur*, Repentigny, Reynald Goulet, 1991, 341 p.

Le petit Larousse grand format, Paris, Larousse, 2004, 1927 p.

RAMAT, Aurel. *Le Ramat de la typographie*, Éd. 2005 conforme aux deux orthographes, Montréal, Aurel Ramat éditeur, 2004, 224 p.

RESSOURCES NATURELLES DU CANADA. *Toponymie du Canada : abréviations et symboles pour les noms des provinces et territoires*, [En ligne], 2005. [http://geonames.nrcan.gc.ca/info/prov_abr_f.php].

SOCIÉTÉ CANADIENNE DES POSTES. *Guide canadien d'adressage*, [En ligne], 2005. [www.postescanada.ca].

TARDIF, Geneviève, Jean FONTAINE et Jean SAINT-GERMAIN. *Le Grand Druide des synonymes : dictionnaire des synonymes et hyponymes*, Montréal, Québec, Québec Amérique, 2003, 1228 p.

TERMINOX. *TransSearch*, [En ligne], 2005. [www.tsrali.com].

UNIVERSITÉ CATHOLIQUE DE LOUVAIN. *Documents sur la nétiquette*, [En ligne], 1995. [www.sri.ucl.ac.be/SRI/rfc1855.fr.html].

VAN COILLIE-TREMBLAY, Brigitte, en collab. avec Micheline BARTLETT et Diane FORGUES-MICHAUD. *Correspondance d'affaires : règles d'usage françaises et anglaises et 85 modèles de lettres*, Montréal, Publications Transcontinental et Fondation de l'entrepreneurship, 1991, 265 p. (Entreprendre).

VAN COILLIE-TREMBLAY, Brigitte, Micheline BARTLETT et Diane FORGUES-MICHAUD. *Correspondance d'affaires anglaise : règles d'usage, principaux aspects juridiques et 126 lettres modèles*, Montréal, Les Éditions Transcontinental et Les Éditions de la Fondation de l'entrepreneurship, 1998, 394 p. (Entreprendre).

VILLERS, Marie-Éva de. *Multidictionnaire de la langue française*, 4ᵉ éd., Montréal, Éditions Québec Amérique, 2003, 1542 p.

INDEX DES NORMES

A

D

M

𝒩

O

P

𝓤

INDEX DES LETTRES MODÈLES

D

G

H

I

J

L

S

	Numéro sur le CD	Page dans le livre

$\mathcal{V}$